Grimm

Contes

Choix,
traduction et préface
de Marthe Robert

Gallimard

PRÉFACE

En entreprenant de rassembler, de transcrire et de publier les contes populaires dont la tradition vivait encore à leur époque dans les pays allemands, les frères Grimm ne songeaient guère qu'à les sauver de l'oubli avant que leur déclin fût irrémédiable. L'extraordinaire fortune des deux petits livres qui portent à bon droit leur nom dit assez qu'ils ont réussi, et au-delà de ce qu'ils espéraient sans doute, car grâce à·eux, grâce à leur amour et à leur scrupuleuse patience, ces petits chefs-d'œuvre jugés jadis tout juste bons « à dormir debout » sont entrés d'un coup dans la littérature et, même, dans l'histoire de la pensée. Avant eux, en effet, quoique Perrault les eût mis à la mode parmi les gens de goût et les lettrés, personne n'eût cherché dans les contes autre chose que les produits naïfs, charmants et un peu simples, d'une imagination populaire dont le bénéfice semblait exclusivement réservé aux vieilles femmes et aux enfants. Si l'on se divertissait à les lire, voire à en écrire, on ne s'interrogeait guère sur leur raison d'être, et leur sens paraissait assez clair pour se résumer dans une brève moralité qui, tout en les rendant utiles, avait aussi l'avantage de compenser leurs bizarreries. Il est probable que les philologues allemands eux-mêmes n'eussent pas beaucoup dépassé cette façon de voir si la logique de leur méthode ne les y eût conduits, en leur ouvrant pour ainsi dire à l'improviste un chemin tout encombré d'obstacles et de questions. Leur grand mérite est d'avoir frayé ce chemin dans une contrée à peu près aussi broussailleuse que les forêts enchantées de leurs contes, et sans crainte de s'y perdre.

L'admirable transcription qu'ils avaient faite avec une ferveur où l'on retrouve la piété des anciens bardes, autant que la rigueur sans faille du critique, elle servait certes d'abord la poésie en restituant à la littérature populaire sa perfection et sa noblesse, mais elle donnait aussi matière à une véritable science, inconcevable tant qu'on ne disposait que de quelques contes isolés, recueillis par jeu ou au hasard. A mesure que les recueils du même genre se multipliaient et faisaient connaître le folklore de l'Europe, on découvrait entre tous les contes des analogies extrêmement précises que leur constance même empêchait d'expliquer par une rencontre fortuite. Non seulement, en effet, les récits des pays les plus divers avaient une trame commune, mais

leurs éléments se trouvaient agencés et combinés
de façon identique, à quelques variantes près
qui soulignaient encore une nette continuité des
thèmes. Comment expliquer cette similitude
autrement que par une origine commune? Mais à
peine soulevée, la question de l'origine et de la
diffusion des contes soulevait celle de leur sens
possible, car si ces histoires s'étaient propagées
d'âge en âge à partir d'une unique origine, on
pouvait difficilement les tenir pour tout à fait
absurdes, il fallait croire au contraire qu'elles
avaient eu un sens, lequel s'était naturellement
obscurci à mesure qu'elles s'éloignaient de leurs
lointains commencements. Afin d'élucider ces
problèmes qui faisaient perdre aux contes leur
caractère apparemment si anodin, les frères
Grimm formulèrent une théorie séduisante qui
passa longtemps pour être conforme à la vérité.
En philologues principalement préoccupés des
origines de leur langue, ils furent amenés à
penser que tous les récits merveilleux qui for-
ment le fond du folklore européen sont d'origine
aryenne, et doivent être regardés comme des
réminiscences plus ou moins vives ou pâlies des
mythes conçus en des temps immémoriaux par le
peuple d'où sont descendus les Hindous, les
Perses, les Grecs, les Romains et la plupart des
peuples de l'Europe. En se déplaçant, les diverses
tribus aryennes ont emporté ces résidus de leur
mythologie qui, avec des variantes et des défor-
mations entraînées par l'adaptation à de nou-

*veaux climats comme à de nouvelles formes de
vie, se retrouvent dans tous les contes des peuples
issus de la même race. « Ces éléments, écrit
Wilhelm Grimm, que l'on retrouve dans tous les
contes ressemblent à des fragments d'une pierre
brisée qu'on aurait dispersés sur le sol, au milieu
du gazon et des fleurs : les yeux les plus perçants
peuvent seuls les découvrir. Leur signification est
perdue depuis longtemps, mais on la sent encore,
et c'est ce qui donne au conte sa valeur. »*

*Ainsi les frères Grimm et les savants de leur
école croient pouvoir expliquer les contes par les
mythes dont ils dérivent, en ramenant les uns et
les autres à une seule théorie : pour eux, contes
et mythes sont la représentation du grand drame
cosmique ou météorologique que l'homme, dès
l'enfance de son histoire, ne se lasse pas d'imaginer. Rien de plus simple, dès lors, que d'interpré-
ter, sinon le détail, du moins le dessin général de
chaque conte : si les personnages mythiques sont
les personnifications des phénomènes naturels,
astres, lumière, vent, tempête, orages, saisons, il
faut comprendre la Belle au Bois Dormant
comme le Printemps ou l'Été engourdi par l'Hiver, et la léthargie où elle est plongée pour s'être
piqué le doigt avec la pointe d'un fuseau, comme
le souvenir de l'anéantissement dont les dieux
aryens sont menacés au seul contact d'un objet
aigu. Il s'ensuit que le jeune prince qui la réveille
représente certainement le soleil printanier.
(Notons que la version de Perrault semble soute-*

nir cette façon de voir; la Belle et le Prince y ont en effet deux enfants, le petit Jour et la petite Aurore, tandis que la version allemande s'arrête au mariage, comme il est presque de règle pour les contes de ce type.) En appliquant le même procédé, on trouve que Cendrillon est une Aurore éclipsée par des nuages — les cendres du foyer — enfin dissipés par le soleil levant — le jeune prince qui l'épouse. Et dans toute jeune fille qui, en butte aux désirs incestueux de son père, se couvre d'une peau de bête pour lui échapper (dans notre recueil, c'est Peau-de-Mille-Bêtes, variante du Peau-d'Ane de Perrault), il faut reconnaître l'Aurore poursuivie par le soleil ardent dont elle redoute la brûlure. Dans cette interprétation, dite « naturaliste », tous les récits ont à peu près le même sens, et le conte lui-même relève de la pure métaphore, c'est une image poétique, l'expression voilée d'un sentiment du monde et de la nature, tels que les concevaient en leur enfance les peuples de nos pays.

Sans entrer dans la discussion d'une théorie qui fut diversement complétée, étendue, réfutée et n'a plus guère aujourd'hui qu'une valeur historique, notons cependant qu'elle fut surtout ruinée par la connaissance des folklores non européens, qui devait mettre en évidence la parenté étroite de tous les contes, quel que soit leur lieu d'origine. A la fois trop étroite et trop large, la théorie des frères Grimm apparaît maintenant comme une hypothèse, mais on lui doit un rapprochement fécond entre deux ordres de phénomènes jadis fort éloignés dans la pensée des érudits. En cherchant à établir les rapports du conte et du mythe, elle a mis pour la première fois en lumière l'expérience humaine tout à fait générale que le conte, comme le mythe et la légende, est chargé en même temps de voiler et de transmettre. Et c'est cela qui importe bien plus que la traduction en clair des allégories du monde féerique, car cette expérience qui est au fond de tout récit merveilleux, elle a pu changer de formes, mais elle n'a cessé de s'affirmer en dépit des plus grands changements sociaux et religieux. Ainsi les contes de fées qui se sont propagés dans des pays depuis longtemps chrétiens nous restituent avec une fidélité surprenante quantité de rites, de pratiques et d'usages qui révèlent un attachement tenace au paganisme. Et ce ne sont point là de simples souvenirs, car le conte, on l'a remarqué dès longtemps, enseigne quelque chose, il est à sa manière modeste un petit ouvrage didactique. Qu'exprime-t-il en effet sous ses couleurs fantastiques? Pour l'essentiel, il décrit un passage — passage nécessaire, difficile, gêné par mille obstacles, précédé d'épreuves apparemment insurmontables, mais qui s'accomplit heureusement à la fin en dépit de tout. Sous les affabulations les plus invraisemblables perce toujours un fait bien réel : la nécessité pour l'individu de passer d'un état à un autre, d'un âge à un autre,

et de se former à travers des métamorphoses
douloureuses, qui ne prennent fin qu'avec son
accession à une vraie maturité. Dans la concep-
tion archaïque dont le conte a gardé le souvenir,
ce passage de l'enfance à l'adolescence, puis à
l'état d'homme, est une épreuve périlleuse qui ne
peut être surmontée sans une initiation préala-
ble, c'est pourquoi l'enfant ou le jeune homme
du conte, égaré un beau jour dans une forêt
impénétrable dont il ne trouve pas l'issue, rencontre au bon moment la personne sage, âgée le
plus souvent, dont les conseils l'aident à sortir de
l'égarement.

Si la tradition française affaiblit le caractère
initiatique du conte au profit d'un érotisme mal
déguisé et d'une morale le plus souvent confor-
miste, le conte allemand, manifestement moins
« civilisé », lui conserve toute sa vigueur. La
différence est très sensible quand les deux
traditions traitent le même sujet — Cendrillon, la
Belle au Bois Dormant, Peau-d'Ane, etc. —
surtout en ce qui touche le personnage central de
la fée. Ainsi, on chercherait en vain dans la
plupart des contes de ce recueil la fée à la robe
scintillante qui, l'étoile au front et la baguette à
la main, vient arranger à point nommé les
affaires de cœur des jeunes gens. Elle est rempla-
cée par un personnage qui ne lui ressemble guère
et dont le caractère effacé contraste fort avec
son propre éclat. C'est, le plus souvent, une
vieille femme que le conteur ne s'attarde pas à

décrire, mais dont la figure ne laisse pas d'être équivoque, car on ne sait trop à première vue ce qu'il faut en attendre, si elle est une puissance tutélaire ou une sorcière acharnée au mal. Cette vieille inquiétante est tout à fait privée de rayonnement, elle ne provoque ni l'admiration, ni la reconnaissance, ni l'amour. Sèche et décharnée même quand elle favorise le bonheur, elle n'a rien de la fée radieuse qui se confond pour les orphelins avec la tendre figure de la mère morte. Elle apparaît peu, on la rencontre quand on est perdu sans recours, elle n'est pas la « marraine » de ceux qu'elle aide, si elle assiste parfois à leur naissance, elle ne vient pas à leur mariage, et sitôt sa tâche faite, elle disparaît. En somme, elle a si peu les traits indispensables à la fée qu'on serait presque tenté de lui refuser cette qualité.

De fait, le conte allemand ne l'appelle pas « fée », quand il lui donne un nom, c'est celui de « sage-femme », que nous avons conservé dans notre texte à cause précisément de son double sens et de l'interprétation dont il est susceptible. Avant d'être magicienne ou sorcière, en effet, la « sage-femme », comme les Moires grecques et les Nornes germaniques, paraît bien présider à la naissance de l'homme, dont elle figure le Destin. (On remarquera que la vieille de nos contes est souvent fileuse.) Mais si l'on s'en tient au langage populaire, qui fait de la « sage-femme » une accoucheuse, on peut supposer que dans la société archaïque où s'est fixée son image, la fée est celle qui met les enfants au monde en appliquant les règles de la « sagesse », c'est-à-dire en veillant à la stricte observance des rites qui président à la naissance comme à tout acte important de la vie. Quoique ses traits se soient considérablement dégradés, la vieille des contes de Grimm a gardé en partie son caractère de gardienne des rites et de la tradition, ce qui explique la crainte et le respect dont elle est généralement entourée. Ni bonne ni mauvaise, ni fée ni sorcière, elle est l'une ou l'autre selon les cas, pour rappeler la nécessité des coutumes rituelles par quoi les grands événements de la vie prennent leur sens. Voici, par exemple, la Belle au Bois Dormant. Grimm nous dit que dans le royaume de son père, il y a en tout treize sages-femmes (Perrault ne connaît que sept fées, mais la dernière se trouve exclue de la cérémonie de la naissance pour une raison analogue). Or le roi ne peut les inviter toutes, parce qu'il ne possède que douze assiettes d'or et que, de toute évidence, les sages-femmes ne peuvent être servies dans une autre vaisselle. La treizième est donc « oubliée », et cet oubli, qui est un manquement au rituel, entraîne pour l'enfant une interdiction grave, celle de se servir d'un fuseau, c'est-à-dire de faire normalement son métier de jeune fille. Cette interdiction entraîne un nouvel oubli, car on détruit tous les fuseaux, sauf un, laissé aux mains d'une vieille fileuse dans laquelle nous

pourrions bien reconnaître la sage-femme elle-
même, et il s'ensuit une dernière épreuve, atté-
nuation de la mort primitive : le sommeil de Cent
Ans, auquel seul mettra fin le rite nuptial
correctement accompli. Mal née, puisque sa
naissance s'accompagne d'un acte manqué, la
Belle ne peut donc se développer sans risquer à
tout instant la mort. Son passage à l'adolescence
se fait dans une profonde léthargie, et c'est avec
un long retard qu'elle s'éveille enfin à l'amour.

Accoucheuse, savante, et bien entendu magi-
cienne, grâce à ses relations étroites avec les
forces obscures de la vie, la « sage-femme »
nous renseigne mieux que la fée romantique de
nos pays sur la tâche dont son antique modèle
était probablement chargé : transmettre aux
individus qui en ont le plus besoin, enfants et
adolescents, la connaissance des pratiques reli-
gieuses et sociales par quoi l'homme peut s'insé-
rer dans l'ordre des choses, venir vraiment au
monde et y être à sa place. Si telle est sa
fonction, on comprend enfin le paradoxe du
conte qui, de tout temps destiné aux enfants,
traite avec prédilection le sujet le moins appro-
prié à une littérature enfantine : la quête éroti-
que de l'objet aimé, à travers mille épreuves
douloureuses. En réalité, la contradiction
n'existe que pour nous, selon les critères de notre
morale pédagogique : le personnage de la
« sage-femme », dépositaire des rites, initiatrice
et conseillère au sens véritable du mot, permet

aisément de l'écarter. Et l'on voit bien dès lors pourquoi le conte est à la fois si innocent et si cruel, pourquoi il se complaît à évoquer des actes sanglants, meurtres, mutilations, sacrifices humains, comme s'il s'agissait là non point de faits révoltants, mais de choses qui vont de soi. C'est que la cruauté est liée au monde rituel dont il est le lointain reflet et que, bien loin qu'il ait à taire le caractère sanglant de la vie, il est là en quelque sorte pour le manifester. Rien d'étonnant si le sang est partout dans le récit merveilleux, si les jeunes filles se mutilent les pieds au moment de leur mariage (les deux sœurs de Cendrillon, dénoncées par le « sang dans la pantouk ») ou se laissent couper les mains par leur père (la Jeune Fille sans mains), si les pères sacrifient leur fils (le fidèle Jean, les Douze Frères, le Corbeau, et tant d'autres) et les maris leur femme bien-aimée : le sang consacre le passage rituel auquel nul ne peut se soustraire. Le sacrifice sanglant peut aussi s'accompagner d'une ascèse : jeûne complet, interdiction de parler et de rire (souvent acceptée par les jeunes filles pour le salut de leur frère), long isolement dans la forêt obscure — de toute façon l'épreuve est la raison d'être du conte, la matière même de son enseignement. On peut admirer que cet enseignement se soit maintenu avec autant d'obstination, en dépit des courants puissants qui tendaient à l'abolir, et surtout du christianisme. Peut-être le doit-il à ces vieilles femmes,

bonnes femmes ou nourrices, qui, le transmet-
tant de génération en génération, jouèrent
modestement au coin du feu, et probablement
sans le savoir, le rôle jadis prestigieux de la sage-
femme et de la fée.

On voit que les qualités les plus apparentes du
conte, sa naïveté, son charme enfantin, sont loin
de justifier son étonnante survie. En réalité, il est
profondément ambigu, et s'il plaît par la simpli-
cité de son dessin, il fascine par tout ce que l'on y
sent de vrai, quand même on ne tenterait pas de
traduire sa vérité. Tout masqué qu'il est par les
symboles et les images, il parle cependant un
langage plus direct que le mythe ou la fable, par
exemple, et les enfants le savent d'instinct, qui y
« croient » dans la mesure même où ils y trou-
vent ce qui les intéresse le plus au monde : une
image identifiable d'eux-mêmes, de leur famille,
de leurs parents. C'est là sans doute l'un des
secrets du conte, et l'explication de sa durée : il
parle uniquement de la famille humaine, il se
meut exclusivement dans cet univers restreint
qui, pour l'homme, se confond longtemps avec le
monde lui-même, quand il ne le remplace pas
tout à fait. Le « royaume » du conte, en effet,
n'est pas autre chose que l'univers familial bien
clos et bien délimité où se joue le drame premier
de l'homme. Le roi de ce royaume, il n'en faut
pas douter, c'est un époux et un père, rien
d'autre, du moins est-ce comme tel qu'il nous est
présenté. Sa richesse fabuleuse, sa puissance,

l'étendue de ses possessions, il faut croire qu'elles ne sont là que pour donner du relief à l'autorité paternelle, car pour le reste, autant dire que nous ne savons rien de lui. La plupart du temps, le conte se borne à l'introduire par la formule traditionnelle : « Il était une fois un roi... » puis, ajoutant aussitôt : « ... qui avait un fils... », il l'oublie sur-le-champ et s'attache aux aventures du fils, jusqu'à la fin où il ne se souvient de lui que pour la réconciliation dernière. Il n'en va d'ailleurs pas autrement quand le roi est remplacé par un homme quelconque, ce qui, on le verra dans maint conte de ce recueil, n'entraîne aucun changement sensible de l'histoire. De quelque valeur symbolique qu'on puisse le charger, le roi, au moins dans ce que nous voyons de lui, est simplement un homme défini par ses liens charnels et affectifs avec les membres de sa famille. Il n'est jamais célibataire, et quand il est veuf, ce qui lui arrive souvent, il n'a pas d'affaire plus pressée que de se remarier (la raison d'État n'est ici encore alléguée que pour augmenter sa puissance, car l'homme ordinaire n'agit pas autrement : « Quand vint l'hiver, *dit mélancoliquement le conteur de* Cendrillon, la neige mit un tapis blanc sur la tombe et quand le soleil du printemps l'eut retiré, l'homme prit une autre femme. ») *Le roi ne peut rester sans femme, encore bien moins sans enfants, et s'il lui arrive de se trouver dans cette situation fâcheuse, le conte s'empresse de l'en sortir. La reine, de son côté, n'a pas d'autre fonction ni d'autre raison d'être que celle d'épouse et de mère. Quant au prince et à la princesse, ils sont par excellence fils ou fille jusqu'au moment du moins où ils fondent à leur tour une famille et marquent ainsi la fin d'un règne : celui de la vieille génération.*

Avec une remarquable économie de moyens, le conte, et spécialement le conte de Grimm, nous présente donc un petit roman familial dont le schéma est pour ainsi dire invariable : un enfant naît dans une famille anonyme en un lieu non situé (l'anonymat des lieux est constant, mais on remarquera aussi combien les noms de person-nages sont rares dans nos histoires : on parle simplement du héros comme du « prince » ou plus souvent encore comme du « jeune homme »); il est, selon les cas, aimé de ses parents ou maltraité par eux, et chose remar-quable, les pires traitements lui viennent surtout de sa mère, dont la férocité tranche nettement sur la bonté un peu lâche, un peu rêveuse aussi, du père. (On ne trouvera dans notre recueil que deux ou trois pères bourreaux, par exemple, celui de La Gardeuse d'Oies à la Fontaine, *et celui des* Douze Frères, *tandis que les « marâ-tres » ne se comptent pas. Et le fait que la « marâtre » soit donnée comme belle-mère ne saurait tromper sur sa vraie nature : c'est bien de la mère cruelle, dévoratrice, jalouse, qu'il s'agit dans le conte, car la mère tendre, aimante, dévouée à ses enfants jusqu'au sacrifice, est, à quelques exceptions près, toujours une personne lointaine ou une figure de morte.) Jamais l'enfance du héros merveilleux ne se passe sans accidents : s'il est aimé de ses parents, il est haï d'un frère ou d'une sœur. S'il est entouré d'affection, il est poursuivi par une faute antérieure à sa naissance, généralement commise par l'un des siens : oubli, vœu imprudent, promesse naïve au diable. De sorte qu'il ne peut grandir normalement : à peine adolescent, il lui faut quitter sa famille et aller, comme dit si joliment le conteur tenter sa chance « dans le vaste monde »... Et là, dans ce monde de la « forêt obscure » où il s'égare nécessairement, il rencontre le besoin, l'angoisse de la solitude et la première atteinte de l'amour. Il lui faut alors s'engager sur le chemin semé d'embûches où une volonté mauvaise le pourchasse, comme si l'éloignement même ne pouvait le soustraire à la fatalité familiale. Sa seule chance de salut est de rencontrer l'être aimé qui le « délivre » de l'enchantement où le tiennent encore ses attachements infantiles. Malheur à lui s'il ne sait pas trancher ces liens d'une main ferme et pour toujours — en coupant par exemple toutes les têtes du dragon avec leurs langues; si, cédant à la nostalgie qui le pousse vers la maison paternelle, il oublie la prédiction de la jeune fille qu'il aime et embrasse ses parents « sur la joue gauche » ou leur dit « plus de trois mots ». Cela suffit à le replonger dans l'oubli, l'inconscience, le chaos de l'enfance d'où il a eu tant de peine à sortir et si, rêveur éveillé, il accepte une femme des mains de ses parents en renonçant au libre choix de son amour, il se perd lui-même pour longtemps en perdant sa « vraie fiancée ».*

Il est vrai, le prince du conte féerique ne saurait sans plus de précautions se confondre avec Œdipe, pour cette raison déjà que le conte ne traite jamais le thème incestueux de son point de vue, mais toujours relativement au père, dont les désirs sont souvent révélés fort crûment (il est moins réticent dans les histoires où domine l'amour fraternel, qui sont du reste très nombreuses). Mais tout suggère que le danger qu'il fuit en quittant sa famille est celui-là même dont nous parle la tragédie antique. La seule différence, c'est qu'il triomphe toujours de l'épreuve et que le double crime d'Œdipe lui est épargné : quelque violence que prenne le conflit dont le royaume paternel est le théâtre, il a la force de le surmonter ; si tenaces soient ses attachements infantiles, il lui est donné de les rompre et de « vivre heureux jusqu'à la fin de ses jours ». Exemple d'une réussite parfaite là où Œdipe précisément échoue, il démontre avec éclat, au cours d'une action dramatique fortement condensée, que la métamorphose de l'enfant en adulte est pleine de périls, mais possible, et qu'elle seule peut mener l'homme à ce haut degré de bonheur dans l'amour dont le conte fait son idéal humain.

Avec des traits et un style épiques, le conte de fées est donc encore un véritable petit roman « d'éducation sentimentale », et rien ne justifie mieux sans doute sa vocation pédagogique. Son propos est grave sous l'air qu'il se donne de distraire, et rien n'empêche de croire qu'il est conscient de sa responsabilité. Mais quelle grâce il a dans l'exercice de la fonction qu'il s'est dévolue, quel art il met dans sa façon d'enseigner! Et comme il sait choisir ses détails, avec quelle liberté, quel humour en dépit de ses propres conventions, il brouille les cartes du réel et du rêve, du vrai et de l'illusion. Quoiqu'il n'ait affaire qu'au royaume du désir, où rien ne sépare le souhait de son accomplissement, il pose sur la réalité quotidienne, celle du travail obscur, de la souffrance et de la patience forcée de chaque jour, un regard vif, clairvoyant, gai ou attristé, mais toujours plein de chaleur et brillant d'amour pour la vie. S'il propose un monde consolateur où toute misère est compensée par la réalisation des désirs les plus impossibles, il a trop de respect pour nier la misère elle-même, bien plutôt il marque mélancoliquement sa place : « Ces choses-là n'arrivent plus de nos jours, *est-il dit dans* La Gardeuse d'Oies *à propos de larmes qui se changent en perles,* sans cela les pauvres gens auraient tôt fait de devenir riches. » *Certes, le conte féerique abolit les lois*

*naturelles à son gré, mais il reste pétri de chair et
de sang, jamais il n'ignore le corps de son héros,
il le décrit en proie au besoin, à la faim, au froid,
aux dures fatigues de la route. Il n'est pas
jusqu'aux malheurs de la guerre dont il ne
rappelle le souvenir, et toujours, avant d'élever le
simple soldat à la royauté dont, à défaut de
vertu, au moins sa vaillance et ses épreuves le
rendent digne, il le montre découragé et humilié,
aigri et prêt à tout, ainsi que le sont de tout
temps les mercenaires sans emploi. Le conte ne se
borne pas à animer les vastes contrées dont le roi
tout-puissant est le rêve, comme toute œuvre
profonde et poétique, il est attentif, respectueux
de la vie dans ses manifestations les plus hum-
bles ; par là il gagne son principal privilège, qui
est de mentir sans accréditer l'illusion, en restant
vrai.*

*La grâce et l'art — voilà finalement ce que les
contes trouvent de plus fort pour se protéger des
entreprises inquiétantes peut-être de la science.
Personne ne l'a mieux su que les frères Grimm,
dont le premier souci fut de les préserver pour
ainsi dire contre leur propre tentation de cher-
cheurs, en veillant que rien d'impur ne s'y mêlât,
fût-ce pour les rehausser ou les enrichir. C'est
par miracle qu'ils y sont parvenus, ou plutôt par
l'effet d'une rare alliance entre le savoir et la
poésie. Tout comme l'enfant de leur dernier
conte, ils nous tendent la clef d'or qu'ils croient
avoir trouvée sous la neige, mais ils ne nous*

forcent pas à la prendre, la clef est si belle, d'un travail si fin et d'un si pur éclat, que nous pouvons nous contenter de l'admirer sans songer à nous en servir.

Marthe Robert.

LIVRE PREMIER

De celui qui partit en quête de la peur

Un père avait deux fils, l'aîné était avisé et intelligent, mais le cadet était sot, incapable de comprendre ou d'apprendre quoi que ce soit ; et quand les gens le voyaient, ils disaient : « En voilà un qui sera un beau fardeau pour son père ! » Lorsqu'il y avait une tâche à faire, c'était toujours l'aîné qui devait s'en charger, mais si son père lui demandait d'aller chercher quelque chose à une heure tardive ou la nuit, et que le chemin passât par le cimetière ou quelque autre lieu horrifiant, il répondait : « Oh non, père, je n'irai pas, ça me donne la chair de poule », car il était peureux. Ou bien encore quand, le soir à la veillée, on racontait de ces histoires qui vous font dresser les cheveux sur la tête, les auditeurs disaient parfois : « Brr, ça vous donne la chair de poule. » Le cadet était assis dans un coin et écoutait tout cela et ne parvenait pas à comprendre ce que cela voulait dire. « Ils disent toujours : ça me donne la chair de poule, ça me donne la

chair de poule ! Mais moi, je n'ai pas la chair de
poule. Ça doit encore être une de ces choses
auxquelles je n'entends rien. »

Or il advint que son père lui dit un jour :
« Écoute, toi là-bas, dans ton coin, tu deviens
grand et fort, il va falloir que tu apprennes
quelque chose qui te permette de gagner ton
pain. Vois comme ton frère se donne du mal,
mais pour ce qui est de toi, on y perd son temps
et sa peine. — Hé, mon père, répondit-il, je ne
demande qu'à m'instruire, et même, si c'était
faisable, j'aimerais bien savoir ce que c'est que la
chair de poule, je n'y comprends rien du tout. »
En entendant cela, l'aîné se mit à rire et se dit :
« Dieu, quel benêt que mon frère, on n'en fera
jamais rien ; qui veut se faire hameçon doit se
courber de bonne heure. » Le père soupira et lui
répondit : « La chair de poule, tu apprendras
bien ce que c'est, mais ce n'est pas avec ça que tu
gagneras ton pain. »

Peu après, le sacristain vint en visite à la
maison, alors le père se plaignit de ses soucis et
lui raconta que son fils cadet était vraiment bien
peu ferré sur quoi que ce fût, il ne savait ni
n'apprenait rien. « Imaginez un peu, quand je lui
ai demandé comment il pensait gagner son pain,
il a souhaité d'apprendre à avoir la chair de
poule. — Si ce n'est que cela, dit le sacristain, il
pourra l'apprendre chez moi, confiez-le-moi, je
me charge de le dégourdir. » Le père en fut bien
content, car il se disait : « Mon garçon va être un

peu dressé tout de même. » Le sacristain le prit
donc chez lui et lui fit sonner les cloches. Au bout
de quelques jours, son maître vint le réveiller sur
le coup de minuit et lui ordonna de se lever, de
monter au clocher et de carillonner. « Je vais
t'apprendre ce que c'est que la frousse », pensa-
t-il ; il partit devant à la dérobée et quand le
garçon, arrivé en haut, se retourna pour saisir la
corde, il aperçut une forme blanche dans l'escalier, juste en face des abat-son : « Qui va là ? »
cria-t-il, mais la forme ne donna pas de réponse
et ne bougea pas. « Réponds, cria le garçon, ou
dépêche-toi de t'en aller, tu n'as rien à faire ici la
nuit. » Mais le sacristain resta immobile afin que
le garçon le prît pour un fantôme. Il cria pour la
seconde fois : « Que fais-tu ici ? Si tu es un
honnête homme, parle, sinon je t'expédie au bas
de l'escalier. » Le sacristain pensa : « Il n'a
sûrement pas de si noirs desseins », il ne souffla
mot et ne bougea pas plus que s'il avait été de
pierre. Alors le garçon l'interpella pour la troisième fois et comme ce fut également en vain, il
prit son élan et poussa le revenant au bas de
l'escalier, de telle sorte qu'il dégringola dix
marches et resta étendu dans un coin. Après quoi
il sonna la cloche, rentra chez lui, se coucha sans
piper mot et reprit son somme. La femme du
sacristain attendit longtemps son mari, mais il ne
revenait toujours pas. A la fin, elle fut prise de
peur, alla réveiller le garçon et lui demanda :
« Ne sais-tu pas ce qu'est devenu mon mari ? Il

est monté devant toi au clocher. — Non, répondit
le garçon, mais il y avait quelqu'un en face des
abat-son, dans l'escalier, et comme il ne voulait
ni répondre ni s'en aller, je l'ai pris pour un
malfaiteur et je l'ai expédié au bas des marches.
Allez-y, vous verrez bien, si c'était lui j'en serais
vraiment désolé. » La femme partit d'un bond et
trouva son mari dans un coin et geignant, car il
s'était cassé une jambe.

Elle l'aida à descendre et courut en poussant
les hauts cris chez le père du garçon : « Votre fils
a causé un grand malheur, cria-t-elle, il a jeté
mon mari au bas de l'escalier, si bien qu'il s'est
cassé une jambe. Débarrassez notre maison de ce
vaurien. » Le père prit peur, il arriva en toute
hâte et gronda son fils : « Qu'est-ce que c'est que
ces tours pendables, c'est le Malin qui a dû te les
inspirer. — Père, répondit-il, écoutez-moi, je suis
tout à fait innocent : il était là, immobile dans la
nuit, comme quelqu'un qui a de mauvais desseins. Je ne savais pas qui c'était et je l'ai averti
trois fois d'avoir à parler ou de déguerpir.
— Ah, dit le père, tu ne me causeras que des
déboires, disparais de ma vue, je ne veux plus te
voir. — Oui, père, bien volontiers, attendez
seulement qu'il fasse jour et je partirai pour
apprendre la peur, comme cela j'acquerrai au
moins une science qui pourra me nourrir. —
Apprends ce que tu veux, dit le père, tout m'est
égal. Voilà cinquante écus, va-t'en avec cela
courir le vaste monde et ne dis à personne d'où tu

viens ni qui est ton père, car j'ai honte de toi. —
Oui, père, comme vous voudrez, si vous ne m'en
demandez pas plus, il me sera facile d'en tenir
compte. »

Quand le jour se leva, le jeune homme empo-
cha ses cinquante écus et prit la grand-route en
marmonnant continuellement : « Ah si seulement je pouvais avoir peur ! Si je pouvais avoir
peur ! » Or il fut rejoint par un homme qui
entendit les propos qu'il se tenait à lui-même, et
quand ils eurent fait un bout de chemin et que le
gibet fut en vue, l'homme lui dit : « Regarde là-
bas, c'est l'arbre où sept filous viennent de
célébrer leurs noces avec la fille du cordier et où,
pour l'heure, ils apprennent à voler, assieds-toi
dessous et attends la nuit, de cette façon tu
sauras bien ce que c'est que la peur. — S'il n'en
faut pas plus, répondit le garçon, ce sera facile ;
mais si j'apprends si vite que ça à avoir la
frousse, tu auras mes cinquante écus : reviens
donc me trouver demain matin. » Puis il se
rendit au gibet, s'assit dessous et attendit la
venue du soir. Et comme il avait froid, il alluma
du feu, mais vers minuit, le vent devint si glacial
que malgré son feu il ne put se réchauffer. Et
comme le vent poussait les pendus les uns contre
les autres et les faisait se balancer, il pensa : « Tu
gèles auprès de ton feu, mais eux là-haut, ils
doivent encore bien plus souffrir du froid et se
démener. » Et comme il était compatissant, il mit
l'échelle contre le gibet, y monta, les décrocha

l'un après l'autre et les descendit tous les sept. Après quoi il attisa son feu, souffla dessus et les assit tout autour pour qu'ils pussent se réchauffer. Mais ils restèrent là sans bouger et le feu prit à leurs vêtements. Alors il dit : « Faites donc attention, ou je vais vous rependre ! » Mais les morts n'entendaient pas, se taisaient et laissaient leurs guenilles brûler. Alors il se fâcha et dit : « Si vous ne faites pas attention, je ne pourrai rien pour vous, je ne veux pas brûler avec vous » et il les pendit derechef, chacun à son tour. Ensuite il s'installa près de son feu et s'endormit, et le lendemain matin, l'homme vint le trouver pour avoir ses cinquante écus et lui dit : « Eh bien, tu sais ce que c'est que la peur maintenant ? — Non, répondit-il, d'où le saurais-je ? Les types d'en haut n'ont pas ouvert la bouche et ont été assez bêtes pour laisser brûler les quelques vieilles hardes qu'ils avaient sur le dos. » L'homme vit alors qu'il n'empocherait pas les cinquante écus ce jour-là et il s'en fut en disant : « Je n'ai jamais rien vu de pareil ! »

Le jeune garçon se mit en route lui aussi et recommença à se dire à lui-même : « Ah si seulement je pouvais avoir peur ! Si je pouvais avoir peur ! » Un charretier qui marchait derrière lui entendit ces mots et lui dit : « Qui es-tu ? — Je ne sais pas », dit-il. Le charretier continua : « D'où es-tu ? — Je ne sais pas. — Qui est ton père ? — Je ne peux pas le dire. — Qu'est-ce que tu marmonnes sans cesse dans ta barbe ?

— Hé, répondit le jeune homme, je voudrais connaître le frisson de la peur, mais personne ne peut me l'enseigner. — Trêve de sottises, dit l'homme, viens avec moi, je vais voir à te caser quelque part. » Le jeune garçon suivit le charretier, et le soir ils arrivèrent à une auberge où ils voulurent passer la nuit. En entrant dans la salle, il recommença à répéter tout haut : « Si seulement je pouvais avoir peur ! Si je pouvais avoir peur ! » L'aubergiste, qui l'entendit, se mit à rire et dit : « Si tu en as envie, tu pourrais bien en trouver l'occasion ici. — Ah ! tais-toi, dit la patronne, plus d'un qui fut trop curieux y a déjà laissé sa vie, ce serait dommage si ces beaux yeux-là ne revoyaient pas la lumière du jour. » Mais le garçon dit : « Quand cela serait si difficile que cela, je veux l'apprendre puisque c'est pour cela que je suis parti. » Il ne laissa pas l'aubergiste en repos que celui-ci ne lui eût conté ce qu'il en était : non loin de là, il y avait un château ensorcelé où l'on pouvait apprendre à trembler, pourvu qu'on y veillât seulement trois nuits. Le roi avait promis sa fille en mariage à celui qui s'y risquerait, et c'était bien la plus jolie personne qui fût sous le soleil : on disait aussi qu'il y avait au château de grands trésors gardés par de mauvais génies, ils seraient alors libérés et il y en avait assez pour enrichir un pauvre homme. Beaucoup y étaient déjà entrés, mais aucun n'en était ressorti. Le lendemain, le jeune homme s'en alla trouver le roi et lui dit : « Avec votre permission, je voudrais bien passer trois nuits dans le château enchanté. » Le roi le regarda et comme il lui plaisait, il lui dit : « Tu as encore le droit de me demander trois choses, mais il faut que ce soit des choses inanimées, et tu pourras les emporter au château. » Il répondit : « Je vous demanderai donc un feu, un tour et un établi avec son couteau. »

Le roi lui fit porter tout cela au château pendant le jour. Quand la nuit fut sur le point de tomber, le jeune homme y monta, alluma un feu clair dans une chambre, installa l'établi avec son couteau, puis s'assit au tour : « Ah si seulement je pouvais avoir peur ! dit-il, mais ce n'est pas encore ici que j'apprendrai ! » Sur les minuit, il voulut attiser son feu et comme il soufflait dessus, des cris s'échappèrent soudain d'une encoignure. « Miau, miau ! Comme nous avons froid ! — Imbéciles, dit-il, qu'avez-vous à crier ? Si vous avez froid, venez ici, asseyez-vous près du feu et chauffez-vous. » Et quand il eut dit ces mots, deux grands chats noirs firent un grand bond, se postèrent de chaque côté de lui et le regardèrent d'un air féroce avec leurs yeux de feu. Au bout d'un moment, quand ils se furent réchauffés, ils dirent : « Camarade, si nous faisions une partie de cartes ? — Pourquoi pas ? répondit-il, mais montrez-moi un peu vos pattes. » Alors ils sortirent leurs griffes : « Hé, dit-il, vous en avez de grands ongles ! Attendez, il faut d'abord que je vous les rogne. » En disant

cela il les prit par la peau du cou et les mit sur
son établi où il leur serra soigneusement les
pattes : « Je vous ai examinés de près, dit-il, ça
m'a fait passer l'envie de jouer aux cartes », il les
tua et alla les jeter à l'eau. Mais quand il eut fait
taire ces deux-là et voulut se rasseoir auprès de
son feu, voilà que de tous les coins et recoins
surgirent des chats noirs et des chiens noirs
attachés à des chaînes incandescentes, et il en
venait de plus en plus si bien qu'il ne savait plus
où se réfugier : ils poussaient des cris horribles,
puis ils piétinèrent son feu, le démolirent et
voulurent l'éteindre. Il les regarda faire tranquillement pendant un petit moment, mais quand il
trouva qu'ils dépassaient les bornes, il saisit son
couteau à tailler et cria : « Allons, ouste, canail-
les ! » puis il tapa dans le tas. Une partie se
sauva, il assomma les autres et il sortit les jeter
dans l'étang. Une fois rentré, il ranima son feu et
se réchauffa. Et à force de rester assis, ses yeux se
refusèrent à rester ouverts plus longtemps et il
eut envie de dormir. Alors il regarda autour de
lui et aperçut un grand lit dans un coin. « Juste
ce qu'il me faut », dit-il, et il s'y coucha. Mais
comme il se disposait à fermer les yeux, voilà que
le lit se mit à se promener tout seul, et qu'il se
promena par tout le château : « Fort bien, dit-il,
encore plus vite ! » Alors, comme s'il avait été
attelé de six chevaux, le lit se mit à rouler par-
dessus seuils et escaliers et tout à coup, hop là ! il
culbuta sens dessus dessous, si bien qu'il fut sur

lui comme une montagne. Mais il envoya en l'air
couvertures et oreillers, se dégagea et dit : « Se
promène là-dedans qui voudra ! », il s'étendit
auprès de son feu et dormit jusqu'au jour. Le
matin le roi vint le voir, et comme il le trouva
couché par terre, il pensa que les revenants
l'avaient tué et qu'il était mort. Alors il dit :
« C'est vraiment dommage pour ce beau garçon. » Le jeune homme l'entendit, se dressa et
s'écria : « Nous n'en sommes pas encore là ! » Le
roi fut tout étonné, mais il se réjouit et lui
demanda ce qui lui était arrivé. « Fort bien, dit-
il, voilà une nuit de passée, les deux autres
passeront bien aussi. » Quand il arriva chez
l'aubergiste, celui-ci écarquilla les yeux : « Je ne
croyais pas te revoir vivant, dit-il, as-tu appris ce
que c'est que la peur ? — Non, dit-il, tout est
inutile : si seulement quelqu'un pouvait me
l'apprendre ! »

La deuxième nuit, il monta de nouveau dans le
vieux château, s'assit au coin du feu et recommença sa vieille chanson : « Ah si seulement je
pouvais connaître la peur ! » Vers minuit un
bruit suivi d'un grand fracas se fit entendre,
d'abord tout doucement, puis de plus en plus
fort, après quoi le silence se fit un instant, et
enfin une moitié d'homme dégringola par la
cheminée et tomba devant lui en poussant de
grands cris : « Holà, s'écria-t-il, il en faut encore
une moitié, c'est trop peu. » Alors le vacarme
reprit de plus belle, on entendit tempêter, hurler,

et l'autre moitié tomba à son tour : « Attends, dit-il, je vais d'abord t'attiser un peu le feu. » Quand il l'eut fait et qu'il se retourna, les deux morceaux s'étaient rejoints et un homme épouvantable était assis à sa place. « Ce n'est pas dans nos conventions, dit-il, ce banc est à moi. » L'autre voulut le repousser, mais le jeune homme ne se laissa pas faire, il lui donna une violente bourrade et reprit sa place. Alors il tomba encore plusieurs autres hommes, l'un après l'autre, ils allèrent chercher neuf tibias et deux têtes de mort, les disposèrent et jouèrent aux quilles. Le jeune homme eut envie de jouer aussi et demanda : « Écoutez, puis-je être de la partie ? — Oui, si tu as de l'argent. — J'en ai assez, répondit-il, mais vos boules ne sont pas bien rondes. » Il prit les crânes, les mit sur son tour et les arrondit : « Voilà, dit-il, maintenant elles rouleront mieux, allons-y, on va s'amuser ! » Il joua et perdit un peu de son argent, mais quand minuit sonna, tout disparut à sa vue. Il se coucha et s'endormit tranquillement. Le lendemain, le roi vint aux informations. « Comment cela s'est-il passé cette fois-ci ? demanda-t-il. — J'ai joué aux quilles, répondit-il, et j'ai perdu un peu d'argent. — N'as-tu donc pas eu peur ? — Pas du tout, dit-il, je me suis bien amusé. Ah si je savais ce que c'est que la peur ! »

La troisième nuit, il s'assit de nouveau sur son banc et dit tout tristement : « Comme j'aimerais avoir peur ! » Sur le tard, six hommes de grande

taille arrivèrent, portant une bière mortuaire.
Alors il dit : « Ha ha, c'est sûrement mon petit
cousin qui est mort il n'y a que quelques jours »,
il lui fit signe de venir et s'écria : « Viens, petit
cousin, viens ! » Ils posèrent le cercueil par terre,
mais il s'en approcha et souleva le couvercle : un
homme mort était couché dedans. Il lui palpa le
visage, mais il était glacé. « Attends, dit-il, je vais
te réchauffer un peu », il alla se chauffer les
mains au feu et les lui mit sur la figure, mais le
mort resta froid. Alors il le sortit du cercueil,
s'assit près du feu, le prit sur ses genoux et lui
frotta les bras pour remettre le sang en mouvement. Comme cela ne servait de rien non plus, il
lui vint une idée : « Quand on couche à deux
dans le même lit, on se réchauffe mutuelle-
ment », il le mit au lit, le couvrit et s'étendit à ses
côtés. Au bout d'un moment, le mort se réchauffa
et commença à remuer. Le jeune homme dit
alors : « Eh bien, petit cousin, ne t'ai-je pas
réchauffé ? » Mais le défunt prit la parole et
s'écria : « Maintenant je vais t'étrangler. —
Quoi ? dit-il, est-ce là une façon de me remercier ? Rentre tout de suite dans ton cercueil. » Il
le souleva, le jeta dedans et ferma le couvercle.
« La peur ne veut pas venir, dit-il, ce n'est pas ici
que je la connaîtrai jamais. »

Alors un homme entra, il était plus grand que
tous les autres et avait un air horrible ; mais il
était vieux et avait une longue barbe blanche.
« O mon petit gringalet, s'écria-t-il, maintenant

tu vas savoir ce que c'est que la peur, car tu vas
mourir. — Doucement, répondit le jeune homme,
si je dois mourir, il faut au moins que je sois là.
— Je saurai bien t'attraper, dit le démon. — Tout
doux, tout doux, ne te vante donc pas tellement :
je suis aussi fort que toi et peut-être même encore
plus. — Nous allons bien voir, dit le vieux, si tu
es plus fort que moi, je te laisserai aller ; viens,
nous allons essayer. » Alors il le conduisit jusqu'à
un feu de forge en passant par des corridors
sombres, là il prit une hache et d'un seul coup
enfonça l'enclume dans le sol « Je fais mieux que
ça encore », dit le garçon en se dirigeant vers
l'autre enclume : le vieillard se plaça à côté de lui
pour regarder, avec sa barbe blanche qui pendait. Alors le jeune homme saisit la hache et d'un
seul coup il fendit l'enclume en coinçant dans la
fente la barbe du vieux. « Je te tiens maintenant,
dit-il, c'est ton tour de mourir. » Il s'empara
alors d'une barre de fer et cogna sur le vieillard
de toutes ses forces, jusqu'au moment où celui-ci,
tout gémissant, le pria d'arrêter en lui promet-
tant de grandes richesses. Le jeune homme retira
la hache et le délivra. Le vieillard le ramena au
château et, dans une cave, il lui montra trois
coffres pleins d'or. « Il y en a une part pour les
pauvres, dit-il, l'autre pour le roi, la troisième est
pour toi. » A ce moment minuit sonna et l'esprit
disparut, abandonnant le jeune homme dans les
ténèbres. « Je me débrouillerai bien pour sortir
d'ici », dit-il, il s'en fut à tâtons, trouva le

chemin de sa chambre et s'y endormit près de son feu. Le lendemain matin, le roi arriva et dit : « Alors, as-tu appris ce que c'est que la peur ? — Non, répondit-il, qu'est-ce que ça peut bien être ? Feu mon cousin est venu, et aussi un homme barbu qui m'a montré beaucoup d'argent-là, en bas, quant à la peur, personne ne m'a dit ce que c'est. » Alors le roi lui dit : « Tu as délivré le château et tu épouseras ma fille. — Tout cela est bel et bon, dit-il, mais je ne sais toujours pas ce que c'est que la peur. »

On remonta l'or de la cave et l'on célébra les noces, mais quoiqu'il aimât sa femme et fût joyeux, le jeune roi ne cessait de dire : « Ah si je pouvais frissonner de peur ! Ah si je pouvais frissonner de peur ! » Cela finit par fâcher sa femme, et sa ca
mériste lui dit : « Je vais trouver un moyen, il apprendra bien ce que c'est. » Elle alla au ruisseau qui traversait le jardin et se fit chercher un plein seau de goujons. La nuit, comme le jeune roi dormait, sa femme dut lui retirer ses couvertures et l'asperger avec le seau d'eau froide plein de goujons, de sorte que les petits poissons se mirent à frétiller autour de lui. Alors il se réveilla en s'écriant : « Oh ma chère femme, comme j'ai le frisson, comme j'ai le frisson ! Oui, à présent je sais ce que c'est ! »

Le fidèle Jean

Il était une fois un roi qui était malade et pensait : « Ce lit où je suis couché sera sans doute mon lit de mort. » Alors il dit : « Faites-moi venir le fidèle Jean. » Le fidèle Jean était son serviteur préféré et il s'appelait ainsi parce qu'il lui avait été si fidèle toute sa vie. Quand il fut à son chevet, le roi lui dit : « Mon fidèle Jean, je sens que ma fin approche, et je n'ai pas d'autre souci que celui de mon fils : il est encore à un âge tendre où on ne sait pas toujours quel parti prendre, et si tu ne me promets pas de l'instruire en tout ce qu'il doit savoir et d'être son père adoptif, je ne pourrai pas fermer les yeux en paix. » Alors le fidèle Jean répondit : « Je ne l'abandonnerai pas et le servirai fidèlement, dût-il m'en coûter la vie. » Et le vieux roi lui dit : « En ce cas je mourrai sans crainte et en paix. » Puis il ajouta : « Après ma mort, tu lui montreras tout le château, toutes les chambres, les salles, les souterrains et les trésors qui y sont :

mais tu ne lui montreras pas la dernière chambre
au bout du long couloir où est caché le portrait de
la princesse du Toit d'or. S'il aperçoit ce portrait,
il concevra pour elle une passion violente et
tombera en syncope et sera à cause d'elle exposé
à de grands malheurs ; c'est de cela que tu dois le
protéger. » Et quand le fidèle Jean eut encore
une fois donné sa parole au vieux roi, celui-ci se
tut, posa sa tête sur l'oreiller et mourut.

Quand le vieux roi eut été porté en terre, le
fidèle Jean raconta au jeune roi ce qu'il avait
promis à son père sur son lit de mort et dit : « Je
tiendrai certainement ma promesse, je te serai
fidèle comme à lui, et dût-il m'en coûter la vie. »
Quand le deuil fut passé, le fidèle Jean lui dit :
« Il est temps à présent que tu voies ton héritage : je vais te montrer le château de ton père. »
Alors il lui fit tout visiter de haut en bas et lui
montra toutes les richesses et les chambres
somptueuses mais il n'ouvrit pas cette unique
chambre où se trouvait le portrait dangereux. Or,
le portrait était placé de telle sorte que, lorsque la
porte s'ouvrait, le regard tombait droit sur lui, et
il était si magnifiquement fait qu'on eût dit qu'il
avait un corps et vivait, et il n'y avait rien de plus
charmant et de plus beau dans le monde entier.
Cependant le jeune roi ne fut pas sans remarquer
que le fidèle Jean passait toujours devant la
même porte et il lui dit : « Pourquoi ne m'ou-
vres-tu jamais cette porte-là ? — Il y a quelque
chose dedans, répondit-il, qui te causera une

grande frayeur. » Mais le jeune roi répondit :
« J'ai vu tout le château, je veux savoir aussi ce
qu'il y a là-dedans », il alla donc et voulut forcer
la porte. Alors le fidèle Jean le retint et lui dit :
« J'ai promis à ton père avant sa mort que tu ne
verrais pas ce qu'il y a dans cette chambre : il
pourrait s'ensuivre de grands malheurs pour toi
et pour moi. — Que non, répondit le jeune roi,
ma perte est bien plus sûre si je n'y entre pas : je
n'aurai de répit ni jour ni nuit que je ne l'aie vu
de mes propres yeux. Je ne quitterai pas la place
tant que tu ne m'auras pas ouvert. »

Alors le fidèle Jean vit qu'il n'y avait plus rien
à faire, et le cœur serré, en soupirant à fendre
l'âme, il chercha la clé dans son grand trousseau.
Quand il eut ouvert la porte, il entra le premier,
pensant cacher le portrait afin que le roi ne le vît
pas avant lui : mais à quoi bon ? Le roi se dressa
sur la pointe des pieds et regarda par-dessus son
épaule. Et quand il aperçut le portrait de la jeune
fille, qui était si splendide et étincelait d'or et de
pierreries, il tomba sans connaissance. Le fidèle
Jean le releva, le porta sur son lit et se dit,
soucieux : « Le malheur est arrivé, Dieu, que va-
t-il advenir ! » Puis il lui donna du vin pour le
réconforter jusqu'à ce qu'il retrouvât ses esprits.
Le premier mot qu'il prononça fut : « Ah, qui est
la femme de ce beau portrait ? — C'est la
princesse du Toit d'or », répondit le fidèle Jean.
Alors le roi continua : « Mon amour pour elle est
si grand que si toutes les feuilles des arbres

avaient des langues, elles ne pourraient pas
l'exprimer; je mets ma vie en jeu pour l'obtenir.
Tu es mon fidèle Jean, il faut que tu m'aides. »

Le fidèle Jean réfléchit longtemps à la façon
d'entreprendre la chose; car il serait difficile
d'aller simplement se présenter à la princesse.
Enfin il imagina un moyen et dit au roi : « Tout
ce qui l'entoure est d'or, tables, chaises, plats,
coupes, bols et tous ustensiles de ménage. Dans
ton trésor il y a cinq tonnes d'or, donnes-en une
aux orfèvres du royaume, qui en feront toutes
sortes de vases et de récipients, et toutes sortes
d'oiseaux, de bêtes sauvages et fabuleuses, ça lui
plaira, nous irons la trouver avec ces objets et
nous tenterons notre chance. » Le roi envoya
chercher tous les orfèvres, ils durent travailler
jour et nuit jusqu'à ce que fussent enfin achevées
les pièces les plus superbes. Lorsqu'on eut chargé
tout cela sur un navire, le fidèle Jean revêtit des
habits de marchand, et le roi dut faire de même
pour se rendre tout à fait méconnaissable. Puis
ils prirent la mer et naviguèrent tant et si bien
qu'ils arrivèrent à une ville où habitait la princesse du Toit d'or.

Le fidèle Jean dit au roi de rester seul sur le
navire et de l'attendre : « J'amènerai peut-être la
princesse avec moi, dit-il, c'est pourquoi veillez à
ce que tout soit en ordre, faites exposer les objets
d'or et parer tout le bateau. » Là-dessus il fit un
choix de toutes sortes d'objets qu'il mit dans son
tablier, descendit à terre et se dirigea tout droit

vers le château royal. Quand il arriva dans la
cour, il vit à la fontaine une belle jeune fille qui
avait deux seaux d'or à la main et puisait de
l'eau. Et quand elle se retourna, voulant emporter l'eau scintillante, elle aperçut l'étranger et lui
demanda qui il était. « Je suis marchand »,
répondit-il, et entrouvant son tablier, il lui
montra ce qu'il y avait dedans. « Oh, la belle
vaisselle d'or ! » s'écria-t-elle, puis elle posa ses
seaux et admira les objets l'un après l'autre. La
jeune fille dit alors : « Il faut que la princesse
voie cela, elle prend tant de plaisir aux objets
d'or qu'elle vous achètera tout. » Elle le prit par
la main et le conduisit en haut, car c'était la
camériste. Quand la princesse vit les articles, elle
fut toute joyeuse et dit : « C'est si joliment
travaillé que je t'achète tout. » Mais le fidèle Jean
répondit : « Je ne suis que le serviteur d'un riche
marchand : ce que j'ai là n'est rien à côté de ce
que mon maître a placé sur son navire, et ce sont
les choses les plus ingénieuses et les plus précieuses qui furent jamais façonnées en or. » Elle
voulut qu'on lui montât tout, mais il dit : « Il y
en a tant qu'il faudrait de nombreux jours, et
plus de salles pour les ranger que n'en contient
votre maison. » Alors sa curiosité et son envie la
reprirent de plus belle, et elle finit par dire :
« Conduis-moi au navire, je veux y aller moi-
même et contempler les trésors de ton maître. »

Alors le fidèle Jean, tout heureux, la conduisit
au navire, et quand le roi l'aperçut, il vit que sa

beauté était encore plus grande que sur le
portrait, et il ne douta pas que son cœur n'allât
éclater. Elle monta sur le bateau et le roi la fit
entrer ; mais le fidèle Jean resta en arrière,
auprès du timonier, et lui dit de démarrer :
« Mettez toutes voiles dehors, que le navire vole
comme un oiseau dans les airs. » A l'intérieur,
cependant, le roi lui montrait la vaisselle d'or,
chaque pièce séparément, les plats, les coupes,
les bols, les oiseaux, les bêtes sauvages et les
animaux fabuleux. Tandis qu'elle contemplait
tout cela, les heures passèrent, et dans sa joie, elle
ne remarqua pas que le navire voguait au large.
Quand elle eut admiré la dernière pièce, elle
remercia le marchand et voulut rentrer ; mais en
s'approchant du bord du bateau, elle vit qu'il
était en haute mer et s'éloignait à toutes voiles :
« Ah, s'écria-t-elle, épouvantée, on m'a trompée,
j'ai été enlevée et je suis tombée au pouvoir d'un
marchand ; plutôt mourir ! » Mais le roi la prit
par la main et lui dit : « Je ne suis pas marchand,
je suis roi et je ne te suis pas inférieur par la
naissance mais que je t'aie enlevée par russe, cela
n'est dû qu'à mon trop grand amour. La première fois que j'ai vu ton portrait, je suis tombé
par terre, sans connaissance. » En entendant ces
mots, la princesse du Toit d'or fut apaisée, et son
cœur sentit un penchant pour lui, en sorte qu'elle
consentit volontiers à devenir sa femme.

Or, tandis qu'ils s'éloignaient en haute mer, le
fidèle Jean, qui était assis à l'avant et faisait de la

musique, aperçut dans les airs trois corbeaux qui
s'en venaient à tire-d'aile. Alors il cessa de jouer
et écouta leur conversation, car il comprenait fort
bien leur langage. L'un d'eux s'écria : « Hé, le
voilà qui conduit chez lui la princesse du Toit
d'or. — Oui, répondit le deuxième, il ne l'a pas
encore. » Et le troisième : « Mais il l'a, elle est
avec lui sur le bateau. » Le premier reprit alors :
« La belle avance ! Quand ils seront à terre, un
cheval roux bondira devant lui et il voudra se
hisser sur son dos ; s'il le fait, il sera emporté au
galop avec lui et disparaîtra dans les airs, si bien
qu'il ne verra plus jamais sa fiancée. » Le
deuxième dit : « N'y a-t-il pas de remède ? — Oh
si, il faut qu'un autre se mette vivement en selle,
prenne le fusil qui doit se trouver dans les fontes
et tue le cheval d'un coup de feu, alors le jeune
roi sera sauvé. Mais qui sait cela ! Et celui qui le
saurait et le lui dirait serait changé en pierre
depuis les orteils jusqu'aux genoux. » Alors le
deuxième dit : « J'en sais davantage ; une fois le
cheval tué, le jeune roi n'aura pas encore sa
fiancée : quand ils arriveront ensemble au château, ils trouveront là, posée sur un plat, une
chemise nuptiale factice qui a l'air d'être tissée
d'argent et d'or, mais qui n'est que poix et
soufre : s'il s'en revêt, il sera brûlé jusqu'à la
moelle des os. » Le troisième dit : « N'y a-t-il pas
de remède ? — Oh si, répondit le deuxième, si
quelqu'un saisit la chemise avec des gants et la
jette au feu afin qu'elle s'y consume, le jeune roi

sera sauvé. Mais qui sait cela ! Et celui qui le saurait et le lui dirait serait changé en pierre depuis les genoux jusqu'au cœur. » Le troisième dit alors : « J'en sais davantage ; une fois la chemise nuptiale brûlée, le jeune roi n'aura pas encore sa fiancée : après la noce, quand le bal s'ouvrira et que la jeune reine se mettra à danser, elle pâlira subitement et tombera comme morte : et elle mourra si quelqu'un ne la relève pas et ne lui tire pas du sein droit trois gouttes de sang qu'il devra aussitôt recracher. Mais si celui qui sait cela le disait, il serait changé en pierre de la tête aux pieds. » Quand les corbeaux eurent échangé ces paroles, ils continuèrent leur vol, et le fidèle Jean avait tout compris, mais à partir de cet instant, il se montra silencieux et triste ; car s'il cachait à son maître ce qu'il avait entendu, celui-ci serait malheureux ; s'il le lui révélait, c'est lui-même qui devrait le payer de sa vie. Enfin il se dit : « Je vais sauver mon maître, et dussé-je moi-même en périr. »

Or donc, comme ils arrivaient à terre, un splendide coursier roux s'en vint au galop : « Eh bien, dit le roi, il me portera au château », et il voulut se mettre en selle, mais le fidèle Jean prit les devants, il s'élança vivement, tira le fusil des fontes et abattit le cheval. Alors les autres serviteurs du roi, qui n'aimaient pas beaucoup le fidèle Jean, s'écrièrent : « Quelle honte de tuer cette belle bête qui devait porter le roi en son château ! » Mais le roi répondit : « Taisez-vous et laissez-le faire, c'est mon fidèle Jean, qui sait à quoi cela peut être bon ! » Ensuite ils allèrent au château et là, dans la salle, il y avait un plat où était posée la chemise nuptiale factice et elle avait bel et bien l'air d'être d'or et d'argent. Le jeune roi s'en approcha et voulut la prendre, mais le fidèle Jean l'écarta, saisit la chemise avec des gants, la jeta vivement au feu et la laissa se consumer. Les autres serviteurs recommencèrent à murmurer et dirent : « Voyez donc, voilà maintenant qu'il brûle la chemise nuptiale du roi. » Mais le jeune roi dit : « Qui sait à quoi cela peut être bon, laissez-le faire, c'est mon fidèle Jean. » Puis on célébra les noces : le bal commença et la mariée entra à son tour dans la danse, alors le fidèle Jean fit attention et observa son visage ; tout à coup elle pâlit et tomba comme morte sur le sol. Alors il se précipita vers elle en toute hâte, la releva et la porta dans une chambre, puis il la coucha, s'agenouilla devant elle, suça les trois gouttes de sang de son sein droit et les recracha aussitôt. Peu après elle reprit son souffle et se remit, mais le jeune roi avait vu ce qui s'était passé et, ignorant pourquoi le fidèle Jean l'avait fait, il en conçut de la colère et s'écria : « Qu'on le jette en prison ! » Le lende-main, le fidèle Jean fut condamné et conduit à la potence, et quand il fut en haut, prêt à être exécuté, il dit : « Tout homme qui doit mourir a le droit de parler une fois encore avant sa fin, aurais-je ce droit aussi ? — Oui, répondit le roi,

je te l'accorde. » Le fidèle Jean dit alors : « Je
suis injustement condamné et je t'ai toujours été
fidèle. » Et il raconta comment il avait entendu
la conversation des corbeaux en mer et tout ce
qu'il avait dû faire pour sauver son maître. Alors
le roi s'écria : « O mon fidèle Jean ! Grâce !
Grâce ! Faites-le descendre ! » Mais à l'instant où
il avait prononcé le dernier mot, le fidèle Jean
était tombé, inerte, et s'était changé en pierre.

Le roi et la reine en furent très affligés et le roi
dit : « Ah, comme j'ai mal récompensé sa grande
fidélité ! » et il ordonna de relever l'image de
pierre et de la placer dans sa chambre à côté de
son lit. Chaque fois qu'il la regardait, il se mettait
à pleurer et disait : « Ah, que ne puis-je te
ranimer, mon fidèle Jean. » Il se passa un certain
temps, puis la reine mit au monde deux jumeaux,
deux petits garçons qui grandissaient et faisaient
toute sa joie. Un jour que la reine était à l'église
et que les deux enfants étaient en train de jouer
auprès de leur père, celui-ci regarda une fois de
plus l'image de pierre avec des yeux pleins de
tristesse, soupira et dit : « Ah, que ne puis-je te
ranimer, mon fidèle Jean. » Alors la pierre se mit
à parler et dit : « Oui, tu peux me ranimer, à
condition que tu me sacrifies ce que tu as de plus
cher. » Alors le roi s'écria : « Je donnerai pour
toi tout ce que j'ai au monde. » Et la pierre
continua : « Si, de tes propres mains, tu coupes
la tête de tes deux enfants et que tu me frottes
avec leur sang, je recouvrerai la vie. » En enten-

dant qu'il devait tuer lui-même ses enfants chéris, le roi fut épouvanté, mais il pensa à sa grande fidélité et que le fidèle Jean était mort pour lui, il tira donc son épée et décapita ses enfants de sa propre main. Et quand il eut frotté la pierre avec leur sang, la vie lui revint et le fidèle Jean se trouva frais et dispos devant lui. Il dit au roi : « Ta fidélité ne sera pas sans récompense », il prit la tête des enfants, les plaça sur leurs épaules et frotta les plaies avec leur sang, en un clin d'œil ils furent sains et saufs, se mirent à sauter de tous côtés et continuèrent de jouer comme si rien ne s'était passé. Le roi fut empli de joie et quand il vit venir la reine, il cacha le fidèle Jean et les deux enfants dans une grande armoire. Quand elle entra, il lui dit : « As-tu prié à l'église ? — Oui, dit-elle, mais je n'ai cessé de penser au fidèle Jean, qui a connu un sort si malheureux à cause de nous. » Alors il dit : « Ma chère femme, nous pouvons lui rendre la vie, mais cela nous coûtera nos deux petits garçons, il nous faudra les sacrifier. » La reine pâlit et fut épouvantée en son cœur, pourtant elle dit : « Nous le lui devons à cause de sa grande fidélité. » Alors il se réjouit de voir qu'elle avait eu la même pensée que lui, il alla à l'armoire, l'ouvrit, fit sortir les enfants et le fidèle Jean et dit : « Dieu soit loué, il est délivré et nous avons retrouvé nos fils » et il lui raconta ce qui s'était passé. Alors ils vécurent ensemble et furent heureux jusqu'à la fin de leurs jours.

Les douze frères

Il était une fois un roi et une reine qui vivaient paisiblement ensemble et avaient douze enfants, mais ce n'étaient rien que des garçons. Or le roi dit à sa femme : « Si le treizième enfant que tu mettras au monde est une fille, les douze garçons devront mourir afin qu'elle ait de grandes richesses et qu'elle soit l'unique héritière du royaume. » En effet, il fit confectionner douze cercueils qui étaient déjà remplis de copeaux et chacun d'eux contenait le petit coussin mortuaire, et il les fit porter dans une chambre fermée, puis il donna la clé à sa femme en lui défendant d'en parler à personne.

Désormais, la mère demeura assise toute la journée à s'affliger, en sorte que son plus jeune fils, qui était toujours auprès d'elle et qu'elle appelait Benjamin en souvenir de la Bible, lui dit : « Chère mère, pourquoi es-tu si triste ? — Mon cher enfant, répondit-elle, il ne m'est pas permis de te le dire. » Mais il ne lui laissa pas de répit qu'elle n'ait ouvert la chambre et ne lui ait montré les douze cercueils déjà remplis de copeaux. Ensuite elle dit : « Mon Benjamin chéri, ton père a fait faire ces cercueils pour toi et tes onze frères, car si j'accouche d'une fille, vous serez tous tués et enterrés là-dedans. » Et comme elle fondait en larmes en disant ces mots, son fils la consola et lui dit : « Ne pleure pas, chère mère, nous saurons bien nous tirer d'affaire et nous allons partir. » Mais elle lui dit : « Va avec tes onze frères dans la forêt, l'un de vous se perchera sur l'arbre le plus haut qui se puisse trouver, il montera la garde et surveillera le donjon du château. Si j'accouche d'un garçon, je hisserai un drapeau blanc et vous pourrez revenir, si c'est une fille, je hisserai un drapeau rouge, et alors fuyez aussi vite que vous le pourrez, et que le bon Dieu vous garde. Chaque nuit je me lèverai et je prierai pour vous, en hiver pour que vous ayez un foyer où vous réchauffer, en été pour que vous ne souffriez pas les tourments de la chaleur. »

Quand elle eut ainsi béni ses fils, ils prirent le chemin de la forêt. L'un d'eux, perché sur le chêne le plus haut, montait la garde pour les autres et observait le donjon. Quand, au bout de onze jours, ce fut le tour de Benjamin, il vit hisser un drapeau : ce n'était pas le drapeau blanc, mais le rouge drapeau sanglant leur annonçant qu'ils allaient tous mourir. Quand les frères entendirent cela, ils furent pris de colère et dirent : « Devrons-nous souffrir la mort à cause

d'une fille ! Nous jurons de nous venger : où que
nous trouvions une fille son sang rouge coulera. »

Là-dessus ils s'enfoncèrent plus profondément
dans la forêt et au beau milieu, au plus épais des
taillis, ils trouvèrent une petite chaumière
enchantée qui était vide. Alors ils dirent : « Nous
allons habiter ici, et toi, Benjamin, qui es le plus
jeune et le plus chétif, tu resteras à la maison et
tu la tiendras en ordre, nous autres nous sorti-
rons pour nous procurer de la nourriture. » Ils
parcoururent donc la forêt et tirèrent des lièvres,
des chevreuils sauvages, des oiseaux, des
pigeons, et tout ce qu'ils ramassaient comme
nourriture, ils le portaient à Benjamin, qui devait
le leur préparer afin qu'ils apaisent leur faim. Ils
vécurent dix ans dans la maisonnette et le temps
ne leur parut pas long.

Cependant, la petite fille que la reine leur mère
avait mise au monde avait grandi, elle était
bonne de cœur et belle de visage et portait une
étoile d'or sur le front. Un jour de grande lessive,
elle vit parmi le linge douze chemises d'homme et
demanda à sa mère : « A qui sont ces douze
chemises ? elles sont bien trop petites pour mon
père. » Le cœur serré, celle-ci répondit : « Chère
enfant, elles appartiennent à tes douze frères. »
Et la jeune fille dit : « Où sont mes douze frères ?
je n'ai jamais entendu parler d'eux. » Elle répondit : « Dieu sait où ils sont, ils errent de par le
monde. » Alors elle emmena la fillette, lui ouvrit
la chambre et lui montra les douze cercueils avec

les copeaux et les coussins mortuaires. « Ces
cercueils, dit-elle, étaient destinés à tes frères,
mais ils sont partis en cachette avant que tu
fusses née », et elle lui raconta tout ce qui s'était
passé. Alors la fillette dit : « Chère mère, ne
pleure pas, je vais aller chercher mes frères. »

Elle prit donc les douze chemises et s'en fut
tout droit dans la grande forêt. Elle marcha tout
le jour, et le soir, elle arriva à la maison
enchantée. Elle entra et trouva un jeune garçon
qui lui demanda : « D'où viens-tu et où veux-tu
aller ? » et il s'étonna qu'elle fût si belle, qu'elle
portât des habits royaux et eût une étoile sur le
front. Alors elle répondit : « Je suis fille de roi et
je cherche mes douze frères, j'irai pour les
trouver aussi loin qu'on voit le ciel bleu. » Puis
elle lui montra les douze chemises qui leur
appartenaient. Benjamin vit alors qu'elle était sa
sœur et dit : « Je suis Benjamin, ton plus jeune
frère. » Et elle se mit à pleurer de joie et
Benjamin en fit autant, et ils s'embrassèrent et se
firent mille caresses dans leur grand amour.
Ensuite il dit : « Ma chère sœur, il y a encore une
réserve ; nous étions convenus de faire mourir
toutes les jeunes filles que nous pourrions rencontrer, parce que nous avons dû abandonner
notre royaume à cause d'une fille. — Je mourrai
volontiers si je peux ainsi délivrer mes douze
frères. — Non, répondit-il, tu ne mourras pas,
cache-toi sous ce baquet jusqu'au retour de nos
frères, ensuite je m'arrangerai bien avec eux. »

C'est ce qu'elle fit ; et comme la nuit tombait, les autres rentrèrent de la chasse et le repas ce trouva prêt. Quand ils furent à table en train de manger, ils dirent : « Quoi de neuf ? » Et Benjamin de répondre : « Vous ne savez rien ? — Non », dirent-ils. Et il continua : « Vous êtes allés dans la forêt et moi qui suis resté à la maison j'en sais encore plus que vous — Alors raconte », s'écrièrent-ils. « Me promettez-vous aussi de laisser la vie sauve à la première fille que nous rencontrerons ? — Oui, s'écrièrent-ils tous ensemble, nous lui ferons grâce, mais raconte donc. » Alors il dit : « Notre sœur est là » et il souleva le baquet et la fille du roi apparut avec ses habits royaux et son étoile d'or sur le front, et elle était si belle, si gracieuse et si délicate qu'ils se réjouirent tous, lui sautèrent au cou, l'embrassèrent et se mirent à l'aimer de tout leur cœur.

Désormais elle resta à la maison avec Benjamin et l'aida à faire son ouvrage. Les onze autres allaient dans la forêt, attrapaient du gibier, des chevreuils, des oiseaux et des pigeons mâles afin qu'ils aient à manger, et leur sœur et Benjamin se chargeaient de préparer les mets. Elle ramassait du bois pour la cuisine et des fines herbes pour les légumes et mettait les marmites sur le feu, en sorte que le repas était toujours prêt quand les onze frères rentraient. Elle tenait également la maisonnette en ordre et mettait aux petits lits des draps bien blancs et bien propres, et les frères étaient toujours contents et vivaient avec elle en parfaite harmonie.

Un certain jour, les deux enfants avaient préparé un bon repas à la maison, et quand ils furent tous réunis, ils se mirent à table, burent et mangèrent et se sentirent tout joyeux. Or, la maison enchantée avait un jardinet dans lequel se trouvaient douze lis, de ceux qu'on appelle aussi étudiants : comme elle voulait faire plaisir à ses frères, elle cueillit les douze fleurs pensant en donner une à chacun pendant le repas. Mais à l'instant même où elle cueillait les fleurs, voici que ses douze frères se changèrent en douze corbeaux qui volèrent à tire-d'aile au-dessus de la forêt, et que la maison disparut aussi avec le jardin. La pauvre fillette se trouva donc toute seule dans la forêt sauvage et comme elle regardait autour d'elle, une vieille femme apparut à ses côtés et lui dit : « Qu'as-tu fait là, mon enfant ? Pourquoi n'as-tu pas laissé les douze lis blancs où ils étaient ? C'étaient tes frères, et maintenant ils sont pour toujours changés en corbeaux. » La fillette dit en versant des larmes : « N'y a-t-il pas un moyen de les délivrer ? — Non, dit la vieille, il n'y en a qu'un dans le monde entier, mais il est si difficile que tu ne pourras pas les délivrer de cette façon, car il te faudrait être muette pendant sept ans, sans pouvoir ni parler ni rire, et si tu disais un seul mot et qu'il ne manquât qu'une heure pour que les sept ans

fussent accomplis, tout serait vain et tes frères
mourraient à cause de cette unique parole. »

Alors la fillette se dit en son cœur : je suis
certaine de délivrer mes frères, et elle partit,
chercha un arbre élevé sur lequel elle monta, puis
elle s'assit et se mit à filer, et resta sans parler ni
rire. Or il advint qu'un roi était à la chasse dans
la forêt ; il avait un grand lévrier qui courut à
l'arbre où la jeune fille était perchée, fit des
bonds tout autour, jappa et aboya en regardant
en l'air. Alors le roi s'approcha et vit la belle
princesse avec l'étoile d'or au front, et fut si ravi
de sa beauté qu'il lui demanda d'en bas si elle
voulait devenir sa femme. Elle ne répondit point,
mais fit un léger signe de tête. Alors il monta lui-
même dans l'arbre, la descendit dans ses bras, la
mit sur son cheval et la conduisit chez lui. Puis
on célébra les noces en grande pompe et allégresse : mais la mariée ne parla ni ne rit. Quand
ils eurent vécu heureux pendant quelques
années, la mère du roi, qui était une méchante
femme, commença à calomnier la jeune reine et
dit au roi : « C'est une vile mendiante que tu t'es
choisie ; qui sait quels tours pendables elle fait en
cachette. Si elle est muette et ne peut pas parler,
elle pourrait au moins rire, mais qui ne rit pas a
mauvaise conscience. » Le roi ne voulut d'abord
pas la croire, mais elle le travailla si longtemps et
elle accusa la reine de tant de choses mauvaises
que le roi finit par se laisser convaincre et la
condamna à mort.

On alluma donc dans la cour un grand bûcher où elle devait être brûlée : et le roi se tenait en haut, à la fenêtre, et regardait avec des larmes dans les yeux, parce qu'il l'aimait tant encore. Et quand elle fut attachée au poteau et que les flammes commencèrent de lécher ses vêtements de leurs langues rouges, le dernier instant des sept années venait justement de s'écouler. Alors on entendit dans les airs un frémissement d'ailes, et douze corbeaux s'en vinrent et se posèrent : et comme ils touchaient terre, voici que c'étaient ses douze frères qu'elle avait délivrés. Ils défirent le bûcher, éteignirent les flammes, libérèrent leur chère sœur, l'embrassèrent et la couvrirent de caresses. Alors, comme elle avait maintenant le droit d'ouvrir la bouche et de parler, elle raconta au roi pourquoi elle avait été muette et n'avait jamais ri. Le roi se réjouit d'apprendre qu'elle était innocente, et désormais ils vécurent tous ensemble et furent unis jusqu'à la mort. La méchante belle-mère dut comparaître en justice, on la mit dans un tonneau rempli d'huile bouillante et de serpents venimeux, et elle mourut de malemort.

Les trois nains de la forêt

Il était un homme dont la femme mourut, et
une femme dont le mari mourut; et l'homme
avait une fille, et la femme avait une fille. Les
petites filles se connaissaient et allaient se promener ensemble et rentraient ensuite à la maison
de la femme. Alors elle dit à la fille de l'homme :
« Écoute, dis à ton père que je veux l'épouser,
alors tu auras chaque matin du lait pour te laver
et du vin à boire, tandis que ma fille se lavera
dans de l'eau et boira de l'eau. » La petite fille
rentra chez elle et raconta à son père ce que la
femme avait dit. L'homme : « Que dois-je faire ?
Le mariage est une joie et aussi un tourment. »
Pour finir, comme il ne parvenait pas à se
décider, il retira sa botte et dit : « Prends cette
botte, la semelle en est percée, va avec au grenier,
pends-la au gros clou et verse de l'eau dedans. Si
elle ne fuit pas, je me remarierai, mais si elle fuit,
je refuse. » La fillette fit ce qu'il lui avait
ordonné : mais sous l'effet de l'eau le trou se

resserra et la botte se remplit jusqu'au bord. Elle
rapporta à son père ce que le sort avait décidé.
Alors il monta voir lui-même et il constata que
c'était vrai ; il alla demander la veuve en mariage
et les noces eurent lieu.

Le lendemain, quand les deux jeunes filles se
levèrent, la fille de l'homme trouva du lait pour
se laver et du vin à boire, tandis que la fille de la
femme avait de l'eau pour se laver et de l'eau à
boire. Le surlendemain, il y eut pour l'une
comme pour l'autre de l'eau pour se laver et de
l'eau à boire. Et le troisième jour la fille de
l'homme eut de l'eau pour se laver et de l'eau à
boire, tandis que la fille de la femme avait du lait
pour se laver et du vin à boire, et on en resta là.
La femme se mit à détester cordialement sa
belle-fille et ne sut qu'inventer pour lui rendre la
vie de plus en plus dure. De plus elle était jalouse,
parce que sa belle-fille était belle et aimable,
tandis que sa vraie fille était laide et repoussante.

Un jour d'hiver, comme il avait gelé à pierre
fendre et que monts et vallées étaient ensevelis
sous la neige, la femme confectionna une robe de
papier, appela la jeune fille et lui dit : « Mets
cette robe, va dans la forêt et rapporte-moi un
petit panier de fraises : j'en ai envie. — Mon
Dieu, dit la jeune fille, c'est que les fraises ne
poussent pas en hiver, la terre est gelée, et puis la
neige a tout recouvert. Et pourquoi irais-je dans
cette robe de papier ? Il fait si froid dehors qu'on
en a l'haleine gelée : le vent va passer au travers

et les ronces me l'arracheront. — Vas-tu encore
répliquer ? répondit la belle-mère, tâche de filer
et ne t'avise pas de reparaître avant d'avoir
rempli le panier de fraises. » Après quoi elle lui
donna un petit bout de pain dur et dit : « Tu en
auras pour toute la journée », et elle pensait
qu'elle allait mourir de faim et de froid et qu'elle
ne reparaîtrait jamais devant ses yeux.

Or la jeune fille était obéissante, elle mit la
robe de papier et s'en alla avec son petit panier. Il
n'y avait rien que de la neige à la ronde, et l'on ne
voyait pas le moindre brin d'herbe. En arrivant
dans la forêt, elle aperçut une petite maison où
trois nains étaient à la fenêtre. Elle leur souhaita
le bonjour et frappa discrètement à la porte. Ils
lui crièrent d'entrer, elle entra dans la pièce et
s'assit sur un banc près du poêle, afin de se
réchauffer et de manger son goûter. Les nains lui
dirent : « Donne-nous-en un morceau. — Volontiers », dit-elle, elle coupa son morceau de pain
en deux et leur en donna la moitié. Ils lui
demandèrent : « Que vas-tu faire dans la forêt
par ce jour d'hiver, avec ta petite robe mince ? —
Ah ! dit-elle, il faut que je cherche des fraises
pour remplir mon panier et tant que je ne le
rapporterai pas je ne pourrai pas rentrer à la
maison. » Quand elle eut mangé son pain, ils lui
donnèrent un balai et dirent : « Balaie la neige à
la porte de derrière. » Mais quand elle fut dehors,
les trois petits hommes se dirent : « Qu'allons-
nous lui donner pour la récompenser d'être si

gentille et si bonne et d'avoir partagé son pain avec nous ? » Alors le premier dit : « Elle aura le don d'embellir de jour en jour. » Le deuxième dit : « Il lui tombera des pièces d'or de la bouche chaque fois qu'elle proférera un mot. » Le troisième dit : « Un roi viendra et la prendra pour femme. »

Cependant la jeune fille faisait ce que les nains lui avaient dit, elle balayait la neige, derrière la petite maison, et que croyez-vous qu'elle trouva ? Rien que des fraises mûres qui faisaient des taches rouges sombre sur la neige. Alors, dans sa joie, elle en ramassa plein son panier, remercia les petits hommes, donna la main à chacun d'eux et rentra chez elle en courant pour rapporter ce que sa belle-mère lui avait demandé. Comme elle disait « Bonjour » en entrant, aussitôt une pièce d'or lui tomba de la bouche. Puis elle raconta ce qui lui était arrivé dans la forêt, et à chaque mot qu'elle prononçait les pièces d'or lui sortaient de la bouche, de sorte que bientôt toute la pièce en fut couverte. « Voyez un peu cette outrecuidance, dit sa demi-sœur, gaspiller ainsi l'argent », mais elle était secrètement jalouse et voulut aller à son tour chercher des fraises dans la forêt. « Non, ma petite fille, dit la mère, il fait trop froid, tu pourrais en mourir. » Mais comme elle ne lui laissait pas de répit, elle finit par céder, lui fit une splendide veste de fourrure, qu'elle dut mettre, et lui donna des tartines et un gâteau pour la route.

La jeune fille alla dans la forêt et se dirigea
tout droit vers la petite maison, les trois petits
hommes étaient toujours à la fenêtre, mais elle ne
les salua pas et sans leur accorder un regard ni
un bonjour, elle entra dans la pièce en trébu-
chant, s'assit près du poêle et se mit à manger ses
tartines et son gâteau. « Donne-nous-en un morceau », s'écrièrent les petits hommes, mais elle
répondit : « Je n'en ai pas assez pour moi,
comment en donnerais-je encore aux autres ? »
Quand elle eut fini de manger, ils lui dirent :
« Voici un balai, nettoie la neige dehors, à la
porte de derrière. » Mais elle répondit : « Hé,
balayez vous-mêmes, je ne suis pas votre servante. » Voyant qu'ils ne voulaient rien lui
donner, elle prit la porte et s'en alla. Alors les
trois petits hommes se dirent entre eux : « Qu'allons-nous lui donner pour la punir d'être si
désagréable et d'avoir un cœur méchant et jaloux
qui n'accorde rien à personne ? » Le premier
dit : « Elle aura le don d'enlaidir de jour en
jour. » Le deuxième dit : « A chaque mot qu'elle
prononcera, un crapaud lui sortira de la
bouche. » Le troisième dit : « Elle mourra d'une
mort terrible. » La jeune fille cherchait des
fraises dehors ; mais comme elle n'en trouva pas,
elle rentra de méchante humeur à la maison. Et
quand elle ouvrit la bouche pour raconter à sa
mère ce qui lui était arrivé dans la forêt, voici
qu'à chaque mot un crapaud lui sortait de la

bouche, de sorte qu'elle inspirait à tous de la répulsion.

A présent la belle-mère était encore plus en colère et ne pensait plus qu'à faire tout le mal possible à la fille de l'homme, dont la beauté croissait vraiment de jour en jour. Enfin elle prit un chaudron, le mit sur le feu et y fit bouillir du fil. Quand il fut bouilli, elle le pendit aux épaules de la jeune fille et lui donna une hache; elle devait aller avec cela sur la rivière gelée, faire un trou dans la glace et rouir le fil. Comme elle était obéissante, elle y alla, fit un trou dans la glace et elle était en train de creuser quand passa un splendide carrosse dans lequel se trouvait le roi. Le carrosse s'arrêta et le roi demanda : « Mon enfant, qui es-tu et que fais-tu là ? » « Je suis une pauvre fille et je rouis du fil. » Alors le roi la prit en pitié et quand il vit qu'elle était si belle, il lui dit : « Veux-tu venir avec moi ? » « Oh oui, de tout cœur », répondit-elle, car elle était bien aise de ne plus avoir à paraître devant sa mère et sa sœur.

Elle monta donc dans le carrosse et quand ils furent arrivés au château, on célébra la noce en grande pompe, selon le don que les nains lui avaient fait. Au bout d'un an, la jeune reine eut un fils, et quand sa belle-mère eut entendu parler de son grand bonheur, elle vint au château avec sa fille et feignit de vouloir lui faire une visite. Mais comme le roi était sorti un moment et qu'il n'y avait personne d'autre dans la chambre, la

méchante femme saisit la reine par la tête, sa fille
la saisit par les pieds, puis elles la soulevèrent du
lit et la jetèrent par la fenêtre dans le fleuve qui
coulait devant. Après quoi elle coucha sa vilaine
fille dans le lit, et la vieille la couvrit jusqu'à la
tête. Quand le roi revint et voulut parler à sa
femme, la vieille s'écria : « Chut chut, pas maintenant, elle est toute baignée de sueur, il faut la
laisser en repos aujourd'hui. » Le roi n'y vit rien
de mal et ne revint que le lendemain matin, et
quand il se mit à parler à sa femme et qu'elle lui
répondit, voici qu'à chaque mot un crapaud lui
sortait de la bouche, tandis que d'ordinaire il en
tombait une pièce d'or. Il demanda alors
comment cela se faisait, mais la vieille lui dit que
cela venait de la forte transpiration et que cela ne
tarderait pas à disparaître.

La nuit, pourtant, le marmiton vit une cane
qui nageait dans le caniveau et disait :

> *Roi, que fais-tu ?*
> *Dors-tu ou veilles-tu ?*

Et comme il ne donnait pas de réponse, elle
dit :

> *Que font mes hôtes ?*

Alors le marmiton répondit :

> *Ils dorment d'un sommeil profond.*

Elle demanda encore :

> *Que fait mon petit enfant ?*

Et il répondit :

> *Dans son berceau il dort gentiment.*

Alors la reine reprit sa forme et monta, elle lui donna à boire, arrangea son petit lit, le couvrit et repartit sous l'aspect d'une cane en nageant dans le caniveau. Elle vint ainsi deux nuits de suite, la troisième nuit elle dit au marmiton : « Va dire au roi de prendre son épée et de la brandir trois fois sur le seuil au-dessus de moi. » Le marmiton courut le dire au roi, qui vint avec son épée et la brandit trois fois au-dessus du fantôme : et à la troisième fois son épouse se trouva devant lui, fraîche, saine et sauve, telle qu'elle était auparavant.

Alors le roi fut en grande joie ; mais il tint la reine cachée dans un cabinet jusqu'au dimanche, où l'enfant devait être baptisé. Et quand il fut baptisé, il dit : « Que convient-il de faire à quelqu'un qui en a tiré un autre du lit et l'a jeté à l'eau ? — Il ne mérite rien de mieux, dit la vieille, que d'être mis dans un tonneau garni de clous que l'on fera rouler du haut de la montagne jusqu'au fleuve. » Alors le roi dit : « Tu as prononcé ta sentence », il fit faire un tonneau semblable et mettre la vieille avec sa fille dedans, puis le fond fut cloué et le tonneau dégringolant le long de la montagne roula jusqu'au fleuve.

Jeannot et Margot

A l'orée d'un grand bois habitait un pauvre
bûcheron avec sa femme et ses deux enfants, le
petit garçon se nommait Jeannot, la petite fille
Margot. Il avait peu de choses à se mettre sous la
dent, et une fois qu'une grande disette s'était
abattue sur le pays, il ne put pas même se
procurer le pain quotidien. Un soir qu'il se
tracassait et que les soucis le faisaient se retourner dans son lit, il soupira et dit à sa femme :
« Qu'allons-nous devenir ? Comment pourrons-
nous nourrir nos pauvres enfants, alors que nous
n'avons plus rien pour nous-mêmes ? — J'ai une
idée, homme, répondit la femme, demain, de bon
matin nous conduirons les enfants dans le bois,
au plus épais des fourrés. Là nous leur ferons du
feu, nous donnerons encore un petit bout de pain
à chacun, puis nous irons à l'ouvrage et nous les
laisserons seuls. Ils ne retrouveront pas le chemin
de la maison et nous en serons débarrassés. —
Non, femme, dit le mari, je ne ferai pas cela,

comment aurais-je le cœur d'abandonner mes
enfants dans la forêt, les bêtes sauvages vien-
draient bientôt les déchirer. — Sot que tu es, dit-
elle, alors nous mourrons de faim tous les quatre,
tu n'as plus qu'à raboter les planches de nos
cercueils », et elle ne lui laissa ni trêve ni repos
qu'il n'ait consenti. « Tout de même, ces pauvres
enfants me font pitié », dit l'homme.

Les deux enfants avaient tellement faim qu'ils
n'avaient pas pu s'endormir non plus et ils
avaient entendu ce que la marâtre avait dit à leur
père. Margot versa des larmes amères et dit à
Jeannot : « Maintenant, c'en est fait de nous. —
Chut, Margot, dit Jeannot, ne te tourmente pas,
je nous tirerai bien d'affaire. » Et quand les
vieux furent endormis, il se leva, mit sa petite
veste, ouvrit le bas de la porte et se glissa dehors.
Il faisait un beau clair de lune, et les cailloux
blancs qui étaient répandus devant la maison
brillaient comme de vrais sous neufs. Jeannot se
baissa et en fourra dans ses poches autant qu'il
voulut en entrer. Puis il rentra et dit à Margot :
« Aie confiance, chère petite sœur, et endors-toi
tranquillement, Dieu ne nous abandonnera
pas. » Et il se recoucha.

A l'aube, avant même que le soleil fût levé, la
femme entrait déjà et réveillait les deux enfants :
« Debout, paresseux, nous allons dans la forêt
chercher du bois. » Puis elle donna à chacun un
petit morceau de pain et dit : « Voilà quelque
chose pour votre midi, mais ne le mangez pas

avant, vous n'aurez rien de plus. » Margot mit le
pain sous son tablier, parce que Jeannot avait les
cailloux dans sa poche. Ensuite ils prirent tous le
chemin du bois. Quand ils eurent marché un
petit bout de temps, Jeannot s'arrêta, se retourna
pour voir du côté de la maison et tout le temps
recommença ce manège. Le père dit : « Jeannot,
qu'as-tu à lorgner et à rester en arrière ? fais
attention et n'oublie pas tes jambes. — Ah, père,
dit Jeannot, je regarde mon chaton blanc, il est
perché sur le toit et veut me dire adieu. » La
femme dit : « Petit sot, ce n'est pas ton chaton,
c'est le soleil du matin qui brille sur la cheminée. » Cependant Jeannot n'avait pas regardé
son petit chat, mais chaque fois il avait jeté sur le
chemin un des petits cailloux blancs de sa poche.

Quand ils furent arrivés en pleine forêt, le père
dit : « Maintenant, ramassez du bois, mes
enfants, je vais faire du feu pour que vous n'ayez
pas froid. » Jeannot et Margot ramassèrent du
petit bois et en firent un tas haut comme une
petite montagne. Le fagot fut allumé et quand la
flamme brûla bien haut, la femme dit : « Maintenant couchez-vous auprès du feu, mes enfants,
et reposez-vous, nous allons dans la forêt abattre
du bois. Quand nous aurons fini, nous revien-
drons vous chercher. »

Jeannot et Margot restèrent assis auprès du feu
et quand vint midi, ils mangèrent chacun leur
petit bout de pain. Et comme ils entendaient les
coups de la cognée, ils croyaient que leur père

était dans le voisinage. Mais ce n'était pas la cognée, c'était une branche que leur père avait attachée à un arbre mort et que le vent battait de-ci de-là. Et quand ils furent restés ainsi longtemps, leurs yeux se fermèrent de fatigue et ils s'endormirent profondément. Lorsqu'ils se réveillèrent enfin, il faisait déjà nuit noire. Margot se mit à pleurer et dit : « Comment allons-nous sortir du bois à présent ? » Mais Jeannot la consola : « Attends un petit moment que la lune soit levée, alors nous trouverons bien notre chemin. » Et quand la pleine lune fut levée, Jeannot prit sa petite sœur par la main et suivit les cailloux qui luisaient comme des sous nouvellement frappés et leur montraient le chemin. Ils marchèrent toute la nuit et arrivèrent à la maison de leur père au lever du jour. Ils frappèrent à la porte et quand la femme ouvrit et vit que c'était Jeannot et Margot, elle dit : « Méchants enfants, pourquoi avez-vous dormi si longtemps dans la forêt, nous avons cru que vous ne vouliez plus rentrer du tout. » Mais le père se réjouit, car il avait du chagrin de les avoir laissés ainsi tout seuls.

Peu de temps après, la misère fut de nouveau partout dans la maison, et une nuit, les enfants entendirent leur mère dire à leur père dans le lit : « Tout a été de nouveau mangé, nous avons encore la moitié d'une miche de pain, et après, finie la chanson. Il faut que les enfants s'en aillent, nous les conduirons plus loin dans la forêt afin qu'ils ne trouvent pas le chemin pour en sortir, autrement pas de salut pour nous. » L'homme eut le cœur serré et il pensa : « Il vaudrait mieux partager ta dernière bouchée avec tes enfants. » Mais la femme ne voulut rien savoir de ce qu'il disait, elle l'injuria et lui fit des reproches. Il n'y a que le premier pas qui coûte, et comme il avait cédé la première fois, il dut céder aussi la deuxième.

Mais les enfants étaient encore éveillés et ils avaient entendu la conversation. Quand les vieux furent endormis, Jeannot se releva et voulut sortir pour ramasser des cailloux comme l'autre fois, mais la femme avait fermé la porte à clé et il ne put sortir. Pourtant il consola sa petite sœur et dit : « Ne pleure pas, Margot, et dors tranquille, le bon Dieu nous viendra bien en aide. »

Au petit matin, la femme vint chercher les enfants dans leur lit. On leur donna leur bout de pain, mais il était encore plus petit que la première fois. Sur la route de la forêt, Jeannot l'émietta dans sa poche, il s'arrêtait souvent et en jetait une miette par terre. « Jeannot, qu'as-tu à t'arrêter et à lorgner autour de toi ? dit le père, allons, marche. — Je regarde mon pigeonneau, il est perché sur le toit et veut me dire adieu. — Petit sot, dit la femme, ce n'est pas ton pigeonneau, c'est le soleil du matin qui luit sur le haut de la cheminée. » Mais petit à petit, Jeannot jeta toutes les miettes sur le chemin.

La femme conduisit les enfants encore plus

loin dans la forêt, là où ils n'avaient jamais été de
leur vie. On fit de nouveau un grand feu et la
mère leur dit : « Restez là, enfants, et quand
vous serez fatigués, vous pourrez dormir un peu.
Nous allons dans la forêt abattre du bois et ce
soir, quand nous aurons fini, nous viendrons
vous chercher. » Quand il fut midi, Margot
partagea son pain avec Jeannot qui avait semé
son morceau le long du chemin. Ensuite ils
s'endormirent et la soirée se passa sans que
personne vînt vers les pauvres enfants. Ils ne se
réveillèrent qu'à la nuit noire, et Jeannot consola
sa petite sœur en lui disant : « Attends donc,
Margot, que la lune soit levée, alors nous verrons
les miettes que j'ai semées, elles nous montreront
le chemin de la maison. » Quand la lune se leva,
ils se mirent en route, mais ils ne trouvèrent plus
une seule miette, car les milliers d'oiseaux qui
volent par les bois et les champs les avaient
picorées. Jeannot dit à Margot : « Nous retrouve-
rons bien notre chemin », mais ils ne le retrouvèrent pas. Ils marchèrent toute la nuit et tout un
jour du matin au soir mais ils ne purent sortir du
bois et ils avaient grand-faim, car ils n'avaient
rien d'autre que les quelques baies qui poussaient par terre. Et comme ils étaient si las que
leurs jambes ne voulaient plus les porter, ils se
couchèrent sous un arbre et s'endormirent. Et
déjà le matin se leva pour la troisième fois depuis
leur départ de la maison paternelle. Ils se remirent en route, mais ils s'enfoncèrent de plus en

plus dans les bois, et s'il ne leur venait pas
bientôt du secours, il leur faudrait périr d'inanition. Quand il fut midi, ils aperçurent, perché sur
une branche, un joli petit oiseau blanc comme
neige qui chantait si bien qu'ils s'arrêtèrent pour
l'écouter. Et quand il eut fini, il prit son essor et
partit devant eux à tire-d'aile, et ils le suivirent
jusqu'à une maisonnette sur le toit de laquelle il
se posa ; et en s'approchant, ils virent que la
maisonnette était de pain et couverte d'un toit de
gâteau ; quant aux fenêtres elles étaient en sucre
candi. « Mettons-nous-y, dit Jeannot, et faisons
un bon repas. Je vais manger un morceau du toit,
tu pourras manger de la fenêtre, Margot, c'est
sucré. » Jeannot se haussa sur la pointe des pieds
et cassa un morceau de toiture pour voir quel
goût elle avait, et Margot se mit à grignoter les
vitres. Alors une voix douce sortit de la pièce :

> *Grigno, grigno, grignoton,*
> *Qui grignote ma maison ?*

Les enfants répondirent :

> *C'est le vent, c'est le vent,*
> *Le céleste enfant*

et ils continuèrent à manger sans se laisser
décontenancer. Jeannot, qui trouvait le toit fort à
son goût, en arracha un grand morceau et
Margot détacha toute une vitre ronde, s'assit par

terre et s'en donna à cœur joie. Tout à coup la porte s'ouvrit et une femme vieille comme le monde se glissa dehors en s'appuyant sur une béquille. Jeannot et Margot eurent une telle frayeur qu'ils laissèrent tomber ce qu'ils avaient à la main. Mais la vieille secoua la tête et dit : « Chers enfants. qui vous a conduits ici ? Entrez donc et restez chez moi, il ne vous arrivera pas de mal. » Elle les prit tous les deux par la main et les emmena dans sa maison. Là, on leur servit un bon repas. du lait et de l'omelette au sucre, des pommes et des noix. Puis on leur prépara deux jolis petits lits blancs, et Jeannot et Margot s'y couchèrent et se crurent au Paradis.

Mais la gentillesse de la vieille était feinte, car c'était une méchante sorcière qui guettait les petits enfants et n'avait bâti sa maisonnette de pain que pour les attirer. Quand il en tombait un en son pouvoir. elle le tuait. le faisait cuire, le mangeait et pour elle, c'était jour de fête. Les sorcières ont les yeux rouges et ne voient pas de loin, mais elles ont du flair comme les animaux et sentent les hommes venir. Quand Jeannot et Margot arrivèrent dans son voisinage. elle eut un rire mauvais et dit sardoniquement : « Je les tiens, ils ne m'échapperont plus. » De bon matin, avant que les enfants ne fussent réveillés, elle se leva, et en les voyant reposer tous les deux si gentiment, avec leurs joues rondes et rouges, elle murmura à part soi : « Cela fera un morceau de choix. » Alors elle saisit Jeannot de sa main décharnée, le porta dans une petite étable, et l'enferma derrière une porte grillagée. Il eut beau crier tant qu'il pouvait, cela ne lui servit de rien. Puis elle alla auprès de Margot, la secoua pour la réveiller et cria : « Debout, paresseuse, va chercher de l'eau et fais cuire quelque chose de bon pour ton frère, il est enfermé dans l'étable et il faut qu'il engraisse. Quand il sera gras, je le mangerai. » Margot se mit à pleurer amèrement, mais en vain, force lui fut de faire ce que la méchante sorcière demandait.

Alors, on prépara pour le pauvre Jeannot les meilleurs plats, mais Margot n'eut que les carapaces des écrevisses. Tous les matins, la vieille se traînait à la petite étable et criait : « Jeannot, sors tes doigts, que je sente si tu seras bientôt assez gras. » Mais Jeannot lui tendait un petit os, et la vieille, qui avait la vue trouble et ne pouvait pas le voir, croyait que c'étaient les doigts de Jeannot et s'étonnait qu'il ne voulût pas engraisser. Comme il y avait quatre semaines de passées et que Jeannot restait toujours maigre, elle fut prise d'impatience et ne voulut pas attendre davantage. « Holà, Margot, cria-t-elle à la petite fille, dépêche-toi et apporte de l'eau. Que Jeannot soit gras ou maigre, demain je le tuerai et je le ferai cuire. » Ah, comme la pauvre petite sœur se désola quand il lui fallut porter de l'eau, et comme les larmes lui coulaient le long des joues ! « O mon Dieu, viens-nous en aide, s'écria-t-elle, si les bêtes sauvages nous avaient dévorés dans

les bois, au moins nous serions morts ensemble.
— Fais-moi grâce de tes piailleries, dit la vieille,
tout cela ne te servira de rien. »

Dès le petit matin, Margot dut sortir, suspen-
dre la marmite d'eau et allumer le feu. « Nous
allons d'abord faire le pain, dit la vieille, j'ai déjà
chauffé le four et pétri la pâte. » Elle poussa la
pauvre Margot vers le four d'où sortaient déjà les
flammes. « Glisse-toi dedans, dit la sorcière, et
vois s'il est à bonne température pour enfourner
le pain. » Et quand Margot serait dedans, elle
fermerait la porte du poêle. Margot y rôtirait puis
elle la mangerait aussi. Mais la petite devina ce
qu'elle avait en tête, et dit : « Je ne sais pas
comment faire, comment vais-je entrer là-
dedans ? — Petite oie, dit la vieille, l'ouverture
est assez grande, regarde, je pourrais y passer
moi-même. » Elle se mit à quatre pattes pour
s'approcher du four et y fourra la tête. Alors
Margot la poussa si bien qu'elle entra tout entière
dans le four, puis elle ferma la porte de fer et tira
le verrou. Hou ! la vieille se mit à pousser des
hurlements épouvantables ; mais Margot se
sauva et la sorcière impie brûla lamentablement.

Margot courut tout droit à Jeannot, ouvrit la
porte de la petite étable et s'écria : « Jeannot,
nous sommes délivrés, la vieille sorcière est
morte. » Alors Jeannot bondit dehors comme un
oiseau s'envole quand on lui ouvre la porte de sa
cage. Quelle joie ce fut, comme ils se sautaient au
cou, gambadaient de tous côtés, s'embrassaient !

Et comme ils n'avaient plus rien à craindre, ils
entrèrent dans la maison de la sorcière, il y avait
là dans tous les coins des coffrets pleins de perles
et de pierres précieuses. « C'est encore mieux que
des cailloux », dit Jeannot et il en mit dans ses
poches tant qu'il voulut en entrer, et Margot dit :
« Moi aussi, je veux rapporter quelque chose
chez nous », et elle en mit plein son tablier.
« Mais à présent il faut partir, dit Jeannot, afin
de sortir de la forêt ensorcelée. » Mais quand ils
eurent marché pendant quelques heures, ils
arrivèrent au bord d'une grande rivière. « Nous
ne pourrons pas la traverser, dit Jeannot, je ne
vois ni passerelle ni pont. — Il ne passe pas non
plus de bateau, dit Margot, mais voilà un canard
blanc qui nage, si je le lui demande, il nous
aidera à passer. » Alors elle cria :

> *Caneton, caneton,*
> *C'est Jeannot et Margoton,*
> *Pas de pont ni de passerelle,*
> *Prends-nous sur tes blanches ailes.*

Le caneton s'approcha, Jeannot monta sur son
dos et dit à sa sœur de monter à côté de lui.
« Non, répondit Margot, ce serait trop lourd pour
le petit canard, il nous passera l'un après l'autre. » C'est ce que fit la bonne bête, et quand ils
furent sur l'autre rive et qu'ils eurent marché un
petit bout de temps, la forêt leur sembla de plus
en plus familière et enfin ils aperçurent de loin la

maison paternelle. Alors ils se mirent à courir, se
précipitèrent dans la pièce et se jetèrent au cou
de leur père. L'homme n'avait pas eu une seule
heure de joie depuis qu'il avait abandonné ses
enfants dans les bois ; quant à la femme elle était
morte. Margot secoua son tablier si bien que les
perles et les pierres précieuses se mirent à sauter
de tous côtés, tandis que Jeannot vidait ses
poches et jetait à son tour par terre poignée sur
poignée. Alors tous leurs soucis prirent fin et ils
vécurent ensemble dans une joie sans mélange.
Mon conte est fini, là-bas trotte une petite souris,
qui l'attrapera aura le droit de s'en faire un
grand, grand bonnet de fourrure.

Le vaillant petit tailleur

Par un matin d'été, un petit tailleur, assis sur
sa table, près de la fenêtre, était de bonne
humeur et cousait de toutes ses forces. Et voilà
qu'une paysanne descendit la rue en criant :
« Marmelade, bonne marmelade à vendre ! » Ce
fut bien agréable à l'oreille du petit tailleur, il
passa sa tête menue par la fenêtre et cria :
« Montez, bonne femme, on va vous débarrasser
de votre marchandise ! » La femme monta les
trois étages avec son lourd panier et dut déballer
devant lui tous ses pots. Il les examina tous, les
leva en l'air, y mit le nez et dit enfin : « La
marmelade m'a l'air bonne, pesez-m'en donc
quatre onces, ma bonne femme, même si ça fait
un quart de livre ça m'est égal. » La femme, qui
avait espéré faire une bonne vente, lui donna ce
qu'il demandait, mais s'en fut toute fâchée et en
bougonnant. « A présent, Dieu bénisse ma confiture, s'écria le petit tailleur, et qu'elle me donne
force et vigueur ! » Il alla prendre le pain de la

miche et y tartina la marmelade. « Ça ne va pas être mauvais, dit-il, mais avant d'y mettre la dent, je vais finir mon pourpoint. » Il posa le pain à côté de lui, continua de coudre et, de plaisir, fit des points de plus en plus grands. Cependant l'odeur de la confiture sucrée montait le long des murs où il y avait une grande quantité de mouches, si bien qu'elles furent attirées et vinrent en troupe s'abattre dessus. « Hé, qui vous a donc invitées ? » dit le petit tailleur et il chassa ses convives importuns. Mais les mouches, qui ne comprenaient pas l'allemand, ne se laissèrent pas écarter et revinrent au contraire en compagnie de plus en plus nombreuse. Alors la moutarde, comme on dit, finit par monter au nez du petit tailleur, il attrapa un bout de drap dans sa corbeille à chiffons et, « attendez un peu que je vous en donne ! », il tapa dessus impitoyablement. Quand il retira le chiffon et compta, il n'en vit pas moins de sept, mortes sous ses yeux, les pattes en l'air. « Serais-tu donc un gaillard de cette trempe ? dit-il, forcé lui-même d'admirer sa vaillance, il faut que toute la ville sache cela. » Et en grande hâte, le petit tailleur se coupa une ceinture, la cousit et y broda en grandes lettres : « Sept d'un coup ! » « Eh quoi, la ville ? dit-il, non, c'est le monde entier qui doit le savoir. » Et de plaisir, son cœur se trémoussait dans sa poitrine comme la queue d'un petit agneau.

Le tailleur se noua la ceinture autour du corps et décida d'aller courir le vaste monde, parce

qu'il pensait que son atelier était trop petit pour
sa bravoure. Avant de partir, il chercha s'il n'y
avait pas dans sa maison quelque chose à
emporter, mais il ne trouva rien d'autre qu'un
vieux bout de fromage qu'il fourra dans sa
poche. Devant la porte, il aperçut un oiseau qui
s'était pris dans un buisson, l'oiseau dut aller
retrouver le fromage dans sa poche. Puis il se mit
bravement à arpenter la route, et comme il était
léger et preste, il ne ressentait pas de fatigue. Son
chemin le conduisit en haut d'une montagne et
quand il en atteignit le sommet, voici qu'un
énorme géant y était assis et promenait tranquillement ses regards alentour. Le petit tailleur alla
hardiment à lui, l'interpella et lui dit : « Bonjour,
camarade, hein, te voilà en train de contempler le
vaste monde ? Je suis justement en train de m'y
rendre pour y tenter ma chance. As-tu envie de
venir avec moi ? » Le géant toisa le tailleur d'un
air dédaigneux et dit : « Pouilleux ! Pitoyable
avorton ! — Par exemple ! répondit le petit
tailleur en déboutonnant son habit et en mon-
trant sa ceinture au géant, tiens ! Lis donc là quel
gaillard je suis ! » Le géant lut : « Sept d'un
coup ! », pensa que c'étaient des hommes que le
tailleur avait assommés, et se sentit un peu de
respect pour le petit luron. Pourtant il voulut
d'abord le mettre à l'épreuve, prit une pierre
dans sa main et la pressa tellement qu'il en sortit
de l'eau. « Fais-en autant, dit le géant, si tu en as
la force. — Si ce n'est que ça, dit le tailleur, pour

nous autres c'est un jeu d'enfant », il mit sa main
dans sa poche, y prit le fromage mou et le serra
de manière a en exprimer le jus. « Hein ! fit-il,
c'est un peu plus fort ? » Le géant ne sut que
dire, il n'aurait jamais cru ça de ce petit homme.
Alors il ramassa une pierre et la lança si haut
qu'on pouvait à peine la suivre des yeux. « Eh
bien, mon petit caneton, fais-en donc autant ! —
Bien lancé, dit le tailleur, mais ta pierre, il a bien
fallu qu'elle retombe après, moi, je vais t'en
lancer une qui ne reviendra pas du tout. » Il mit
la main dans sa poche, y prit l'oiseau et le jeta en
l'air. Ravi d'être libre, l'oiseau s'éleva, prit son
vol et ne revint plus. « Qu'est-ce que tu dis de
mon petit tour, camarade ? demanda le tailleur.
— Quant au lancer, tu t'y entends, dit le géant,
mais maintenant nous allons voir si tu es capable
de porter un poids convenable. » Il conduisit le
tailleur auprès d'un chêne puissant qui était
abattu et gisait par terre, et dit : « Si tu es assez
fort, aide-moi à sortir cet arbre du bois. —
Volontiers, répondit le petit bonhomme, tu n'as
qu'à prendre le tronc sur tes épaules, je soulève-
rai les branches avec tout le feuillage et je les
porterai, c'est bien le plus lourd. » Le géant prit
le tronc sur ses épaules, mais le tailleur s'assit sur
une maîtresse branche et le colosse, qui ne
pouvait pas se retourner, dut emporter tout
l'arbre et le tailleur par-dessus le marché. Celui-
ci était tout guilleret et de bonne humeur là-
derrière, il sifflotait la chansonnette « Trois

tailleurs s'en allaient à cheval », comme si porter
un arbre n'était qu'un jeu d'enfant. Après avoir
traîné sa lourde charge un bout de chemin, le
géant ne put pas continuer et s'écria : « Écoute,
il faut que je lâche l'arbre ! » Le tailleur sauta
prestement par terre, prit l'arbre à deux bras
comme s'il l'avait porté et dit au géant : « Un
grand gaillard comme toi, tu ne peux même pas
porter cet arbre ! »

Ils continuèrent de cheminer ensemble, et
comme ils passaient près d'un cerisier, le géant
saisit la cime de l'arbre, là où il y avait les fruits
les plus mûrs, la courba, la mit dans la main du
petit tailleur et lui dit d'en manger. Mais le petit
tailleur était bien trop chétif pour tenir l'arbre et
quand le géant le lâcha, il se redressa et le tailleur
fut projeté en l'air. Quand il fut retombé sans
mal, le géant dit : « Qu'est-ce que ça veut dire ?
Tu n'as pas la force de tenir cette misérable
badine ? — Ce n'est pas la force qui me manque,
répondit le petit tailleur, penses-tu que ce soit
une affaire pour quelqu'un qui en a occis sept
d'un coup ? J'ai bondi par-dessus l'arbre parce
que les chasseurs là, en bas, sont en train de tirer
dans le fourré, saute derrière moi si tu peux. » Le
géant essaya, mais il ne put passer par-dessus
l'arbre et resta accroché dans les branches, si
bien que le petit tailleur garda encore l'avantage.

Le géant dit : « Puisque tu es un gars si
courageux, viens avec moi dans notre caverne et
passe la nuit avec nous. » Le petit tailleur se

montra disposé à le suivre. Quand ils arrivèrent
dans la caverne, ils trouvèrent d'autres géants
assis près de l'âtre, et chacun d'eux avait en main
un mouton rôti où il mordait à belles dents. Le
petit tailleur inspecta les lieux et pensa : « C'est
vraiment beaucoup plus spacieux que mon atelier. » Le géant lui désigna un lit, en lui disant de
s'y coucher et de dormir tout son soûl. Mais le lit
était beaucoup trop vaste pour le petit tailleur, il
ne se mit pas dedans et alla se blottir dans un
coin. Quand il fut minuit et que le géant crut le
petit tailleur profondément endormi, il se leva,
prit une grosse barre de fer, en donna un coup
sur toute la largeur du lit, et crut avoir achevé le
marmouset. Dès l'aube les géants partirent pour
la forêt, et ils avaient complètement oublié le
petit tailleur quand, tout à coup, ils le virent
venir d'un air tout joyeux et téméraire. Ils prirent
peur, craignirent d'être tous assommés et s'enfuirent à toutes jambes.

Le petit tailleur continua son chemin, toujours
le nez en l'air. Après avoir cheminé longtemps, il
se trouva dans la cour d'un palais royal et comme
il se sentait las, il se coucha dans l'herbe et
s'endormit. Pendant qu'il dormait, des gens
arrivèrent, le regardèrent sur toutes les faces et
lurent sur sa ceinture : « Sept d'un coup ! »
« Ah, dirent-ils, que vient faire ici ce grand
guerrier, en pleine paix ? Ce doit être un puissant
seigneur. » Ils allèrent rapporter la chose au roi
et lui dirent qu'au cas où la guerre éclaterait, ce

serait là un personnage important et utile qu'il ne
fallait laisser partir à aucun prix. Le conseil plut
au roi, et il envoya au petit tailleur l'un de ces
courtisans qui, à son réveil, devait lui offrir de
prendre du service dans l'armée. L'ambassadeur
resta auprès du dormeur, attendant qu'il s'étirât
et ouvrît les yeux, puis il lui fit sa proposition.
« C'est justement pour cela que je suis venu,
répondit-il, je suis prêt à me mettre au service du
roi. » On le reçut donc avec tous les honneurs et
on lui assigna une demeure particulière.

Mais les militaires étaient montés contre le
petit tailleur et le souhaitaient à mille lieues de
distance. « Que va-t-il sortir de là ? se disaient-
ils dans leurs conciliabules, si nous lui cherchons
noise et qu'il cogne, il en tombera sept à chaque
coup. Dans ces conditions, nous ne pourrons pas
lui tenir tête. » Ils prirent donc une résolution,
allèrent tous ensemble trouver le roi et lui
demandèrent leur congé. « Nous ne sommes pas
faits, dirent-ils, pour vivre à côté d'un homme
qui vous en assomme sept d'un coup. » Le roi fut
attristé de perdre tous ses fidèles serviteurs à
cause d'un seul, il souhaita que ses yeux ne
l'eussent jamais vu et se serait volontiers débarrassé de lui. Mais il n'osait pas lui signifier son
congé, parce qu'il avait peur que le tailleur ne le
tuât, lui et les siens, et ne montât sur le trône. Il
retourna le problème en tous sens et finit par
trouver un expédient. Il envoya quelqu'un au
petit tailleur et lui fit dire que, puisqu'il était un

si grand guerrier, il allait lui faire une proposition. Dans une forêt de son royaume habitaient deux géants qui causaient de grands dégâts en volant, tuant, grillant et incendiant, personne ne pouvait approcher d'eux sans se mettre en danger de mort. S'il triomphait de ces deux géants et les tuait, il lui donnerait sa fille unique en mariage, et la moitié de son royaume en dot ; de plus cent cavaliers l'accompagneraient et lui prêteraient main-forte. « Ce ne serait pas mal pour un homme comme toi, se dit le petit tailleur, on ne vous offre pas tous les jours une jolie princesse et la moitié d'un royaume. » « Oh oui, je me charge de mater les géants, et je n'ai pas besoin pour cela de cent reîtres. Qui en abat sept d'un coup n'a pas de raison d'en craindre deux. »

Le petit tailleur se mit en route, suivi des cent cavaliers. Arrivé à l'orée du bois, il dit à ses compagnons : « Faites donc halte ici, je viendrai bien à bout des géants tout seul. » Il entra d'un bond dans la forêt et regarda de droite et de gauche. Au bout d'un petit moment, il aperçut les géants couchés sous un arbre, ils dormaient et ronflaient si fort qu'ils faisaient monter et descendre les branches. Vivement, le petit tailleur remplit ses deux poches de pierres et grimpa dans l'arbre. Quand il fut au milieu, il se laissa glisser le long d'une branche pour arriver juste au-dessus des dormeurs, et fit tomber ses pierres l'une après l'autre sur la poitrine de l'un d'eux. Pendant longtemps le géant ne sentit rien, mais finalement il se réveilla, donna une bourrade à son compagnon et dit : « Pourquoi me bats-tu ? — Tu rêves, dit l'autre, je ne te bats pas. » Ils s'allongèrent de nouveau pour dormir, mais alors le tailleur jeta une pierre sur le second. « Qu'est-ce que ça veut dire ? s'écria l'autre, pourquoi me lances-tu des pierres ? — Je ne te lance pas de pierres », répondit le premier en bougonnant. Ils se chamaillèrent un moment, mais comme ils étaient fatigués, ils en restèrent là et leurs yeux se refermèrent. Le petit tailleur recommença son manège, il choisit la pierre la plus grosse et la jeta de toutes ses forces sur la poitrine du premier géant. « C'est trop fort ! » s'écria-t-il, il se leva comme un fou et poussa violemment son compagnon contre l'arbre, qui en trembla. L'autre lui rendit la monnaie de sa pièce et ils entrèrent dans une telle fureur qu'ils arrachèrent les arbres et cognèrent l'un sur l'autre, tant et si bien qu'ils tombèrent morts en même temps. Alors le petit tailleur sauta par terre. « Une chance, dit-il, qu'ils n'aient pas arraché l'arbre où j'étais perché, sans quoi j'aurais dû sauter sur un autre à la manière d'un écureuil, mais nous sommes lestes, nous autres ! » Il tira son épée et en assena quelques bons coups dans la poitrine de chacun, puis il sortit du bois pour retrouver ses cavaliers et dit : « L'ouvrage est fait, je leur ai donné à tous deux le coup de grâce. Mais l'affaire a été rude, dans le péril ils ont déraciné des arbres, pourtant tout cela ne sert de rien quand il en vient un comme moi qui en abats sept d'un coup.

— Vous n'êtes donc pas blessé ? demandèrent les cavaliers. — Pas de danger, ils n'ont pas touché à un cheveu de ma tête. » Les cavaliers ne voulurent pas le croire, et entrèrent dans la forêt ; ils y trouvèrent les géants baignant dans leur sang, au milieu des arbres arrachés.

Le petit tailleur demanda au roi la récompense promise, mais celui-ci, qui regrettait sa promesse, chercha un nouveau moyen de se débarrasser du héros : « Avant d'obtenir ma fille et la moitié de mon royaume, dit-il, il te faut accomplir un nouvel exploit. Dans la forêt, il y a une licorne qui fait de grands dégâts, il faut d'abord me l'attraper. — Je crains encore moins une licorne que deux géants ; sept d'un coup, voilà mon affaire. » Il emporta une corde et une hache, alla à la forêt et dit encore une fois à ceux qu'il avait sous ses ordres de l'attendre dehors. Il n'eut pas à chercher longtemps, la licorne ne tarda pas à se montrer et bondit tout droit sur le tailleur, comme si elle voulait sans plus de façons l'embrocher. « Doucement, doucement, dit-il, ça ne se fait pas si vite que ça », il s'arrêta et attendit que la bête arrivât tout près de lui, puis il bondit prestement derrière un arbre. La licorne donna de toute sa force contre l'arbre et enfonça sa corne si profondément dans le tronc qu'elle n'eut pas assez de force pour la retirer et se trouva prise. « Je tiens l'oiseau », dit le tailleur, il sortit de derrière son arbre, passa d'abord sa corde au cou de la licorne, puis, à coups de hache il dégagea la corne du tronc, et quand tout fut réglé, il emmena la bête et la conduisit au roi.

Le roi ne voulut pas encore lui accorder la récompense promise et exprima une troisième exigence. Avant ses noces, le tailleur devrait encore lui attraper un sanglier qui causait de grands dégâts dans la forêt; les chasseurs lui prêteraient main-forte. « Bien, dit le tailleur, ce n'est qu'un jeu d'enfant. » Il n'emmena pas les chasseurs dans le bois et ils en furent bien contents, car le sanglier les avait déjà accueillis souvent d'une manière qui leur ôtait l'envie de se mettre à sa poursuite. Quand le sanglier aperçut le tailleur, il fonça sur lui, l'écume à la gueule, en s'aiguisant les dents, et voulut le jeter par terre. Mais le héros sauta avec agilité dans une chapelle voisine et, d'un bond, ressortit aussitôt par la fenêtre du haut. Le sanglier l'avait suivi, mais le tailleur fit le tour par-dehors et ferma la porte sur lui; alors l'animal furieux, bien trop lourd et maladroit pour sauter par la fenêtre, se trouva pris. Le tailleur appela les chasseurs, pour qu'ils vissent de leurs propres yeux l'animal prisonnier. Le héros quant à lui s'en alla trouver le roi qui, bon gré mal gré, dut alors tenir sa promesse et lui donna sa fille et la moitié de son royaume. S'il avait su qu'il n'avait pas devant lui un grand guerrier, mais un petit tailleur, il eût été encore plus affecté. Les noces furent donc célébrées en grande pompe et petite joie et l'on fit un roi d'un petit tailleur.

Quelque temps après, la jeune reine entendit son époux parler en rêve, la nuit : « Fais-moi ce pourpoint, garçon, et ravaude-moi cette culotte, ou bien je te casse mon aune sur les oreilles. » Elle comprit alors dans quelle ruelle le jeune seigneur était né, le lendemain elle confia son chagrin à son père et le pria de l'aider à se débarrasser d'un mari qui n'était rien de plus qu'un tailleur. Le roi la consola et lui dit : « La nuit prochaine, laisse la porte de ta chambre ouverte, mes serviteurs se tiendront dehors et quand il sera endormi, ils entreront, le ligoteront et le porteront sur un navire qui l'emmènera dans le vaste monde. » La femme se montra satisfaite, mais l'écuyer du roi, qui avait tout entendu, était attaché à son jeune maître et lui dénonça tout le complot. « Je mettrai obstacle à la chose », dit le tailleur. Le soir, il alla se coucher avec sa femme à l'heure habituelle. Quand elle le crut endormi, elle se leva, ouvrit la porte et se recoucha. Le petit tailleur, qui feignait seulement de dormir, se mit à crier d'une voix claire : « Fais-moi ce pourpoint, garçon, et ravaude-moi cette culotte, ou bien je te casse mon aune sur les oreilles ! J'en ai occis sept d'un coup, j'ai tué deux géants, capturé une licorne, pris un sanglier, et j'aurais peur de ceux qui sont en ce moment dehors, devant ma chambre ? » Quand ceux-ci entendirent le tailleur parler ainsi, ils furent pris d'une grande frayeur, ils détalèrent comme s'ils avaient la chasse infernale à leurs trousses, et pas un ne voulut plus se risquer à l'attaquer. C'est ainsi que le petit tailleur devenu roi le resta toute sa vie.

Cendrillon

Un homme riche avait une femme qui tomba malade, et quand elle sentit sa fin approcher, elle appela sa fille unique à son chevet et lui dit : « Chère enfant, reste pieuse et bonne, alors le bon Dieu te viendra toujours en aide, et moi du haut du ciel je te regarderai et je veillerai sur toi. » Là-dessus elle ferma les yeux et mourut. La fillette se rendit chaque jour sur la tombe de sa mère et pleura et resta pieuse et bonne. Quand vint l'hiver, la neige mit un tapis blanc sur la tombe et quand le soleil du printemps l'eut retiré, l'homme prit une autre femme.

La femme avait amené avec elle deux filles qui étaient jolies et blanches de visage, mais laides et noires de cœur. Alors les tourments commencèrent pour la pauvre belle-fille. « Cette petite oie va-t-elle rester avec nous dans la salle ? dirent-elles, qui veut manger du pain doit le gagner ; dehors le souillon ! » Elles lui enlevèrent ses belles robes, la vêtirent d'un vieux sarrau gris et

lui donnèrent des sabots de bois. « Voyez un peu
la fière princesse, comme elle est bien nippée ! »
s'écrièrent-elles en riant, et elles la conduisirent à
la cuisine. Là, il lui fallut trimer dur du matin au
soir, se lever bien avant le jour, porter l'eau,
allumer le feu, faire la cuisine et la lessive. Par-
dessus le marché, les deux sœurs lui faisaient
toutes les misères imaginables, se moquaient
d'elle, lui renversaient pois et lentilles, de sorte
qu'il lui fallait rester à la cuisine et recommencer
à les trier. Le soir, quand elle était exténuée de
travail, elle ne se reposait pas dans un lit, elle
devait se coucher près du foyer, dans les cendres.
Et comme cela lui donnait toujours un air
poussiéreux et malpropre, elles l'appelaient Cendrillon.

Il advint un jour que le père voulut se rendre à
la foire, alors il demanda à ses deux belles-filles
ce qu'il devait leur rapporter. « De beaux
habits », dit l'une. « Des perles et des pierres
précieuses », dit la seconde. « Mais toi, Cendrillon, que désires-tu ? dit-il. — Père, le premier
rameau qui, sur le chemin du retour, heurtera
votre chapeau, cueillez-le pour moi. » Il acheta
pour les deux sœurs de belles robes, des perles et
des pierres précieuses et sur le chemin du retour,
comme il passait à cheval à travers un buisson
verdoyant, une branche de noisetier l'effleura et
lui enleva son chapeau. Alors il cassa la branche
et l'emporta. Rentré chez lui, il donna à ses
belles-filles ce qu'elles avaient souhaité, et à

Cendrillon la branche de noisetier. Cendrillon le remercia, alla sur la tombe de sa mère et y planta la branche, et pleura si fort que ses larmes tombèrent dessus et l'arrosèrent. Or le rameau grandit et devint un bel arbre. Et trois fois par jour Cendrillon allait pleurer et prier sous son arbre, et chaque fois un petit oiseau blanc y venait et quand elle exprimait un souhait, l'oiseau faisait tomber entre ses mains ce qu'elle avait souhaité.

Or, il arriva que le roi donna une fête qui devait durer trois jours et à laquelle il invita toutes les jolies filles du pays afin que son fils pût choisir une fiancée. Quand les deux sœurs apprirent qu'elles devaient s'y montrer aussi, elles furent ravies, elles appelèrent Cendrillon et dirent : « Peigne nos cheveux, brosse nos souliers et serre bien les boucles, nous allons pour la noce au château du roi. » Cendrillon obéit, mais elle pleura parce qu'elle aurait bien voulu aller aussi au bal et elle pria sa belle-mère de le lui permettre. « Mais Cendrillon, dit-elle, tu es pleine de poussière et de saletés et tu veux aller à la noce ? Tu n'as pas de robes, pas de chaussures, et tu veux aller danser ? » Mais comme elle persistait dans ses prières, la belle-mère dit enfin : « Je t'ai versé un plat de lentilles dans les cendres, si dans deux heures tu les as triées, tu viendras avec nous. » La jeune fille sortit dans le jardin par la porte de derrière et cria : « Pigeons

dociles, tourterelles, et vous tous oiseaux du ciel,
venez et aidez-moi à trier

> *les bonnes graines dans le petit pot,*
> *les mauvaises dans votre jabot.*

Alors deux colombes blanches entrèrent par la
fenêtre de la cuisine, puis les petites tourterelles,
enfin tous les oiseaux du ciel arrivèrent dans un
frémissement d'ailes et voletèrent et se posèrent
autour des cendres. Et les pigeonneaux penchèrent leurs petites têtes et commencèrent, pic, pic,
pic, et les autres s'y mirent aussi, pic, pic, pic, et
ramassèrent tous les bons grains dans le plat. Au
bout d'une heure à peine, ils avaient déjà fini et
reprenaient tous leur vol. Alors la jeune fille alla
porter le plat à sa marâtre, elle était joyeuse et
croyait que maintenant elle aurait le droit d'accompagner les autres à la noce. Mais elle lui dit :
« Non, Cendrillon, tu n'as pas d'habits et tu ne
sais pas danser : on ne ferait que se moquer de
toi. » Comme Cendrillon pleurait, elle lui dit ·
« Si tu peux débarrasser de la cendre deux plats
de lentilles en une heure, tu viendras avec
nous », et elle pensait : « Jamais elle ne le
pourra. » Quand elle eut répandu les deux plats
dans les cendres, la jeune fille sortit dans le
jardin par la porte de derrière et cria : « Pigeons
dociles, petites tourterelles et vous tous, oiseaux
du ciel, venez et aidez-moi à trier

les bonnes graines dans le petit pot,
les mauvaises dans votre jabot.

Alors deux colombes blanches entrèrent par la
fenêtre de la cuisine, puis les petites tourterelles,
et enfin tous les oiseaux du ciel arrivèrent dans
un frémissement d'ailes et voletèrent et se posèrent autour de la cendre. Et les pigeonneaux
penchèrent leurs petites têtes et commencèrent,
pic, pic, pic, et les autres s'y mirent aussi, pic,
pic, pic, et ramassèrent tous les bons grains dans
les plats. Et avant qu'une demi-heure fût passée,
ils avaient déjà fini et tous reprirent leur vol.
Alors la jeune fille alla porter les plats à sa
marâtre, elle était joyeuse et croyait que maintenant elle pourrait l'accompagner à la noce. Mais
elle dit : « Tout cela ne sert de rien ; tu ne
viendras pas avec nous, car tu n'as pas d'habits
et tu ne sais pas danser ; tu nous ferais honte. »
Puis elle lui tourna le dos et se hâta de partir avec
ses deux filles orgueilleuses.

Quand il n'y eut plus personne à la maison,
Cendrillon alla sur la tombe de sa mère, sous le
noisetier, et s'écria :

Petit arbre, agite-toi et secoue-toi.
Jette de l'argent et de l'or sur moi.

Alors l'oiseau lui jeta une robe d'or et d'argent
et des pantoufles brodées de soie et d'argent. Elle
mit la robe en toute hâte et alla à la noce. Mais

ses sœurs et sa marâtre ne la reconnurent pas et
pensèrent que ce devait être une princesse étran-
gère, tant elle était belle dans sa toilette d'or.
Elles ne pensaient pas du tout à Cendrillon, elles
la croyaient à la maison, assise dans la crasse à
chercher les lentilles parmi les cendres. Le fils du
roi alla au-devant d'elle, la prit par la main et
dansa avec elle. Il ne voulut danser avec personne d'autre, de sorte qu'il ne lui lâcha plus la
main et quand un cavalier venait l'inviter, il lui
disait : « C'est ma cavalière. »

Elle dansa jusqu'au soir, alors elle voulut
rentrer chez elle. Mais le fils du roi dit : « Je vais
avec toi et je t'accompagne », car il voulait voir à
qui appartenait cette jolie jeune fille. Mais elle lui
échappa en sautant dans le pigeonnier. Alors le
fils du roi attendit le père et lui dit que la jeune
fille inconnue avait sauté dans son pigeonnier. Le
vieux se demanda : « Serait-ce Cendrillon ? », et
ils durent lui apporter une hache et une pioche
pour démolir le pigeonnier. Mais il n'y avait
personne dedans. Et quand ils entrèrent dans la
maison, Cendrillon était couchée dans la cendre
avec ses vêtements sales, et une petite lampe à
huile jetait une lueur trouble dans la cheminée ;
car Cendrillon avait vivement sauté du pigeonnier, par-derrière, et avait couru au noisetier. Là
elle avait retiré ses beaux vêtements, les avait mis
sur la tombe et l'oiseau les avait remportés, puis,
vêtue de son sarrau gris, elle s'était assise près de
l'âtre, dans la cuisine.

Le lendemain, comme la fête recommençait et que ses parents et ses sœurs étaient de nouveau partis, Cendrillon alla au noisetier et dit :

> *Petit arbre, agite-toi et secoue-toi,*
> *Jette de l'or et de l'argent sur moi.*

Alors l'oiseau lui jeta une robe encore plus splendide que la veille. Et quand, dans cette toilette, elle fit son apparition à la fête, chacun s'extasia sur sa beauté. Mais le fils du roi avait attendu sa venue, il la prit aussitôt par la main et ne dansa qu'avec elle. Quand les autres venaient l'inviter, il disait : « C'est ma cavalière. » Le soir venu, elle voulut partir, et le fils du roi la suivit pour voir dans quelle maison elle allait : mais elle lui échappa en sautant dans le jardin derrière sa maison. Il y avait là un grand et bel arbre couvert des poires les plus merveilleuses, elle grimpa entre les branches, aussi lestement qu'un écureuil, et le prince ne sut pas où elle avait passé. Mais il attendit le père et lui dit : « La jeune fille inconnue m'a échappé et je crois qu'elle a sauté dans le poirier. » Le père se demanda : « Serait-ce Cendrillon ? », il envoya chercher une hache et abattit l'arbre, mais il n'y avait personne dessus. Et quand ils entrèrent dans la cuisine, Cendrillon était couchée dans la cendre, comme à l'accoutumée, car elle avait sauté par terre de l'autre côté de l'arbre, avait rapporté ses beaux habits à l'oiseau du noisetier et remis son sarrau gris.

Le troisième jour, quand ses parents et ses sœurs furent partis, Cendrillon retourna sur la tombe de sa mère et dit à l'arbuste :

Petit arbre, agite-toi et secoue-toi,
Jette de l'or et de l'argent sur moi.

Alors l'oiseau lui jeta une robe qui était si somptueuse et si brillante qu'elle n'en avait pas encore eu de pareille, et les pantoufles étaient tout en or. Quand elle arriva à la fête, dans cette toilette, tous furent interdits d'admiration. Le fils du roi ne dansa qu'avec elle, et quand quelqu'un d'autre l'invitait, il disait : « C'est ma cavalière. »

Le soir venu, Cendrillon voulut s'en aller et le fils du roi voulut l'accompagner, mais elle lui échappa si vite qu'il ne put la suivre. Seulement, le prince avait usé de ruse et fait enduire de poix tout l'escalier. Alors, comme la jeune fille descendait en sautant, sa pantoufle gauche resta engluée. Le prince la ramassa, elle était petite et mignonne et tout en or. Le lendemain il s'en vint trouver le père et lui dit : « Je ne prendrai pour épouse que celle qui pourra chausser cette chaussure d'or. » Alors les deux sœurs se réjouirent, car elles avaient de jolis pieds. L'aînée alla dans sa chambre avec la pantoufle pour l'essayer, et sa mère était là. Mais elle ne put y faire entrer son

gros orteil, le soulier était trop petit pour elle,
alors sa mère lui tendit un couteau et lui dit :
« Coupe-toi le doigt ; quand tu seras reine, tu
n'auras plus besoin d'aller à pied. » La jeune fille
se coupa l'orteil, força son pied à entrer dans la
chaussure et alla retrouver le prince. Alors il la
prit sur son cheval comme sa fiancée et partit
avec elle. Mais ils durent passer devant la tombe,
les deux petites colombes du noisetier étaient là
et crièrent :

> *Tour nou touk, tour nou touk,*
> *Sang dans la pantouk,*
> *Le soulier est trop petit,*
> *La vraie fiancée est encore au logis.*

Alors le prince regarda le pied et vit que le
sang en coulait. Il tourna bride, ramena la fausse
fiancée chez elle, dit que ce n'était pas la bonne
et qu'il fallait que l'autre sœur essayât le soulier.
Alors celle-ci alla dans la chambre et put faire
entrer ses orteils dans la chaussure, mais son
talon était trop grand. Alors sa mère lui tendit un
couteau et lui dit : « Coupe-toi un bout de talon.
Quand tu seras reine, tu n'auras pas besoin
d'aller à pied. » La jeune fille se coupa un
morceau de talon, força son pied à entrer dans la
chaussure, réprima sa douleur et sortit retrouver
le prince. Alors il la prit sur son cheval comme sa
fiancée et partit avec elle. Quand ils passèrent

devant le noisetier, les petites colombes qui y
étaient perchées crièrent :

> *Tour nou touk, tour nou touk,*
> *Sang dans la pantouk,*
> *Le soulier est trop petit,*
> *La vraie fiancée est encore au logis.*

Il baissa les yeux vers le pied et vit que le sang
coulait de la chaussure et montait tout rouge le
long des bas blancs. Alors il tourna bride et
ramena la fausse fiancée chez elle. « Celle-là
n'est pas non plus la bonne, dit-il, n'avez-vous
pas d'autre fille ? — Non, dit l'homme, mais j'ai
encore de ma défunte femme une petite bête de
Cendrillon. Impossible qu'elle soit la fiancée. »
Le fils du roi dit qu'il fallait l'envoyer chercher,
mais la mère répondit : « Oh non, elle est bien
trop sale, elle ne peut pas se montrer. » Mais il le
voulait absolument et il fallut appeler Cendrillon. Alors elle se lava d'abord les mains et la
figure, puis elle vint et s'inclina devant le fils du
roi, qui lui tendit la pantoufle d'or. Ensuite elle
s'assit sur un escabeau, sortit le pied de son lourd
sabot et le mit dans la pantoufle qui lui allait
comme un gant. Et quand elle se redressa et que
le roi vit son visage, il reconnut la jolie jeune fille
avec laquelle il avait dansé et s'écria : « Voilà la
vraie fiancée. » La marâtre et les deux sœurs
furent terrifiées et devinrent blanches de rage.
Mais lui, il prit Cendrillon sur son cheval et partit

avec elle. Quand ils passèrent devant le noisetier,
les deux colombes blanches crièrent :

> *Tour nou touk, tour nou touk,*
> *Pas de sang dans la pantouk,*
> *Le soulier n'est pas trop petit,*
> *C'est la vraie fiancée qu'il mène au logis.*

Puis quand elles eurent crié cela, elles descendirent toutes deux et se posèrent sur les épaules
de Cendrillon, l'une à droite, l'autre à gauche, et
y restèrent juchées.

Au moment où l'on célébrait ses noces avec le
fils du roi, ses perfides sœurs vinrent la voir et
voulurent s'insinuer dans ses bonnes grâces pour
avoir part à sa fortune. Comme les fiancés
allaient à l'église, l'aînée marchait à droite et la
cadette à gauche. Alors les colombes vinrent
crever un œil à chacune d'elles. Ainsi, pour leur
méchanceté et leur perfidie, elles furent punies
de cécité pour le restant de leurs jours.

Les sept corbeaux

Un homme avait sept fils, et toujours pas de fille, si fort qu'il le désirât ; enfin sa femme lui donna de nouveau des espérances, et quand l'enfant vint au monde, voici que c'était une fille. La joie fut grande, mais l'enfant était chétive et petite, et à cause de sa faiblesse il fallut l'ondoyer. Le père envoya l'un des garçons chercher en hâte de l'eau lustrale à la fontaine : les six autres le suivirent, et comme chacun voulait être le premier à puiser, ils laissèrent tomber la cruche dans le puits. Alors ils restèrent plantés là, ne sachant ce qu'ils devaient faire et aucun d'eux n'osait rentrer à la maison. Comme ils ne revenaient toujours pas, le père s'impatienta et dit : « Certainement, ils auront oublié de rentrer pour jouer, ces garçons impies. » Il se prit à craindre que la petite fille mourût sans baptême, et dans sa colère il s'écria : « Je voudrais qu'ils soient tous changés en corbeaux. » Il avait à peine fini de dire ces mots qu'il entendit un battement d'ailes dans les airs, au-dessus de sa tête, il leva les yeux et vit sept corbeaux noirs comme du charbon qui volaient de-ci de-là.

Les parents ne purent pas annuler l'enchantement, mais si tristes qu'ils fussent d'avoir perdu leurs sept fils, ils se consolèrent néanmoins quelque peu avec leur chère petite fille, qui reprit bientôt des forces et embellit de jour en jour. Elle ignora longtemps qu'elle avait eu des frères, car les parents se gardaient bien d'en parler, jusqu'au jour où elle entendit des gens dire par hasard que la jeune fille était belle, assurément, mais qu'en réalité elle était responsable du malheur de ses sept frères. Elle en fut tout affligée, elle alla trouver son père et sa mère et leur demanda s'il était vrai qu'elle avait eu des frères et ce qu'il en était advenu. Les parents ne purent pas garder plus longtemps le secret, ils dirent néanmoins que c'était là un décret du ciel et que sa naissance n'en avait été que l'occasion innocente. Mais la jeune fille éprouvait chaque jour du remords et croyait qu'elle devait délivrer ses frères. Elle n'eut ni trêve ni répit qu'elle ne se fût mise en route secrètement pour retrouver leur trace quelque part et les délivrer, quoi qu'il pût lui en coûter. Elle n'emporta rien qu'un petit anneau en souvenir de ses parents, une miche de pain pour la faim, une petite cruche d'eau pour la soif et une petite chaise pour la fatigue.

Et elle alla toujours droit devant elle, loin, loin, jusqu'au bout du monde. Alors elle arriva au

soleil, mais il était trop chaud et terrible et il
mangeait les petits enfants. Elle s'enfuit en hâte
et courut jusqu'à la lune, mais elle était bien trop
froide et elle aussi était cruelle et méchante, et
quand elle aperçut l'enfant elle dit : « Je sens la
chair humaine. » Alors elle s'en fut vivement et
arriva chez les étoiles, qui furent aimables et
bonnes pour elle, et chacune était assise sur une
petite chaise à part. Cependant l'étoile du matin
se leva, lui donna un osselet et lui dit : « Sans cet
osselet, tu ne pourras pas ouvrir la montagne de
verre, et c'est dans la montagne de verre que se
trouvent tes frères. »

La petite fille prit l'osselet, l'enveloppa soigneusement dans un petit torchon et continua sa
route, tant et si bien qu'elle arriva à la montagne
de glace. La porte était fermée à clé et elle voulut
sortir l'osselet du torchon ; mais quand elle
l'ouvrit, elle vit qu'il était vide et qu'elle avait
perdu le cadeau des bonnes étoiles. Que faire
maintenant ? Elle voulait sauver ses frères et
n'avait plus la clé de la montagne de glace. La
bonne petite sœur prit un couteau. se coupa un
petit doigt, le mit dans la serrure et parvint à
l'ouvrir. Quand elle fut entrée. un gnome vint à
sa rencontre et lui dit : « Mon enfant, que
cherches-tu ? — Je cherche mes frères, les sept
corbeaux », dit-elle. Le gnome répondit : « Messieurs les Corbeaux ne sont pas à la maison, mais
si vous voulez attendre leur retour, entrez. » Là-
dessus le gnome apporta le repas des corbeaux

sur sept petites assiettes et dans sept petits
gobelets, et la petite sœur mangea une miette
dans chaque gobelet ; mais dans le dernier gobelet, elle laissa tomber le petit anneau qu'elle avait
emporté.

Tout à coup on entendit dans les airs des
battements d'ailes et des cris, le gnome dit alors :
« Ce sont Messieurs les Corbeaux qui rentrent à
tire-d'aile. » Alors ils vinrent, voulurent boire et
manger, et cherchèrent leurs petites assiettes et
leurs petits gobelets. Puis ils s'écrièrent, l'un
après l'autre : « Qui a mangé dans ma petite
assiette ? Qui a bu dans mon petit gobelet ?
C'était une bouche humaine. » Et comme le
septième vidait son gobelet, l'anneau en tomba.
Alors il le regarda et voyant que c'était un
anneau de son père et de sa mère, il dit : « Dieu
veuille que ce soit notre petite sœur, alors nous
serions délivrés. » Quand la petite fille, qui
écoutait derrière la porte, entendit ce souhait,
elle se montra et alors tous les corbeaux reprirent
leur forme humaine. Et ils s'embrassèrent et se
firent mille caresses et rentrèrent joyeusement
chez eux.

Le diable aux trois cheveux d'or

Il était une fois une pauvre femme qui mit au
monde un petit garçon, et comme il était né
coiffé, on lui prédit qu'à l'âge de quatorze ans, il
aurait pour épouse la fille du roi. Il advint que
bientôt après le roi se rendit au village, et
personne ne savait que c'était le roi, et quand il
demanda aux gens ce qu'il y avait de neuf, ils lui
répondirent : « Ces jours-ci il nous est né un
enfant coiffé. Tout ce qu'un enfant de cette
espèce entreprend tourne à son avantage. D'ailleurs on lui a prédit qu'à l'âge de quatorze ans, il
épouserait la fille du roi. » Le roi, qui avait le
cœur méchant et que la prophétie mit en colère,
alla trouver les parents, se donna l'air tout à fait
aimable, et leur dit : « Pauvres gens, confiez-moi
votre enfant, je veux me charger de lui. » Ils
commencèrent par refuser, mais comme l'étranger leur offrait une grosse somme et qu'ils se
disaient : « C'est un enfant de la chance, cela ne

peut que tourner bien pour lui », ils finirent par accepter et lui donnèrent l'enfant.

Le roi le mit dans une boîte et partit à cheval avec lui, jusqu'au bord d'une eau profonde. Alors il y jeta la boîte en se disant : « J'ai débarrassé ma fille de ce prétendant inattendu. » Mais la boîte n'alla pas au fond, elle vogua comme un petit bateau et pas une goutte d'eau ne pénétra à l'intérieur. Elle navigua ainsi jusqu'à deux lieues de la capitale du roi, où se trouvait un moulin, au barrage duquel elle resta accrochée. Un jeune meunier, qui heureusement se trouvait là et l'aperçut, la tira à lui à l'aide d'un harpon et crut avoir trouvé de grands trésors, mais quand il l'ouvrit, il n'y vit qu'un beau poupon, tout frais et dispos. Il l'apporta aux maîtres du moulin, et comme ceux-ci n'avaient pas d'enfants, ils s'en réjouirent et dirent : « C'est Dieu qui nous l'a donné. » Ils prirent bien soin de l'enfant trouvé, et il grandit orné de toutes les vertus.

Il arriva qu'un jour d'orage, le roi entra au moulin et demanda aux meuniers si ce grand garçon était leur fils. « Non, dirent-ils, c'est un enfant trouvé, il y a quatorze ans de cela, il est arrivé dans une boîte jusqu'à notre barrage et notre apprenti l'a tiré de l'eau. » Le roi vit alors qu'il ne pouvait s'agir que de l'enfant né coiffé qu'il avait jeté à la rivière. « Braves gens, dit-il, ce jeune homme ne pourrait-il porter une lettre à Madame la Reine, je lui donnerai deux pièces d'or pour sa peine — A vos ordres, Sire ».

répondirent-ils et ils dirent au jeune garçon de se
tenir prêt. Alors le roi écrivit à la reine un billet
où il était dit : « Dès que le porteur de cette
missive arrivera, il devra être tué et enterré, et
tout cela avant mon retour. »

Le garçon se mit en route avec la lettre, mais il
s'égara et arriva le soir dans une grande forêt.
Dans l'obscurité il vit une petite lumière, se
dirigea vers elle et arriva à une petite chaumière.
Au moment où il entra, une vieille femme était
assise toute seule près du feu. En l'apercevant,
elle fut effrayée et dit : « D'où viens-tu et où vas-
tu ? — Je viens du moulin, dit-il, et je vais chez la
reine à qui je dois porter une lettre. Mais comme
je me suis perdu dans le bois, je voudrais bien
passer la nuit ici. — Pauvre enfant, tu es tombé
dans un repaire de brigands et quand ils rentre-
ront, ils te tueront. — Vienne qui voudra, dit le
garçon, je n'ai pas peur ; mais je suis si fatigué
que je ne peux pas aller plus loin. » Il s'étendit
sur un banc et s'endormit. Peu après les brigands
rentrèrent et demandèrent avec colère qui était
cet étranger. « Ah, dit la vieille, c'est un enfant
innocent, il s'est égaré dans la forêt et je l'ai
recueilli par pitié. Il doit porter une lettre à la
reine. » Les voleurs décachetèrent la lettre, ils la
lurent et il y était dit qu'aussitôt arrivé, le garçon
devait être tué. Alors les brigands au cœur dur
furent pris de pitié, leur chef déchira la lettre et
en écrivit une autre où l'on disait que dès son
arrivée, le jeune garçon devrait être mariée avec

la fille du roi. Puis ils le laissèrent dormir tranquille sur son banc jusqu'au lendemain matin et quand il se réveilla, ils lui donnèrent la lettre et le remirent dans le bon chemin. Mais quand la reine eut reçu et lu le billet, elle fit comme on lui disait, ordonna de préparer une grande fête, et la fille du roi épousa le garçon né coiffé.

Quelque temps après, le roi rentra au château, il vit que la prédiction s'était accomplie et que le favori de la fortune avait épousé sa fille : « Comment cela est-il arrivé ? demanda-t-il, l'ordre que je donnais dans ma lettre était tout différent. » Alors la reine lui tendit le billet et lui dit de lire lui-même ce qu'il y avait dedans. Le roi le lut et comprit que le sien avait été échangé contre un autre. Il demanda au jeune homme ce qu'il avait fait de la lettre qu'il lui avait confiée et pourquoi il en avait apporté une autre à la place. « Je n'en sais rien, répondit-il, elle a dû être échangée pendant la nuit que j'ai passée dans le bois. » Au comble de la colère, le roi dit : « Ça ne se passera pas comme ça, celui qui veut avoir ma fille doit aller en enfer me chercher trois cheveux d'or de la tête du diable ; si tu me rapportes ce que je te demande, tu pourras garder ma fille. » Le roi espérait qu'ainsi il serait débarrassé de lui à tout jamais. Mais l'enfant né coiffé répondit : « J'irai bien chercher les trois cheveux d'or, je n'ai pas peur du diable. » Là-dessus il fit ses adieux et entreprit son voyage.

Son chemin le conduisit à la porte d'une grande ville, où le gardien lui demanda à quel métier il s'entendait et ce qu'il savait : « Je sais tout », répondit le favori de la fortune. « En ce cas, dit le gardien, tu peux nous rendre un service en nous disant pourquoi la fontaine de notre marché, d'où le vin jaillissait d'ordinaire, s'est tarie et ne donne même plus d'eau. — Vous le saurez, répondit-il, attendez seulement mon retour. » Puis il continua son chemin et arriva à la porte d'une autre ville où le gardien lui demanda de nouveau à quel métier il s'entendait et ce qu'il savait. « Je sais tout », répondit-il. « En ce cas tu peux nous rendre un service en nous disant pourquoi un arbre de notre ville qui d'habitude donnait des pommes d'or ne porte même plus de feuilles à présent. — Vous le saurez, répondit-il, attendez seulement mon retour. » Puis il continua son chemin et arriva au bord d'une grande rivière qu'il lui fallait traverser. Le passeur lui demanda à quel métier il s'entendait et ce qu'il savait : « Je sais tout », répondit-il. « En ce cas tu peux me rendre un service, dit le passeur, en me disant pourquoi je dois naviguer continuellement d'une rive à l'autre sans être jamais relayé. — Tu le sauras, répondit-il, attends seulement mon retour. »

Quand il eut passé l'eau, il trouva l'entrée de l'enfer. L'intérieur était noir et plein de suie, le diable n'était pas à la maison, mais sa grand-mère était là, assise dans un vaste fauteuil. « Que

veux-tu ? lui dit-elle, mais elle n'avait pas l'air
bien méchant. — Je voudrais trois cheveux d'or
de la tête du diable, dit-il, sans quoi je ne pourrai
pas garder ma femme. — C'est beaucoup
demander, dit-elle, si le diable te trouve en
rentrant, tu risques ta peau, mais tu me fais pitié,
je vais voir à te venir en aide. » Elle le changea en
fourmi et lui dit : « Fourre-toi dans les plis de
ma jupe, tu y seras en sûreté. — Bon, dit-il, mais
je voudrais encore savoir trois choses : pourquoi
une fontaine d'où le vin jaillissait d'ordinaire
s'est tarie et ne donne même plus d'eau, pourquoi un arbre qui d'habitude donnait des
pommes d'or ne porte même plus de feuilles, et
pourquoi un passeur doit faire la navette sans
cesse d'une rive à l'autre sans jamais être relayé.
— Ce sont des questions difficiles, dit-elle, mais
tiens-toi tout à fait coi et fais attention à ce que le
diable dira quand je lui arracherai les trois
cheveux d'or. »

Le soir venu, le diable rentra chez lui. A peine
eut-il mis le pied dans la maison qu'il s'aperçut
que l'air n'était pas pur. « Je sens, je sens la chair
humaine, dit-il, il y a quelque chose de louche
par ici. » Puis il regarda et chercha dans tous les
coins, mais il ne put rien trouver. Sa grand-mère
le semonça : « On a à peine fini de balayer et de
tout ranger, et voilà que tu nous remets tout sens
dessus dessous ; tu as toujours l'odeur de la chair
humaine dans le nez ! Assieds-toi et dîne ! »
Quand il eut mangé et bu, il se sentit fatigué, il

mit sa tête sur les genoux de sa grand-mère et lui demanda de l'épouiller un peu. Au bout de peu de temps, il s'était assoupi, soufflait et ronflait. Alors la vieille saisit un cheveu d'or, l'arracha et le mit à côté d'elle. « Aïe! cria le diable, qu'est-ce qui te prend? — J'ai fait un mauvais rêve, répondit la grand-mère, c'est pourquoi je t'ai pris par les cheveux. — Qu'as-tu donc rêvé? demanda le diable. — J'ai rêvé qu'une fontaine d'où le vin jaillissait d'ordinaire s'était tarie et qu'elle ne voulait même plus donner d'eau, qu'est-ce qui en est cause? — Hé, s'ils le savaient! répondit le diable, il y un crapaud sous une pierre de la fontaine, quand ils le tueront le vin se remettra à couler. » La grand-mère recommença à l'épouiller jusqu'à ce qu'il se rendormît et ronflât à faire trembler les vitres. Alors elle lui arracha le deuxième cheveu : « Hou! Qu'est-ce que tu fais? cria le diable en colère. — Ne te fâche pas, répondit-elle, je l'ai fait en rêve. — Qu'as-tu donc encore rêvé? demanda-t-il. — J'ai rêvé que dans un certain royaume il y avait un arbre fruitier qui d'habitude donnait des pommes d'or et qui maintenant ne veut même plus porter de feuilles. Qu'est-ce qui pourrait bien en être cause? — Hé, s'ils le savaient! répondit le diable, c'est une souris qui ronge la racine, quand ils la tueront, l'arbre donnera de nouveau des pommes d'or, mais si elle continue à ronger plus longtemps, il se desséchera tout à fait. Mais laisse-moi en paix

avec tes rêves, si tu me déranges encore une fois,
tu auras un soufflet. » La grand-mère le calma et
se remit à l'épouiller jusqu'à ce qu'il se rendormît
et ronflât de nouveau. Alors elle saisit le troisième cheveu d'or et l'arracha. Le diable sauta en
l'air, se mit à crier et s'apprêta à lui faire passer
un mauvais quart d'heure, mais elle l'apaisa une
fois de plus et dit : « Qui peut répondre de ses
mauvais rêves ? — Qu'as-tu donc rêvé ?
demanda-t-il, curieux malgré tout. — J'ai rêvé
d'un passeur qui se plaignait d'être forcé de faire
sans cesse la navette d'une rive à l'autre, sans
être relayé. Qu'est-ce qui en est cause ? — Hé,
l'imbécile ! répondit le diable, quand quelqu'un
viendra et demandera à être passé, il n'aura qu'à
lui mettre la gaffe dans la main, alors c'est l'autre
qui devra passer les gens et il sera libre. »
Comme la grand-mère avait arraché les trois
cheveux d'or et que les trois questions avaient
reçu une réponse, elle laissa le vieux dragon en
repos et il dormit jusqu'au lever du jour.

Lorsque le diable fut reparti, la vieille retira la
fourmi du pli de son jupon et rendit sa forme
humaine à l'enfant de la chance. « Voilà les trois
cheveux d'or, lui dit-elle, quant à ce que le diable
a répondu à tes trois questions, tu l'as sans doute
entendu. — Oui, dit-il, je l'ai entendu et le
retiendrai bien. — Te voilà tiré d'affaire, dit-elle,
à présent tu peux aller ton chemin. » Il remercia
la vieille et quitta l'enfer, content que tout lui eût
si bien réussi. Quand il arriva auprès du passeur,

il dut lui donner la réponse promise. « Fais-moi
d'abord traverser, dit l'enfant de la chance, puis
je te dirai comment tu seras délivré » et quand il
eut atteint l'autre rive, il lui donna le conseil du
diable. « Quand il reviendra quelqu'un te
demander de passer, tu n'as qu'à lui mettre la
gaffe dans la main. » Il continua son chemin et
arriva à la ville où se trouvait l'arbre stérile et où
le gardien voulut aussi avoir sa réponse. Alors il
lui répéta ce qu'il avait entendu dire au diable.
« Tuez la souris qui ronge sa racine et il donnera
de nouveau des pommes d'or. » Le gardien le
remercia et lui donna en récompense deux ânes
chargés d'or qui le suivirent. Enfin il arriva à la
ville dont la fontaine était tarie. Alors il répéta au
gardien ce que le diable avait dit : « Il y a un
crapaud sous une pierre de la fontaine, cherchez-
le et tuez-le, et elle vous donnera de nouveau du
vin en abondance. » Le gardien le remercia et lui
donna également deux ânes chargés d'or.

Enfin l'enfant de la chance arriva chez lui
auprès de sa femme, qui se réjouit de tout son
cœur en le revoyant et en apprenant comme tout
lui avait bien réussi. Il apporta au roi les trois
cheveux d'or du diable qu'il lui avait demandés
et quand le roi vit les quatre ânes chargés d'or, il
en fut tout joyeux et dit : « A présent toutes les
conditions sont remplies et tu peux garder ma
fille. Mais dis-moi, mon cher gendre, d'où vient
tout cet or ? C'est vraiment un trésor considérable ! — J'ai passé une rivière, répondit-il, et c'est

là que je l'ai pris, il se trouve sur la rive en guise
de sable — Puis-je aller en chercher aussi ? dit le
roi tout alléché. — Tant que vous voudrez,
répondit-il, il y a un passeur sur la rivière, faites-
vous conduire par lui de l'autre côté et vous
pourrez remplir vos sacs. » Le roi cupide partit
en toute hâte et quand il arriva au bord de l'eau,
il fit signe au passeur de le faire traverser. Le
passeur approcha et lui dit de monter et quand
ils atteignirent la rive opposée, il lui mit la gaffe
dans la main et sauta à terre. Désormais, le roi
dut faire le passeur en punition de ses péchés.

« Le fait-il encore ? — Eh quoi ? Il ne se sera
trouvé personne pour lui prendre sa gaffe. »

La jeune fille sans mains

Un meunier était peu à peu tombé dans la misère et il n'avait plus rien que son moulin avec, derrière, un grand pommier. Un jour qu'il avait été chercher du bois dans la forêt, un vieil homme qu'il n'avait encore jamais vu s'approcha de lui et lui dit : « Pourquoi t'échines-tu à casser du bois ? Je peux te rendre riche si tu me promets ce qui se trouve derrière ton moulin. — Qu'est-ce que cela pourrait être sinon mon pommier ? » pensa-t-il, il accepta et s'engagea par écrit. Mais l'inconnu éclata d'un rire sarcastique et dit : « Dans trois ans, je viendrai chercher ce qui m'appartient » et il s'en fut. Quand le meunier rentra chez lui, sa femme vint à sa rencontre et lui dit : « Dis-moi, meunier, d'où vient cette richesse soudaine dans notre maison ? Tout d'un coup toutes les caisses et les armoires sont pleines, personne n'a rien apporté et je ne sais pas comment cela s'est produit. » Il répondit : « Cela vient d'un inconnu que j'ai rencontré dans

la forêt et qui m'a promis de grands trésors ; en
échange je me suis engagé par écrit à lui donner
ce qui se trouve derrière le moulin : nous pouvons bien sacrifier pour cela notre grand pommier. — Ah mon pauvre homme, dit la femme
épouvantée, c'était le diable, il ne parlait pas du
pommier, mais de notre fille, qui était derrière le
moulin et balayait la cour. »

La fille du meunier était belle et pieuse, elle
vécut ces trois ans pieusement et sans péchés.
Quand le temps fut révolu et que le jour vint où le
diable voulut la prendre, elle se lava soigneusement et traça autour d'elle un cercle de craie. Le
diable se montra de bonne heure, mais il ne put
pas l'approcher. Furieux, il dit au meunier :
« Ote-lui toute eau afin qu'elle ne puisse plus se
laver, sans quoi je suis sans pouvoir sur elle. » Le
meunier eut peur et obéit. Le lendemain le diable
revint, mais elle avait pleuré sur ses mains et elles
étaient parfaitement propres. Alors une fois de
plus il ne put l'approcher et dit plein de colère au
meunier : « Coupe-lui les mains, sinon elle
m'échappe. » Le meunier fut épouvanté et
répondit : « Comment pourrais-je couper les
mains de ma propre fille ! » Alors le Malin le
menaça et dit : « Si tu ne le fais pas, tu es à moi
et c'est toi que je prendrai. » Le père prit peur et
promit d'obéir. Il alla donc trouver sa fille et lui
dit : « Mon enfant, si je ne te coupe pas les deux
mains, le diable m'emportera, et dans ma peur je
le lui ai promis. Aide-moi donc dans ma détresse

et pardonne-moi le mal que je te fais. » Elle
répondit : « Cher père, faites de moi ce que vous
voulez, je suis votre enfant. » Puis elle tendit ses
deux mains et se les laissa couper. Le diable vint
pour la troisième fois, mais elle avait tant pleuré
sur ses moignons qu'ils étaient encore parfaitement propres. Alors il dut s'avouer vaincu et
perdit tout droit sur elle.

Le meunier lui dit : « J'ai gagné une si grande
richesse grâce à toi que je veux t'entretenir sur un
grand pied ta vie durant. » Mais elle répondit :
« Je ne peux pas rester ici ; je vais m'en aller ; des
gens compatissants me donneront bien ce dont
j'ai besoin. » Puis elle se fit attacher ses bras
mutilés derrière le dos et au lever du jour, elle se
mit en route et chemina jusqu'à la nuit.

Alors elle arriva à un jardin royal et elle vit au
clair de lune qu'il y avait là des arbres couverts
de beaux fruits ; mais elle ne put pas y entrer, car
il était entouré d'eau. Et comme elle avait
marché tout le jour sans manger le moindre
morceau et que la faim la tourmentait, elle
s'écria : « Ah, que ne suis-je dans ce jardin pour
pouvoir manger un peu de fruits, autrement je
vais périr d'inanition. » Alors elle se mit à
genoux, invoqua le Seigneur et pria. Soudain un
ange apparut, il fit une écluse dans l'eau, de sorte
que le fossé fut à sec et qu'elle put le traverser. A
présent elle était dans le jardin et l'ange l'accompagnait. Elle vit un arbre qui portait des fruits,
c'étaient de belles poires, mais elles étaient toutes

comptées. Alors elle s'approcha et pour apaiser sa faim, elle en mangea une avec sa bouche, mais pas plus. Le jardinier le vit bien, mais comme l'ange était là, il eut peur et prenant la jeune fille pour un esprit, il se tut et n'osa ni crier ni lui adresser la parole. Quand elle eut mangé la poire, elle fut rassasiée et alla se cacher derrière le fourré. Le lendemain matin, le roi descendit au jardin, car il lui appartenait ; alors il compta et vit qu'il manquait une poire, il demanda au jardinier ce qu'il en était advenu, elle n'était pas tombée sous l'arbre et pourtant elle avait disparu. Alors le jardinier répondit : « La nuit dernière, un esprit est entré ici, il n'avait pas de mains et a mangé une poire avec sa bouche. » Le roi dit : « Comment l'esprit a-t-il traversé le fossé ? Où est-il allé après avoir mangé la poire ? » Le jardinier répondit : « Quelqu'un est descendu du ciel avec une robe blanche comme neige, il a fermé l'écluse et arrêté l'eau, afin que l'esprit puisse traverser le fossé. Et comme cela ne pouvait être qu'un ange, j'ai eu peur, je n'ai rien demandé et je n'ai pas appelé. Quand l'esprit eut mangé la poire, il est reparti. » Le roi dit : « S'il en est comme tu dis, cette nuit je monterai la garde avec toi. »

Quand il fit nuit, le roi vint au jardin accompagné d'un prêtre qui devait interroger l'esprit. Tous trois s'assirent sous l'arbre et restèrent aux aguets. Vers minuit, la jeune fille sortit en rampant du fourré, s'approcha de l'arbre et

mangea de nouveau une poire avec sa bouche ; et
à côté d'elle se tenait l'ange dans sa robe blanche.
Alors le prêtre s'avança et dit : « Viens-tu de
Dieu ou du monde ? Es-tu un esprit ou une
créature humaine ? » Elle répondit : « Je ne suis
pas un esprit, mais une pauvre créature abandonnée de tous, sauf de Dieu. » Le roi dit : « Si
tu es abandonnée de tout le monde, moi je ne
t'abandonnerai pas. » Il l'emmena dans son
château royal, et comme elle était si belle et si
pieuse, il l'aima de tout son cœur, puis il lui fit
des mains d'argent et la prit pour épouse.

Un an après, le roi dut partir pour la guerre,
alors il recommanda la jeune reine à sa mère et
dit : « Quand viendra le moment de ses couches,
gardez-la en bonne santé et soignez-la bien et
écrivez-moi tout de suite une lettre. » Or elle mit
au monde un beau garçon. Alors la vieille mère
s'empressa d'écrire pour lui annoncer la joyeuse
nouvelle. Mais le messager se reposa en route au
bord d'un ruisseau, et comme sa longue marche
l'avait fatigué, il s'endormit. Alors le diable, qui
cherchait à nuire à la pieuse reine, vint échanger
la lettre contre une autre, dans laquelle il était dit
que la reine avait mis au monde un avorton.
Quand le roi lut cette missive, il fut épouvanté et
s'affligea fort, pourtant il répondit qu'ils eussent
à veiller sur la reine et à la bien soigner jusqu'à
son retour. Le messager repartit avec la lettre, se
reposa au même endroit, et de nouveau s'endormit. Alors le diable vint derechef, lui mit une

autre lettre dans sa poche, où il était dit qu'ils
devaient faire mourir la reine et son enfant. En
recevant cette missive, la vieille mère fut grandement effrayée, elle ne put pas le croire et écrivit
encore une fois au roi, mais elle ne reçut pas de
réponse parce que chaque fois le diable substi-
tuait une fausse lettre à celle du messager : et
dans la dernière on ajoutait qu'ils devaient
garder la langue et les yeux de la reine comme
preuve.

Mais la vieille reine se désola de devoir verser
un sang si innocent, pendant la nuit elle envoya
chercher une biche, puis elle lui coupa la langue
et les yeux et les mit de côté. Ensuite elle dit à la
reine : « Je ne peux pas te faire tuer comme le roi
l'ordonne, mais il ne t'est pas possible de rester
plus longtemps ici : va avec ton enfant dans le
vaste monde et ne reviens jamais. » Elle lui
attacha son enfant sur le dos et la pauvre femme
s'en fut en versant des larmes. Elle arriva dans
une grande forêt sauvage et là, elle se mit à
genoux et pria Dieu, et l'ange du Seigneur lui
apparut et la conduisit à une petite maison où il y
avait une pancarte avec ces mots : « Ici tout un
chacun est logé gratis. » De la maison sortit une
demoiselle blanche comme neige qui dit :
« Soyez la bienvenue, Madame la Reine » et la fit
entrer. Alors elle détacha le petit garçon de son
dos et le lui tint sur le sein pour le faire boire,
puis elle le coucha dans un joli petit lit tout
préparé. La pauvre femme dit alors : « D'où

sais-tu que je suis reine ? » La blanche demoiselle répondit : « Je suis un ange envoyé par Dieu
pour prendre soin de toi et de ton enfant. » Et
elle resta sept ans dans la maison et fut bien
soignée, et à cause de sa piété, ses mains coupées
lui repoussèrent par la grâce de Dieu.

Enfin le roi revint de guerre, et avant toutes
choses, il demanda à voir sa femme et son enfant.
Alors la vieille mère se mit à pleurer et dit :
« Méchant homme, ne m'as-tu pas écrit que je
devais faire mourir ces deux âmes innocentes ! »
et elle lui montra les deux lettres que le Malin
avait falsifiées et ajouta : « J'ai fait comme tu
l'as ordonné » et elle lui fit voir la langue et les
yeux comme preuves. Le roi se mit à pleurer plus
amèrement encore à cause de sa pauvre femme et
de son petit garçon, en sorte que la vieille mère
eut pitié de lui et lui dit : « Sois content, elle vit
encore. J'ai fait abattre une biche en secret et
c'est elle qui m'a fourni les preuves, quant à ta
femme, je lui ai attaché son enfant sur le dos en
lui disant d'aller dans le vaste monde, puis je lui
ai fait promettre de ne jamais revenir, vu que tu
étais si fort en colère contre elle. » Alors le roi
dit : « Je vais aller aussi loin que s'étend l'azur,
sans boire ni manger, jusqu'à ce que je retrouve
ma chère femme et mon enfant, s'ils n'ont pas
succombé ou ne sont pas morts de faim entre-
temps. »

Là-dessus le roi parcourut le monde pendant
sept ans, et il les chercha dans toutes les fentes de

rocher et dans les cavernes, mais il ne les trouva pas et pensa qu'ils avaient péri. Il ne mangea ni ne but pendant tout ce temps, mais Dieu le maintint en vie. Enfin il arriva dans une grande forêt et il y vit la petite maison où il y avait la pancarte avec les mots : « Ici tout un chacun est logé gratis. » Alors la blanche demoiselle sortit et dit : « Soyez le bienvenu, Sire le Roi » et lui demanda d'où il venait. Il répondit : « Il y a bientôt sept ans que je suis parti à la recherche de ma femme et de mon enfant, mais je ne suis pas parvenu à les trouver. » L'ange lui offrit à boire et à manger, mais il ne le prit pas, il accepta seulement de se reposer un peu. Alors il s'étendit pour dormir et mit un mouchoir sur son visage.

Là-dessus l'ange alla dans la chambre où la reine se trouvait avec son enfant, qu'elle appelait ordinairement Affligé, et il lui dit : « Sors avec ton enfant, ton époux est arrivé. » Elle alla donc à l'endroit où il était étendu, et le mouchoir lui tomba du visage. Elle dit alors : « Affligé, ramasse le mouchoir de ton père et recouvre-lui le visage. » L'enfant le ramassa et le posa de nouveau sur son visage. Le roi entendit cela dans son demi-sommeil et, à dessein, il fit tomber de nouveau le mouchoir. Alors le petit garçon s'impatienta et dit : « Chère mère, comment puis-je couvrir le visage de mon père puisque je n'ai pas de père au monde ? J'ai appris à prier : notre père qui êtes aux cieux ; et alors tu m'as dit que mon père était au ciel et que c'était le bon

Dieu : comment connaîtrais-je un homme aussi
turbulent ? Celui-là n'est pas mon père. » Quand
le roi entendit cela, il se dressa sur son séant et lui
demanda qui elle était. Alors elle dit : « Je suis ta
femme, et voici ton fils Affligé. » Et il vit ses
mains vivantes et dit : « Ma femme avait des
mains d'argent. » Elle répondit : « Mes mains
naturelles ont repoussé grâce à Dieu », et l'ange
alla chercher les mains d'argent dans la chambre
pour les lui montrer. Alors seulement il eut la
certitude que c'étaient bien sa chère femme et
son cher enfant, et il les embrassa et fut heureux
et dit : « Cela me soulage d'un grand poids. »
Alors l'ange leur fit prendre encore un repas
ensemble, puis ils rentrèrent à la maison auprès
de sa vieille mère. Il y eut partout grande liesse,
le roi et la reine célébrèrent une seconde fois leurs
noces et vécurent dans la joie jusqu'à leur
bienheureuse mort.

Les six cygnes

Un jour qu'il chassait dans une grande forêt,
un roi se mit avec tant d'ardeur à la poursuite du
gibier que personne de ses gens ne put le suivre.
À la tombée du soir, il s'arrêta et regarda autour
de lui ; alors il vit qu'il s'était égaré. Il chercha à
sortir, mais ne trouva pas la moindre issue. Il vit
alors une vieille femme au chef branlant qui se
dirigeait vers lui ; or c'était une sorcière. « Bonne
femme, pouvez-vous me montrer le chemin qui
traverse la forêt ? — Oh oui, Sire le Roi, répondit-elle, je le peux fort bien, mais à une condition ; si vous ne la remplissez pas, vous ne
sortirez jamais de la forêt et vous y périrez de
faim. — Quelle est cette condition ? » demanda
le roi. « J'ai une fille, dit la vieille, qui est si belle
que vous ne trouverez pas sa pareille sur terre et
qu'elle mérite bien d'être votre épouse ; si vous
voulez la faire reine, je vous aiderai à sortir de la
forêt. » Dans l'angoisse de son cœur, le roi y
consentit et la vieille le conduisit à une maison-

nette où sa fille était assise près de l'âtre. Elle
accueillit le roi comme si elle l'avait attendu, et il
vit bien qu'elle était très belle, mais pourtant elle
ne lui plaisait pas et il ne pouvait la regarder sans
un secret effroi. Quand il eut fait monter la jeune
fille sur son cheval, la vieille lui montra le chemin
et le roi retrouva son château royal, où les noces
furent célébrées.

Le roi avait déjà été marié et, de sa première
femme, il avait sept enfants, six garçons et une
fille qu'il aimait par-dessus tout au monde.
Craignant que la marâtre ne les traitât pas bien
ou même leur fît du mal, il les mena dans un
château solitaire qui se dressait au cœur d'une
forêt. Il était si bien caché et le chemin pour y
aller était si difficile à trouver qu'il l'aurait perdu
lui-même si une sage-femme ne lui avait donné
une pelote de fil douée d'une vertu merveilleuse ;
quand il la jetait devant lui, elle se déroulait
d'elle-même et lui montrait le chemin. Or, le roi
sortait si souvent pour aller voir ses chers enfants
que la princesse remarqua ses absences ; elle était
curieuse et voulut savoir ce qu'il allait faire tout
seul si loin dans le bois. Elle donna beaucoup
d'argent à ses laquais qui lui révélèrent le secret
et lui parlèrent aussi de la pelote qui seule
pouvait montrer le chemin. Dès lors elle n'eut
plus de répit qu'elle n'eût découvert l'endroit où
le roi mettait la pelote, puis elle confectionna de
petites chemises de soie, et comme sa mère lui
avait appris la sorcellerie, elle cousit un charme

dedans. Et un jour que le roi était à la chasse, elle
prit les petites chemises et partit pour la forêt, et
la pelote lui montra le chemin. Voyant quelqu'un
venir de loin, les enfants pensèrent que c'était
leur cher père, et ils allèrent à sa rencontre en
sautant de joie. Alors elle jeta sur chacun d'eux
une des petites chemises et dès qu'elle leur
toucha le corps, ils se changèrent en cygnes et
prirent leur vol au-dessus de la forêt. Toute
contente, la reine rentra chez elle, croyant être
débarrassée des enfants, mais la petite fille
n'était pas sortie avec ses frères, et elle ignorait
son existence. Le lendemain, le roi vint voir ses
enfants, mais il ne trouva plus que la petite fille.
« Où sont tes frères ? demanda le roi. — Ah, cher
père, répondit-elle, ils sont partis et m'ont laissée
seule » et elle lui conta qu'elle avait vu de sa
petite fenêtre ses frères changés en cygnes s'envoler au-dessus de la forêt, et elle lui montra les
plumes qu'ils avaient laissé tomber dans la cour
et qu'elle avait ramassées. Le roi s'affligea, mais
l'idée ne lui vint pas que c'était la reine qui avait
accompli ce forfait et craignant que la jeune fille
ne lui fût aussi ravie, il voulut l'emmener. Mais
elle avait peur de sa belle-mère et elle pria le roi
de la laisser une nuit encore dans le château isolé.

La pauvre fille pensait : « Je ne resterai pas
plus longtemps ici, je vais partir chercher mes
frères. » Et quand la nuit fut venue, elle s'enfuit
et se dirigea tout droit vers la forêt. Elle marcha
toute la nuit et encore toute la journée du

lendemain, jusqu'à ce qu'elle tombât de fatigue. Alors elle aperçut une cabane abandonnée, elle monta l'escalier et trouva une chambre avec six petits lits, mais elle n'osa pas se coucher, elle se glissa sous l'un d'eux et s'étendit sur le sol dur, résolue à y passer la nuit. Comme le soleil allait se coucher, elle entendit un frémissement et vit six cygnes entrer par la fenêtre. Ils se posèrent par terre et soufflèrent l'un sur l'autre pour faire tomber toutes leurs plumes, et leur peau de cygne s'ôta comme une chemise. Alors la jeune fille les regarda et reconnut ses frères, et toute joyeuse, elle sortit de dessous le lit. En voyant leur petite sœur, les frères ne furent pas moins heureux, mais leur joie fut de courte durée. « Tu ne peux pas rester ici, lui dirent-ils, c'est un repaire de brigands ; s'ils te trouvent en rentrant, ils te tueront. — Ne pouvez-vous pas me protéger ? demanda la petite sœur. — Non, répondirent-ils, nous ne pouvons ôter notre peau de cygne qu'un quart d'heure tous les soirs, pendant lequel nous avons notre forme humaine, mais ensuite nous sommes de nouveau changés en cygnes. » La petite sœur se mit à pleurer et dit : « N'y a-t-il aucun moyen de vous délivrer ? — Oh non, répondirent-ils, les conditions sont trop dures. Tu devrais rester six ans sans parler et sans rire et pendant ce temps coudre pour nous six petites chemises faites de fleurs étoilées. Et si un seul mot sortait de ta bouche, tout ton travail serait perdu. » Et quand ils eurent dit ces mots, le

quart d'heure était passé et ils s'envolèrent par la
fenêtre sous la forme de cygnes.

Cependant la jeune fille était fermement résolue à délivrer ses frères, dût-il lui en coûter la vie.
Elle quitta la cabane abandonnée, alla au cœur
de la forêt, et se jucha sur un arbre où elle passa
la nuit. Le lendemain elle se mit en route pour
ramasser des fleurs étoilées et commença de
coudre. Elle ne pouvait parler à personne, et
pour ce qui est de rire, elle n'en avait pas envie :
elle restait assise sans lever les yeux de son
travail. Il y avait déjà longtemps qu'elle était là
quand, le roi du pays étant à la chasse dans la
forêt, ses chasseurs se trouvèrent au voisinage de
l'arbre où la jeune fille était perchée. Ils l'appelèrent en disant : « Qui es-tu ? » Mais elle ne
répondit pas. « Viens nous rejoindre, dirent-ils,
nous ne te ferons pas de mal. » Elle se borna à
secouer la tête. Comme ils continuaient de la
presser de questions, elle leur jeta sa chaîne d'or,
pensant les contenter ainsi. Mais ils ne cessaient
pas de l'appeler ; alors elle leur jeta sa ceinture et
comme cela n'y faisait rien non plus, ses jarretel-
les et, peu à peu, tout ce qu'elle avait sur elle et
dont elle pouvait se passer, si bien qu'elle ne
garda que sa petite chemise. Mais les chasseurs
ne se laissèrent pas décourager, ils montèrent sur
l'arbre, firent descendre la jeune fille et la
conduisirent devant le roi. Le roi lui demanda :
« Qui es-tu ? Que fais-tu sur cet arbre ? » Mais
elle ne répondit pas. Il l'interrogea dans toutes les

langues qu'il connaissait, mais elle resta muette
comme une carpe. Pourtant elle était si belle que
le cœur du roi en fut touché et il conçut pour elle
un grand amour. Il l'enveloppa dans son manteau, la fit monter sur son cheval et l'emmena
dans son château. Là, il lui fit faire de riches
habits, et elle parut dans sa beauté radieuse
comme le jour, mais on ne put pas lui tirer un
seul mot. Il la fit asseoir à table auprès de lui, et
son air modeste et ses bonnes manières lui
plurent tellement qu'il se dit : « C'est elle que je
veux épouser et nulle autre au monde », et au
bout de quelques jours il la prit pour femme.

Or, le roi avait une méchante mère qui était
mécontente de ce mariage et disait du mal de la
jeune reine. « Qui sait, dit-elle, d'où vient cette
donzelle qui ne sait pas parler ; elle n'est pas
digne d'un roi. » Un an après, quand la reine eut
accouché de son premier enfant, la vieille le lui
enleva et lui barbouilla la bouche de sang
pendant son sommeil. Puis elle alla trouver le roi
et l'accusa d'être une ogresse. Le roi ne voulut
pas le croire et ne souffrit pas qu'on lui fît du
mal. Quant à elle, elle restait constamment à
coudre ses chemises et ne s'occupait de rien
d'autre. La deuxième fois qu'elle accoucha
encore d'un beau garçon, la vieille eut recours à
la même tromperie, mais le roi ne put pas se
résoudre à ajouter foi à ses dires. Il déclara :
« Elle est trop pieuse et trop bonne pour faire
une chose pareille ; si elle n'était pas muette et

pouvait se défendre, son innocence éclaterait à
tous les yeux. » Mais quand elle enleva pour la
troisième fois l'enfant nouveau-né et qu'elle
accusa la reine, sans que celle-ci dît un mot pour
se défendre, le roi ne put faire autrement que de
la livrer à la justice, et elle fut condamnée à subir
la mort par le feu.

Le jour vint où la sentence devait être exécu-
tée, mais c'était aussi le dernier jour des six
années pendant lesquelles elle ne devait ni rire ni
parler, et ses six frères étaient délivrés du pouvoir
de la sorcière. Les six chemises étaient finies,
toutefois il manquait la manche gauche à la
dernière. Quand on la conduisit à l'échafaud, elle
posa les chemises sur son bras et quand elle fut
en haut du bûcher, au moment où on allait y
mettre le feu, elle regarda autour d'elle : et voici
que six cygnes s'en venaient en fendant les airs.
Alors elle vit que sa délivrance approchait, et son
cœur tressaillit de joie. Les cygnes battirent des
ailes dans sa direction et plongèrent de telle sorte
qu'elle put leur jeter les chemises : et dès qu'elles
les eurent touchés, ils perdirent leur peau de
cygne et elle vit ses frères devant elle en chair et
en os, dans toute leur fraîcheur et leur beauté ;
seul le plus jeune n'avait pas de bras gauche, en
revanche il avait une aile de cygne dans le dos. Ils
se couvrirent de caresses et s'embrassèrent, et la
reine alla vers le roi, qui était tout abasourdi, et
se mettant à parler, elle lui dit : « Mon époux
bien-aimé, à présent j'ai le droit de parler pour te

révéler que je suis innocente et qu'on m'a faussement accusée » et elle lui conta la tromperie de la vieille, qui lui avait enlevé et caché ses trois enfants. On alla alors les chercher à la plus grande joie du roi, et en châtiment de ses crimes, la méchante belle-mère fut liée sur l'échafaud et réduite en cendres. Quant au roi et à la reine avec ses six frères, ils vécurent de longues années dans la paix et le bonheur.

La Belle au Bois Dormant

Il y avait autrefois un roi et une reine qui
disaient chaque jour : « Ah, que ne pouvons-
nous avoir un enfant ! » et jamais il ne leur en
venait. Or, un jour que la reine était au bain, une
grenouille sortit de l'eau, vint à terre et lui dit :
« Ton souhait va être exaucé, avant qu'un an ne
soit écoulé tu mettras une fille au monde. » Ce
que la grenouille avait dit s'accomplit et la reine
eut une fille si jolie que le roi ne put se tenir de
joie et donna une grande fête. Il n'y invita pas
seulement ses parents, amis et connaissances,
mais aussi les sages-femmes, afin qu'elles fussent
propices et favorables à son enfant. Il y en avait
treize dans tout le royaume, mais comme il ne
possédait que douze assiettes d'or dans lesquelles
les faire manger, il y en eut une qui dut rester
chez elle. La fête fut célébrée en grande pompe et
quand elle fut finie, les sages-femmes firent à
l'enfant leurs dons merveilleux : l'une lui donna
la vertu, l'autre la beauté, et la troisième la

richesse et il en fut ainsi de tout ce que l'on peut
désirer en ce monde. Onze d'entre elles venaient
de prononcer leurs formules magiques quand la
treizième entra soudain. Elle voulait se venger de
n'être pas invitée, et sans un salut ou même un
regard pour personne, elle s'écria à haute voix :
« Dans sa quinzième année, la princesse se
piquera avec un fuseau et tombera morte. » Puis
sans dire un mot de plus, elle fit demi-tour et
quitta la salle. Tous étaient effrayés, alors la
douzième, qui avait encore un vœu à faire,
s'avança, et comme elle ne pouvait pas annuler le
mauvais sort, mais seulement l'adoucir, elle dit :
« Ce n'est pas dans la mort que la princesse
tombera, mais un profond sommeil de cent
ans. »

Le roi, qui aurait bien voulu préserver son
enfant chérie du malheur, fit publier l'ordre de
brûler les fuseaux de tout le royaume. Cependant, les dons des sages-femmes s'accomplis-
saient, car la fillette était si belle, modeste,
aimable et intelligente que tous ceux qui la
voyaient ne pouvaient s'empêcher de l'aimer. Or,
il advint, juste le jour de ses quinze ans, que le roi
et la reine s'absentèrent et que la jeune fille resta
seule au château. Alors elle se promena partout,
visita salles et chambres à son gré, et finit par
arriver ainsi devant un vieux donjon. Elle gravit
l'étroit escalier en colimaçon et se trouva devant
une petite porte. Il y avait une clé rouillée dans la
serrure, et comme elle tournait, la porte s'ouvrit,

et voici que dans un petit galetas, une vieille femme était assise, qui filait activement son lin avec son fuseau. « Bonjour, petite mère, dit la fille du roi, que fais-tu là ? — Je file, dit la vieille en hochant la tête. — Qu'est-ce donc que cette chose qui sautille si joyeusement ? » dit la jeune fille. Elle prit le fuseau et voulut filer à son tour. Mais à peine y eut-elle touché que la sentence magique s'accomplit et qu'elle se piqua le doigt.

Or, à l'instant où elle sentit la piqûre, elle tomba sur le lit qui se trouvait là, et resta plongée dans un profond sommeil. Et ce sommeil se propagea à tout le château. Le roi et la reine, qui revenaient justement et entraient dans la salle, commencèrent à s'endormir et toute leur suite avec eux. Alors les chevaux s'endormirent aussi dans l'écurie, les chiens dans la cour, les pigeons sur le toit, les mouches sur le mur, le feu lui-même, qui flambait dans l'âtre, se tut et s'endormit, le rôti cessa de rissoler et le cuisinier, qui s'apprêtait à tirer le marmiton par les cheveux parce qu'il avait commis une bévue, le lâcha et dormit. Et le vent tomba, et sur les arbres, devant le château, pas une petite feuille ne continua à bouger.

Or, tout autour du château une haie d'épines commença à pousser, qui grandit d'année en année et finalement entoura tout le château et s'éleva même plus haut que lui, si bien qu'on ne pouvait plus rien en voir, pas même la girouette sur le toit. Cependant, la légende de la Belle au

Bois Dormant se répandait dans le pays, car c'est ainsi qu'on appelait la princesse, si bien que de temps en temps il venait des fils de roi qui tentaient de pénétrer dans le château à travers la haie. Mais ils ne le pouvaient pas, car les épines se tenaient aussi solidement que si elles avaient eu des mains, et les jeunes gens y restaient pris sans pouvoir se dégager et périssaient d'une mort lamentable. Au bout de longues, longues années, un prince passa de nouveau par le pays et il entendit un vieillard raconter que derrière la haie d'épines, il y avait un château où une princesse d'une beauté merveilleuse, nommée la Belle au Bois Dormant, dormait depuis déjà cent ans, et qu'avec elle dormaient le roi, la reine et toute la cour. Il tenait aussi de son grand-père que beaucoup de fils de rois étaient déjà venus pour essayer de passer à travers la haie, mais qu'ils y étaient restés accrochés et avaient péri d'une triste mort. Alors le jeune homme dit : « Je n'ai pas peur, je veux y aller et voir la Belle au Bois Dormant. » Le bon vieux eut beau le lui déconseiller, il ne voulut rien entendre.

Or, les cent ans étaient justement écoulés et le jour était venu où la Belle devait se réveiller. Et quand le prince s'approcha de la haie d'épines, il ne trouva rien que de belles et grandes fleurs qui s'ouvrirent d'elles-mêmes, le laissèrent passer sans dommage et se refermèrent en formant une haie derrière lui. Dans la cour du château, les chevaux et les chiens de chasse tachetés étaient couchés et dormaient, les pigeons perchés sur le toit avaient caché leur petite tête sous leur aile. Et quand il entra dans la maison, les mouches dormaient sur les murs, dans la cuisine le maître queux faisait toujours le geste d'empoigner le marmiton, et la servante était encore assise devant la poule noire qu'elle s'apprêtait à plumer, et dans la grande salle, il vit toute la cour couchée et dormant, et en haut, le roi et la reine étendus près du trône. Alors il alla encore plus loin et tout était tellement silencieux qu'on pouvait s'entendre respirer, et enfin il arriva au donjon et ouvrit la porte du petit galetas où la Belle était endormie. Elle était là, si jolie qu'il ne pouvait détacher d'elle ses regards, et se baissant il lui donna un baiser. A peine l'eut-il effleurée de son baiser que la Belle au Bois Dormant ouvrit les yeux, se réveilla et le regarda d'un air tout à fait affable. Alors ils descendirent ensemble et le roi se réveilla, ainsi que la reine et toute la cour, et ils se regardèrent en ouvrant de grands yeux. Et dans la cour les chevaux se levèrent et se secouèrent, les chiens de chasse sautèrent et remuèrent la queue, les pigeons du toit sortirent leur tête de dessous leur aile, regardèrent autour d'eux et prirent leur vol vers les champs. Les mouches continuèrent à marcher sur les murs, le feu dans la cuisine reprit, flamba et fit cuire le repas. Le rôti se remit à rissoler et le cuisinier donna au marmiton une gifle qui le fit crier, et la servante finit de plumer le poulet. Alors les noces du prince avec la Belle furent célébrées en grande pompe et ils vécurent heureux jusqu'à la fin de leurs jours.

Blancheneige

Un jour, c'était au beau milieu de l'hiver et les flocons de neige tombaient du ciel comme du duvet, une reine était assise auprès d'une fenêtre encadrée d'ébène noir, et cousait. Et tandis qu'elle cousait ainsi et regardait neiger, elle se piqua le doigt avec son aiguille et trois gouttes de sang tombèrent dans la neige. Et le rouge était si joli à voir sur la neige blanche qu'elle se dit : « Oh, puissé-je avoir une enfant aussi blanche que la neige, aussi rouge que le sang et aussi noire que le bois de ce cadre ! » Peu après, elle eut une petite fille qui était aussi blanche que la neige, aussi rouge que le sang et aussi noire de cheveux que l'ébène, et que pour cette raison on appela Blancheneige. Et quand l'enfant fut née, la reine mourut.

Un an plus tard, le roi prit une autre épouse. C'était une belle femme, mais fière et hautaine, et elle ne pouvait pas souffrir que quelqu'un la surpassât en beauté. Elle avait un miroir magique, quand elle se mettait devant et s'y contemplait, elle disait :

> *Petit miroir, petit miroir chéri,*
> *Quelle est la plus belle de tout le pays ?*

et le miroir répondait :

Madame la Reine, vous êtes la plus belle de tout le pays.

Alors elle était tranquille, car elle savait que le miroir disait vrai.

Cependant Blancheneige grandissait et embellissait de plus en plus ; quand elle eut sept ans, elle était aussi belle que la lumière du jour et plus belle que la reine elle-même. Et un jour que celle-ci demandait au miroir :

> *Petit miroir, petit miroir chéri,*
> *Quelle est la plus belle de tout le pays ?*

il répondit :

Madame la Reine, vous êtes la plus belle ici,
Mais Blancheneige est mille fois plus jolie.

Alors, la reine prit peur et devint jaune et verte de jalousie. Dès lors, quand elle apercevait Blancheneige, son cœur se retournait dans sa poitrine, tant elle haïssait l'enfant. Et sa jalousie et son orgueil ne cessaient de croître comme une mauvaise herbe, de sorte qu'elle n'avait de repos ni le jour ni la nuit. Alors elle fit venir un chasseur et lui dit : « Emmène cette enfant dans la forêt, je ne veux plus l'avoir sous les yeux. Tu la tueras et tu me rapporteras son foie et ses poumons comme preuve. »

Le chasseur obéit et l'emmena, mais quand il eut tiré son poignard et voulut percer le cœur innocent de Blancheneige, elle se mit à pleurer et dit : « Mon bon chasseur, laisse-moi la vie, je m'enfuirai dans le bois sauvage et je ne rentrerai plus jamais. » Et comme elle était si jolie, le chasseur eut pitié et dit : « Cours donc, pauvre enfant — Les bêtes sauvages auront tôt fait de te dévorer », pensa-t-il, mais à l'idée de n'avoir pas à la tuer, il se sentait soulagé d'un grand poids. Et comme un jeune marcassin venait vers lui en bondissant, il l'égorgea, prit ses poumons et son foie, et les rapporta à la reine comme preuve. Le cuisinier dut les faire cuire au sel, et la méchante femme les mangea et crut avoir mangé les poumons et le foie de Blancheneige.

Maintenant, la pauvre enfant était toute seule dans les grands bois et avait si grand-peur qu'elle regardait toutes les feuilles des arbres et ne savait à quel saint se vouer. Alors elle se mit à courir sur les cailloux et à travers les ronces, et les bêtes sauvages passaient devant elle en bondissant, mais elles ne lui faisaient pas de mal. Elle courut aussi longtemps que ses jambes purent la porter, jusqu'à la tombée du jour, alors elle vit une petite maison et y entra pour se reposer. Dans la cabane, tout était petit, mais si mignon et si propre qu'on ne saurait en donner une idée. Il y avait une petite table recouverte d'une nappe blanche avec sept petites assiettes, chacune avec sa petite cuiller, puis sept petits couteaux et fourchettes et sept petits gobelets. Sept petits lits étaient placés l'un à côté de l'autre contre le mur, et ils étaient couverts de draps blancs comme neige. Blancheneige, qui avait grand-faim et grand-soif, mangea un peu de légumes et de pain dans chaque petite assiette et but une goutte de vin dans chaque petit gobelet, car elle ne voulait pas tout prendre au même. Ensuite, elle était tellement lasse qu'elle se coucha dans un petit lit, mais aucun ne lui allait, l'un était trop long, l'autre trop court, enfin le septième fut à sa taille : elle y resta, se recommanda à Dieu et s'endormit.

Quand il fit tout à fait nuit, les maîtres du logis rentrèrent; c'étaient les sept nains qui travaillaient dans les montagnes, creusant et piochant pour en extraire le minerai. Ils allumèrent leurs sept petites chandelles et dès qu'il fit clair dans la maison, ils virent qu'il était venu quelqu'un, car tout n'était plus dans l'ordre où ils l'avaient laissé. Le premier dit : « Qui s'est assis sur ma petite chaise ? » Le second : « Qui a mangé dans ma petite assiette ? » Le troisième : « Qui a pris de mon petit pain ? » Le quatrième : « Qui a

mangé de mes petits légumes ? » Le cinquième :
« Qui a piqué avec ma petite fourchette ? » Le
sixième : « Qui a coupé avec mon petit couteau ? » Le septième : « Qui a bu dans mon petit
gobelet ? » Puis le premier regarda autour de lui,
vit un creux dans son lit et s'écria : « Qui est
entré dans mon petit lit ? » Les autres accoururent et s'écrièrent : « Quelqu'un a couché dans le
mien aussi ! » Mais en regardant dans son lit, le
septième aperçut Blancheneige qui y était couchée et dormait. Alors il appela les autres qui se
précipitèrent et poussèrent des cris de surprise,
ils allèrent chercher leurs sept petites chandelles,
et éclairèrent Blancheneige. « O mon Dieu,
s'écrièrent-ils, mon Dieu, que cette enfant est
donc belle ! » Et leur joie fut si grande qu'ils ne
la réveillèrent pas, mais la laissèrent dormir dans
son petit lit. Quant au septième nain, il coucha
avec ses compagnons, une heure avec chacun, et
la nuit se trouva passée.

   Le matin venu, Blancheneige se réveilla et en
voyant les sept nains, elle fut prise de peur. Mais
ils se montrèrent gentils et lui demandèrent :
« Comment t'appelles-tu ? — Je m'appelle Blancheneige », répondit-elle. « Comment es-tu
venue chez nous ? » Alors elle leur raconta que sa
marâtre avait voulu la faire tuer, mais que le
chasseur lui avait laissé la vie, et qu'elle avait
couru tout le jour, jusqu'au moment où elle avait
enfin trouvé leur maisonnette. Les nains lui
dirent : « Si tu veux t'occuper de notre ménage,

faire la cuisine, les lits, la lessive, coudre et
tricoter, tu peux rester chez nous, tu ne manque-
ras de rien. — Oui, répondit Blancheneige,
j'accepte de tout mon cœur », et elle resta chez
eux. Elle tint la maison en ordre. Le matin, ils
partaient pour les montagnes où ils cherchaient
le minerai et l'or, le soir ils rentraient et alors leur
repas devait être préparé. La fillette étant seule
tout le jour, les bons nains lui conseillèrent la
prudence et dirent : « Prends garde à ta belle-
mère, elle saura bientôt que tu es ici, surtout ne
laisse entrer personne. »

Mais la reine, croyant avoir mangé le foie et les
poumons de Blancheneige, ne douta pas d'être de
nouveau la première et la plus belle de toutes,
elle se mit devant son miroir et dit :

> *Petit miroir, petit miroir chéri,*
> *Quelle est la plus belle de tout le pays ?*

Alors le miroir répondit :

> *Madame la Reine, vous êtes la plus belle ici,*
> *Mais Blancheneige au-delà des monts*
> *Chez les sept nains*
> *Est encore mille fois plus jolie.*

Alors la frayeur la prit, car elle savait que le
miroir ne disait pas de mensonge, elle comprit
que le chasseur l'avait trompée et que Blancheneige était toujours en vie. Et alors elle se creusa

de nouveau la cervelle pour trouver un moyen de la tuer, car, tant qu'elle n'était pas la plus belle de tout le pays, la jalousie ne lui laissait pas de repos. Et quand elle eut enfin imaginé un moyen, elle se farda le visage, s'habilla en vieille mercière et fut tout à fait méconnaissable. Ainsi faite, elle se rendit chez les sept nains par-delà les sept montagnes, frappa à la porte et cria : « Belle marchandise à vendre ! A vendre ! » Blancheneige regarda par la fenêtre et dit : « Bonjour, ma brave femme, qu'avez-vous à vendre ? — De la bonne marchandise, de la belle marchandise, répondit-elle, des lacets de toutes les couleurs », et elle en sortit un, qui était fait de tresses multicolores : « Je peux bien laisser entrer cette brave femme », se dit Blancheneige, elle tira le verrou et fit emplette du joli lacet. « Enfant, dit la vieille, comment es-tu fagotée ! Viens ici, que je te lace comme il faut. » Blancheneige ne se méfiait pas, elle se plaça devant elle et se fit mettre le lacet neuf. Mais la vieille la laça si vite et la serra tant que Blancheneige en perdit le souffle et tomba comme morte. « Maintenant, dit la vieille, tu as cessé d'être la plus belle », et elle s'en fut en courant.

Peu après, à l'heure du dîner, les sept nains rentrèrent chez eux, mais quelle ne fut pas leur frayeur en voyant leur chère Blancheneige couchée par terre ; et elle ne remuait et ne bougeait pas plus qu'une morte. Ils la relevèrent et, découvrant qu'elle était trop serrée, coupèrent le

lacet. Alors elle se remit à respirer un peu et se
ranima petit à petit. Quand les nains apprirent ce
qui s'était passé, ils dirent : « La vieille mercière
n'était autre que cette reine impie. Sois sur tes
gardes, et ne laisse entrer personne quand nous
ne sommes pas près de toi. »

Sitôt rentrée chez elle cependant, la mégère
alla devant son miroir et demanda :

> *Petit miroir, petit miroir chéri,*
> *Quelle est la plus belle de tout le pays ?*

Alors il répondit comme l'autre fois :

> *Madame la Reine, vous êtes la plus belle ici,*
> *Mais Blancheneige au-delà des monts*
> *Chez les sept nains*
> *Est encore mille fois plus jolie.*

En entendant ces mots, elle fut si effrayée que
tout son sang reflua vers son cœur, car elle voyait
bien qu'une fois encore, Blancheneige avait
recouvré la vie. « Mais maintenant, dit-elle, je
vais inventer quelque chose qui te fera périr », et
à l'aide de tours magiques qu'elle connaissait,
elle fabriqua un peigne empoisonné. Puis elle se
déguisa et prit la forme d'une autre vieille
femme. Elle se rendit chez les sept nains par-delà
les sept montagnes, frappa à la porte et cria :
« Bonne marchandise à vendre ! A vendre ! »
Blancheneige regarda dehors et dit : « Passez

votre chemin, je ne peux laisser entrer personne.
— Tu as bien le droit de regarder », dit la vieille,
elle sortit le peigne empoisonné et le tint en l'air.
Il plut tellement à l'enfant qu'elle se laissa tenter
et ouvrit la porte. Lorsqu'elles furent d'accord
sur l'achat, la vieille lui dit : « A présent, je vais
te coiffer comme il faut. » La pauvre Blancheneige, qui ne se méfiait de rien, laissa faire la
vieille, mais à peine celle-ci lui eut-elle mis le
peigne dans les cheveux que le poison fit son effet
et que la jeune fille tomba sans connaissance. « O
prodige de beauté, dit la méchante femme,
maintenant c'en est fait de toi », et elle partit.
Par bonheur, c'était bientôt l'heure où les sept
nains rentraient chez eux. Quand ils virent
Blancheneige couchée par terre, comme morte,
ils soupçonnèrent aussitôt la marâtre, cherchèrent et trouvèrent le peigne empoisonné, et à
peine l'avaient-ils retiré que Blancheneige revenait à elle et leur racontait ce qui était arrivé.
Alors ils lui conseillèrent une fois de plus d'être
sur ses gardes et de n'ouvrir la porte à personne.

Une fois chez elle, la reine se mit devant son
miroir et dit :

Petit miroir, petit miroir chéri,
Quelle est la plus belle de tout le pays ?

Alors il répondit comme avant :

Madame la Reine, vous êtes la plus belle ici,
Mais Blancheneige au-delà des monts

Chez les sept nains
Est encore mille fois plus jolie.

En entendant le miroir parler ainsi, elle tressaillit et trembla de colère : « Blancheneige doit
mourir, dit-elle, quand il m'en coûterait ma
propre vie. » Là-dessus, elle alla dans une chambre secrète et solitaire où personne n'entrait
jamais, et elle fabriqua une pomme empoison-
née. Extérieurement elle avait belle apparence,
blanche avec des joues rouges, si bien qu'elle
faisait envie à quiconque la voyait, mais quiconque en mangeait une bouchée était voué à la
mort. Quand la pomme fut fabriquée, elle se
farda le visage et se déguisa en paysanne, et ainsi
faite, elle se rendit chez les sept nains par-delà les
sept montagnes. Elle frappa à la porte, Blancheneige passa la tête par la fenêtre et dit : « Je ne
dois laisser entrer personne, les sept nains me
l'ont défendu. — Tant pis, dit la paysanne, je
n'aurai pas de peine à me débarrasser de mes
pommes. Tiens, je vais t'en donner une. — Non,
dit Blancheneige, je ne dois rien accepter. —
Aurais-tu peur du poison ? dit la vieille, regarde,
je coupe la pomme en deux, toi, tu mangeras la
joue rouge et moi, la joue blanche. » Mais la
pomme était faite si habilement que seul le côté
rouge était empoisonné. La belle pomme faisait
envie à Blancheneige et quand elle vit la paysanne en manger, elle ne put résister plus long-

temps, tendit la main et prit la moitié empoison-
née. Mais à peine en avait-elle pris une bouchée
qu'elle tombait morte. Alors la reine la contempla avec des regards affreux, rit à gorge déployée
et dit : « Blanche comme neige, rouge comme
sang, noire comme ébène ! Cette fois les nains ne
pourront pas te réveiller. » Et comme, une fois
chez elle, elle interrogeait son miroir :

> *Petit miroir, petit miroir chéri,*
> *Quelle est la plus belle de tout le pays ?*

Il répondit enfin :

Madame la Reine, vous êtes la plus belle du pays.

Alors son cœur jaloux fut en repos, autant
qu'un cœur jaloux puisse trouver le repos.
Mais en rentrant chez eux le soir, les nains
trouvèrent Blancheneige couchée par terre, et pas
un souffle ne sortait plus de sa bouche, elle était
morte. Ils la relevèrent, cherchèrent s'ils ne
trouvaient pas quelque chose d'empoisonné, la
délacèrent, lui peignèrent les cheveux, la lavèrent
avec de l'eau et du vin, mais tout cela fut inutile :
la chère enfant était morte et le resta. Ils la
mirent sur une civière, s'assirent tous les sept
auprès d'elle, la pleurèrent, et pleurèrent trois
jours durant. Puis ils voulurent l'enterrer, mais
elle était encore aussi fraîche qu'une personne
vivante, et elle avait toujours ses belles joues

rouges. Ils dirent : « Nous ne pouvons pas mettre
cela dans la terre noire », et ils firent un cercueil
de verre transparent, afin qu'on pût la voir de
tous les côtés, puis ils l'y couchèrent et écrivirent
dessus son nom en lettres d'or, et qu'elle était
fille de roi. Puis ils portèrent le cercueil sur la
montagne et l'un d'entre eux resta toujours
auprès pour le garder. Et les animaux vinrent
aussi pleurer Blancheneige, d'abord une
chouette, puis un corbeau, enfin une petite
colombe.

Et Blancheneige demeura longtemps, longtemps dans le cercueil, et elle ne se décomposait
pas, elle avait l'air de dormir, car elle restait
toujours Blanche comme neige, rouge comme
sang et noir de cheveux comme bois d'ébène. Or
il advint qu'un fils de roi se trouva par hasard
dans la forêt et alla à la maison des nains pour y
passer la nuit. Sur la montagne, il vit le cercueil
et la jolie Blancheneige couchée dedans, et il lut
ce qui était écrit dessus en lettres d'or. Alors il dit
aux nains : « Laissez-moi ce cercueil, je vous
donnerai tout ce que vous voudrez en échange. »
Mais les nains répondirent : « Nous ne vous le
céderons pas pour tout l'or du monde. » Alors il
leur dit : « En ce cas, faites-m'en cadeau, car je
ne puis pas vivre sans voir Blancheneige, je le
vénérerai et le tiendrai en estime comme mon
bien le plus cher. » En l'entendant parler ainsi,
les bons nains eurent pitié de lui et lui donnèrent
le cercueil. Le prince ordonna à ses serviteurs de

l'emporter sur leurs épaules. Il advint alors qu'ils
trébuchèrent contre un buisson et que, par suite
de la secousse, le trognon de pomme empoisonné
dans lequel Blancheneige avait mordu lui sortit
du gosier. Et bientôt elle ouvrit les yeux, souleva
le couvercle de son cercueil et se dressa, ressusci-
tée. « Ah Dieu, où suis-je ? » s'écria-t-elle. Plein
de joie, le prince lui dit : « Tu es auprès de
moi », il lui raconta ce qui s'était passé et dit :
« Je t'aime plus que tout au monde ; viens avec
moi au château de mon père, tu seras ma
femme. » Alors Blancheneige l'aima et le suivit,
et leur noce fut préparée en grande pompe et
magnificence.

Mais on invita aussi à la fête la méchante
marâtre de Blancheneige. Quand elle eut revêtu
de beaux habits, elle alla devant son miroir et
dit :

> *Petit miroir, petit miroir chéri,*
> *Quelle est la plus belle de tout le pays ?*

Le miroir répondit :

> *Madame la Reine, vous êtes la plus belle ici,*
> *Mais la jeune reine est mille fois plus jolie.*

Alors la méchante femme poussa un juron et
elle fut effrayée, tellement effrayée qu'elle ne sut
que faire. D'abord, elle ne voulut pas du tout
aller à la noce. Mais la curiosité ne lui laissa pas

de répit, il lui fallut partir et aller voir la jeune
reine. Et en entrant, elle reconnut Blancheneige,
et d'angoisse et d'effroi, elle resta clouée sur
place et ne put bouger. Mais déjà on avait fait
rougir des mules de fer sur des charbons ardents,
on les apporta avec des tenailles et on les posa
devant elle. Alors il lui fallut mettre ces souliers
chauffés à blanc et danser jusqu'à ce que mort
s'ensuive.

L'oiseau d'or

Une fois, il y a bien longtemps, il était un roi qui avait un joli jardin d'agrément derrière son château, et là il y avait un arbre qui portait des pommes d'or. Quand les pommes furent mûres, on les compta, mais dès le lendemain, il en manqua une. On rapporta la chose au roi, qui ordonna qu'on eût chaque nuit à monter la garde sous l'arbre. Le roi avait trois fils, à la nuit tombante il envoya le premier au jardin, mais sur le coup de minuit, il ne put pas s'empêcher de dormir, et le lendemain matin, il manquait de nouveau une pomme. La nuit suivante, ce fut le deuxième fils qui dut prendre la garde, mais il lui arriva la même chose : quand minuit eut sonné, il s'endormit et le matin il manquait une pomme. Vint alors le tour du troisième fils, qui était prêt aussi à monter la garde, mais le roi n'avait guère confiance en lui et pensait qu'il se montrerait moins capable encore que ses frères ; pourtant, il finit par le lui permettre. Le jeune homme s'étendit donc sous l'arbre, resta éveillé et sut résister au sommeil. Quand minuit sonna, un frémissement parcourut l'air et il vit au clair de lune un oiseau qui venait vers lui à tire-d'aile et dont le plumage brillait comme de l'or. L'oiseau se percha sur l'arbre et il venait juste de becque- ter une pomme quand le jeune homme lui décocha une flèche. L'oiseau s'enfuit, mais la flèche l'avait atteint et l'une de ses plumes d'or tomba. Le jeune homme la ramassa, le lende- main il la porta à son père et lui raconta ce qu'il avait vu pendant la nuit. Le roi réunit son conseil et tout le monde déclara qu'une plume pareille avait plus de valeur que le royaume tout entier. « Si cette plume est si précieuse, déclara le roi, il ne me sert de rien d'en avoir une, il me faut et j'aurai l'oiseau entier. »

Le fils aîné se mit en route, se fiant à son intelligence il se croyait sûr de trouver l'oiseau d'or. Après avoir fait un bout de chemin, il vit un renard assis à l'orée d'un bois, il épaula son fusil et le visa. Le renard s'écria : « Ne tire pas, en échange je te donnerai un bon conseil. Tu es parti à la recherche de l'oiseau d'or et ce soir tu arriveras dans un village où il y a deux auberges qui se font face. L'une est toute brillante de lumières, et on y mène joyeuse vie : mais n'y entre pas, va dans l'autre, même si tu lui trouves mauvaise apparence. » « Comment ce sot animal pourrait-il me donner un conseil raisonnable ! » pensa le prince, et il appuya sur la détente, mais

il manqua le renard, qui étira sa queue et s'en fut
vivement dans le bois. Après quoi il poursuivit
son chemin et arriva le soir dans le village où il y
avait les deux auberges : dans l'une on chantait
et on dansait, l'autre avait une apparence misérable et triste. « Je serais bien fou, pensa-t-il,
d'aller dans cette auberge sordide et de tourner le
dos à la belle. » Il alla donc dans la maison de
joie, y mena une vie dissolue et oublia l'oiseau,
son père et tous les bons principes.

Au bout d'un certain temps, comme le fils aîné
ne rentrait toujours pas à la maison, le deuxième
se mit en route pour chercher l'oiseau d'or.
Comme l'aîné, il rencontra le renard qui lui
donna le bon conseil auquel il ne fit pas attention. Il arriva aux deux auberges ; à la fenêtre de
celle d'où sortaient des cris de joie, il vit son frère
qui l'appelait. Il ne put pas résister, entra et ne
vécut plus que pour son plaisir.

Il s'écoula de nouveau un certain temps, puis
le plus jeune prince voulut partir à son tour pour
tenter sa chance, mais son père n'y consentit pas.
« Ce n'est pas la peine, se dit-il, il a encore moins
de chances que ses frères de trouver l'oiseau d'or,
et s'il lui arrive quelque malheur, il ne saura pas
se tirer d'affaire ; c'est le don qui lui manque le
plus. » Mais comme il n'avait plus de répit, il
finit cependant par le laisser partir. Le renard
était encore à l'orée du bois, il demanda grâce et
donna le bon conseil. Le jeune homme fut
compatissant et dit : « Sois tranquille, petit

renard, je ne te ferai pas de mal. — Tu ne le
regretteras pas, dit le renard, et pour arriver plus
vite, monte donc derrière, sur ma queue. » Et à
peine se fut-il assis que le renard se mit à courir à
toutes jambes, si vite que les cheveux en sifflaient
au vent. Quand ils furent au village, le jeune
homme descendit, suivit le bon conseil, et entra
sans se retourner dans la modeste auberge, où il
passa tranquillement la nuit. Le lendemain,
quand il arriva dans le champ, le renard était
déjà là et lui dit : « Je veux te dire encore ce qui
te reste à faire. Va toujours tout droit, tu verras
enfin un château devant lequel toute une bande
de soldats sont couchés, mais ne t'en occupe pas,
ils seront tous en train de dormir et de ronfler :
passe au milieu, entre sans détour dans le
château et traverse toutes les chambres ; pour
finir, tu arriveras à un cabinet où un oiseau d'or
se trouve dans une cage de bois. A côté il y a une
cage d'or vide pour la parade, mais garde-toi de
sortir l'oiseau de sa vilaine cage pour le mettre
dans la belle, autrement il pourrait t'en cuire. »
Ayant dit ces mots, le renard tendit de nouveau
sa queue et le prince monta dessus : ils partirent
à toutes jambes, si vite que les cheveux en
sifflaient au vent. Une fois arrivé au château, il
trouva tout comme le renard l'avait dit. Le
prince entra dans le cabinet où l'oiseau d'or était
perché dans une cage de bois et une cage d'or
était accrochée à côté : quant aux trois pommes
d'or, elles étaient dispersées dans la pièce. Alors

il pensa qu'il était ridicule de laisser le bel oiseau
dans cette cage grossière et laide ; il ouvrit la
porte, le saisit et le mit dans la cage d'or. Mais à
l'instant même l'oiseau poussa un cri perçant.
Les soldats se réveillèrent, firent irruption dans
la pièce et le conduisirent en prison. Le lendemain, il fut traduit devant un tribunal et, comme
il avoua tout, il fut condamné à mort. Pourtant,
le roi déclara qu'il lui laisserait la vie à une
condition, à savoir s'il lui apportait le cheval d'or
qui court encore plus vite que le vent, et qu'il lui
donnerait par-dessus le marché l'oiseau d'or
comme récompense.

Le prince se mit en route, mais il soupirait et
était tout triste, car où trouverait-il le cheval
d'or ? Tout à coup, il vit son vieil ami le renard
assis sur le bord du chemin. « Tu vois, dit le
renard, cela vient de ce que tu ne m'as pas obéi.
Pourtant aie confiance, je vais m'occuper de toi
et te dire comment tu obtiendras le cheval d'or. Il
faut que tu ailles tout droit, tu arriveras à un
château où le cheval est à l'écurie. Devant
l'écurie il y aura les palefreniers, mais ils seront
en train de dormir et de ronfler et tu pourras
tranquillement faire sortir le cheval d'or. Toutefois prends garde à une chose : mets-lui la
mauvaise selle de bois et de cuir, et surtout pas la
selle d'or qui est accrochée à côté, autrement il
pourrait t'en cuire. » Puis le renard tendit sa
queue, le prince monta dessus, et ils partirent à
toutes jambes, si vite que les cheveux en sifflaient

au vent. Tout se passa exactement comme le
renard avait dit ; il arriva à l'écurie où se trouvait
le cheval d'or : mais au moment de lui mettre la
mauvaise selle, il pensa : un si bel animal sera
déshonoré si je ne lui mets pas la riche selle qui
est digne de lui. Mais à peine la selle d'or eut-elle
touché le cheval qu'il se mit à hennir bruyamment. Les palefreniers se réveillèrent, s'emparè-
rent du jeune homme et le jetèrent en prison. Le
lendemain, il fut condamné à mort par le tribunal, mais le roi promit de lui laisser la vie et par-
dessus le marché le cheval d'or, s'il réussissait à
lui amener la belle princesse du château d'or.

Le cœur lourd, le jeune homme se mit en
route, mais par bonheur il ne tarda pas à trouver
le renard fidèle : « Je devrais te laisser à ton
malheur, dit le renard, mais j'ai pitié de toi et je
vais encore une fois te tirer d'affaire. Ton chemin
te mène tout droit au château d'or : tu y
arriveras le soir, et la nuit, quand tout sera
silencieux, la belle princesse ira se baigner à la
maison de bains. Et quand elle entrera, tu te
précipiteras sur elle et tu lui donneras un baiser,
alors elle te suivra et tu pourras l'emmener :
seulement n'accepte pas qu'elle dise auparavant
adieu à ses parents, autrement il pourrait t'en
cuire. » Puis le renard tendit sa queue, le jeune
homme monta dessus, et ils partirent à toutes
jambes, si vite que les cheveux en sifflaient au
vent. Arrivé au château d'or, tout se trouva
comme le renard avait dit. Il attendit jusqu'à

minuit ; quand tout fut plongé dans un profond
sommeil et que la belle demoiselle se rendit à la
maison de bains, il bondit vers elle et lui donna
un baiser. Elle lui dit qu'elle irait volontiers avec
lui, mais elle le supplia en pleurant de lui
permettre de dire auparavant adieu à ses
parents. D'abord, il résista à ses prières ; mais
comme elle pleurait de plus en plus fort et
tombait à ses pieds, il céda finalement. Mais à
peine la jeune fille eut-elle touché le lit de son
père qu'il se réveilla et avec lui tous ceux qui
étaient dans le château, et le jeune homme fut
arrêté et jeté en prison.

Le lendemain le roi lui dit : « Tu mérites la
mort et tu n'obtiendras ta grâce que si tu
déplaces la montagne qui est devant mes fenêtres
et me bouche la vue, et cela doit être fait en huit
jours. Si tu y parviens, tu auras ma fille en
récompense. » Le prince se mit à creuser et à
enlever la terre à la pelle sans relâche ; au bout de
sept jours, quand il vit combien il avait peu
avancé et que tout son travail se réduisait pour
ainsi dire à rien, il fut pris d'une grande tristesse
et perdit tout espoir. Mais le soir du septième
jour, le renard apparut et dit : « Tu ne mérites
pas que je m'occupe de toi, mais va seulement te
coucher et dors, je ferai le travail à ta place. » Le
lendemain, quand il se réveilla et regarda par la
fenêtre, la montagne avait disparu. Plein de joie,
le jeune homme courut chez le roi et lui annonça
qu'il avait rempli la condition et que, bon gré

mal gré, le roi devait tenir parole et lui donner sa fille.

Alors ils partirent tous les deux et le fidèle renard ne tarda pas à les rejoindre. « Il est vrai que tu as la meilleure part, dit-il, mais le cheval d'or et la princesse du château d'or vont ensemble. — Comment puis-je obtenir ce cheval ? » demanda le prince. « Je vais te le dire, répondit le renard, conduis d'abord la belle demoiselle chez le roi qui t'a envoyé au château d'or. Il y aura grande liesse, ils te donneront volontiers le cheval d'or et l'amèneront devant toi. Monte dessus sans tarder et pour leur dire adieu, tends-leur la main à tous, à la belle demoiselle en dernier, et quand tu l'auras saisie, tire-la d'un coup à toi et prends la fuite : et personne ne pourra te rattraper, car le cheval court plus vite que le vent. »

Tout cela s'accomplit heureusement, et le prince emmena la belle demoiselle sur le cheval d'or. Le renard ne s'arrêta pas en chemin et dit au jeune homme : « Maintenant je vais aussi t'aider à obtenir l'oiseau d'or. Quand tu approcheras du château où se trouve l'oiseau, fais descendre la demoiselle, je la prendrai sous ma garde. Puis entre dans la cour du château monté sur le cheval d'or : à ta vue il y aura grande liesse et ils t'apporteront l'oiseau d'or. Quand tu auras la cage en main, reviens vers nous en toute hâte et ramène la demoiselle. » Quand le projet eut réussi et que le prince voulut rentrer chez lui avec ses trésors, le renard lui dit : « A présent,

récompense-moi de mon aide. — Que veux-tu ?
demanda le prince. — Que tu me tues et me
coupes la tête et les pattes quand nous serons
dans la forêt que tu vois là-bas. — Ce serait une
jolie façon de te remercier, dit le prince, je ne
peux vraiment pas te l'accorder. — Si tu ne veux
pas le faire, dit le renard, il faudra que je te
quitte ; mais avant de m'en aller, je vais encore te
donner un bon conseil. Garde-toi de deux
choses : n'achète pas de gibier de potence et ne
t'assieds pas sur la margelle d'un puits. » Là-
dessus, il s'en fut dans la forêt.

Le jeune homme pensa : « C'est un bizarre
animal, qui a d'étranges lubies ! Qui irait acheter
du gibier de potence, et quant à m'asseoir sur la
margelle d'un puits, je n'en ai encore jamais eu
envie. » Il continua de chevaucher avec la belle
demoiselle et son chemin l'amena de nouveau à
traverser le village où ses deux frères étaient
restés. Il y avait là grand attroupement et grand
tapage et quand il demanda ce qui se passait, on
lui dit que deux hommes allaient être pendus. En
s'approchant, il vit que c'étaient ses frères, qui
avaient fait toutes sortes de tours pendables et
avaient dissipé leurs biens. Il demanda si l'on ne
pouvait pas leur rendre la liberté. « Si vous
voulez payer pour eux, dirent les gens, mais
pourquoi iriez-vous donner votre argent pour
racheter ces vauriens ? » Lui cependant ne réfléchit pas, paya pour eux et quand ils furent
libérés, ils continuèrent leur voyage ensemble.

Ils arrivèrent dans la forêt où ils avaient rencontré le renard pour la première fois, et comme il y faisait frais et agréable et que le soleil tapait dur, les frères dirent : « Reposons-nous un peu pour boire et manger au bord de cette fontaine. » Il y consentit, et tout en parlant, il s'oublia et s'assit sur la margelle sans s'attendre à mal. Mais les deux frères le poussèrent et il tomba à la renverse dans le puits ; alors ils prirent la demoiselle, le cheval et l'oiseau et rentrèrent chez leur père : « Nous ne rapportons pas seulement l'oiseau d'or, dirent-ils, nous avons pris aussi comme butin au château d'or le cheval d'or et la demoiselle. » Alors il y eut grande liesse, mais le cheval ne mangeait pas, l'oiseau ne chantait pas et la demoiselle restait là à pleurer.

Cependant le plus jeune frère n'avait pas péri. Par bonheur, le puits était à sec et il tomba sans se faire mal sur la mousse molle, mais il ne put pas ressortir. Une fois de plus, le renard ne le laissa pas dans l'embarras, il le rejoignit en bas d'un bond et le gronda d'avoir oublié son conseil. « Mais je ne peux pas m'en empêcher, dit-il, je vais t'aider à remonter à la lumière du jour. » Il lui dit de saisir sa queue et de s'y cramponner solidement, puis il le tira jusqu'en haut. « Tu n'es pas encore hors de danger, dit le renard, tes frères n'étaient pas sûrs de ta mort, ils ont posté dans la forêt des gardes qui te tueront si tu te fais voir. » Comme il y avait un pauvre homme sur le

bord de la route, le jeune homme échangea ses
vêtements avec lui et il arriva dans cet appareil à
la cour du roi. Personne ne le reconnut, mais
l'oiseau se mit à chanter, le cheval à manger, et la
demoiselle cessa de verser des larmes. Surpris, le
roi demanda : « Qu'est-ce que cela signifie ? »
Alors la demoiselle répondit : « Je ne le sais pas,
mais j'étais si triste, et me voici maintenant tout
heureuse. C'est comme si mon vrai fiancé était
arrivé. » Elle lui raconta tout ce qui s'était passé,
bien que les autres frères l'eussent menacée de
mort si elle révélait quelque chose. Le roi
ordonna qu'on fît paraître devant lui tous les
gens qui se trouvaient dans son château ; alors le
jeune homme vint aussi en vieil homme vêtu de
haillons, mais la demoiselle le reconnut aussitôt
et lui sauta au cou. On se saisit des méchants
frères et ils furent exécutés, quant à lui il
épousa la belle demoiselle et le roi le fit son
héritier.

Mais qu'est-il advenu du pauvre renard ?
Longtemps après le prince retourna dans la forêt,
il rencontra le renard qui lui dit : « Tu as à
présent tout ce que tu peux désirer, mais moi,
mon malheur ne veut pas prendre fin et pourtant
il est en ton pouvoir de me délivrer », et de
nouveau il lui demanda instamment de le tuer et
de lui couper tête et pattes. Il le fit donc, et c'était
à peine accompli que le renard se changeait en
homme, et ce n'était personne d'autre que le

frère de la belle princesse, enfin délivré de l'enchantement qu'il avait subi. Et désormais rien ne manqua plus à leur bonheur tant que dura leur vie.

Les deux frères

Il était une fois deux frères, un riche et un
pauvre. Le riche était orfèvre et méchant de
cœur, le pauvre gagnait son pain en faisant des
balais, et il était bon et honnête. Le pauvre avait
deux enfants, deux frères jumeaux qui se ressemblaient comme une goutte d'eau ressemble à
l'autre. Les deux garçons allaient de temps en
temps dans la maison du riche et, parfois, on leur
donnait quelques restes à manger. Il advint que
le pauvre homme, en allant chercher du petit
bois dans la forêt, vit un oiseau qui était tout
doré, et si beau que jamais encore ses yeux n'en
avaient vu de pareil. Alors il ramassa un caillou,
le lui jeta et toucha juste : mais il ne tomba
qu'une plume d'or et l'oiseau s'envola. L'homme
prit la plume et la porta à son frère, celui-ci la
regarda et dit : « C'est de l'or pur », et il lui
donna beaucoup d'argent en échange. Le lendemain, l'homme grimpa sur un bouleau pour
couper quelques branches ; et voici que le même

oiseau sortit de l'arbre, et comme l'homme allait à sa recherche, il trouva un nid, et dedans il y avait un œuf d'or. Il emporta l'œuf chez lui et l'offrit à son frère, qui dit de nouveau : « C'est de l'or pur », et lui paya le prix que cela valait. Puis il lui dit : « J'aimerais bien avoir l'oiseau lui-même. » Le pauvre homme se rendit pour la troisième fois dans la forêt et vit encore l'oiseau d'or perché sur l'arbre : alors il prit une pierre et le fit tomber d'un coup et le porta à son frère, qui lui donna un gros tas d'or en échange. « Maintenant je puis me tirer d'affaire », pensa-t-il en rentrant tout content à la maison.

L'orfèvre était malin et rusé et il savait fort bien quel genre d'oiseau c'était là. Il appela sa femme et lui dit : « Fais-moi rôtir l'oiseau d'or et veille que rien ne se perde : j'ai envie de le manger tout seul. » Or l'oiseau n'était pas un oiseau ordinaire, il était d'une espèce si merveilleuse que quiconque mangeait de son cœur et de son foie trouvait chaque matin une pièce d'or sous son oreiller. La femme prépara l'oiseau, le mit sur une broche et le fit rôtir. Mais pendant qu'il cuisait, la femme ayant dû quitter la cuisine pour s'occuper d'autre chose, il advint que les enfants du pauvre faiseur de balais entrèrent en courant, se postèrent devant la broche et la tournèrent deux ou trois fois. Et comme justement deux petits morceaux de l'oiseau tombaient dans la poêle, l'un dit : « Mangeons ces quelques bouchées, j'ai tellement faim, et puis personne ne s'en apercevra. » Alors ils mangèrent tous les morceaux jusqu'au dernier ; sur ces entrefaites, la femme revint, vit qu'ils mangeaient quelque chose et dit : « Qu'avez-vous mangé ? — Quelques petits bouts d'oiseau qui étaient tombés », répondirent-ils. « C'était le cœur et le foie », dit la femme tout effrayée, et afin que son mari ne se fâchât pas en voyant qu'il manquait quelque chose, elle tua un jeune coq, lui enleva le cœur et le foie et les mit à côté de l'oiseau d'or. Quand il fut cuit, elle le porta à son mari, qui le mangea tout seul et ne laissa rien. Mais le lendemain, quand il mit la main sous son oreiller, pensant en tirer une pièce d'or, il n'en trouva pas plus que d'habitude.

Or les deux enfants ignoraient la chance qu'ils avaient eue. Quand ils se levèrent le lendemain, quelque chose tomba par terre en sonnant, et quand ils le ramassèrent, voici que c'étaient deux pièces d'or. Ils les portèrent à leur père, qui fut très étonné et dit : « Comment cela a-t-il bien pu arriver ? » Mais comme le lendemain ils trouvèrent deux autres pièces et qu'il en fut ainsi chaque jour, il alla chez son frère et lui rapporta l'étrange affaire. L'orfèvre comprit aussitôt ce qui s'était passé et que les enfants avaient mangé le foie et le cœur de l'oiseau d'or, et pour se venger, et parce qu'il était envieux et dur de cœur, il dit au père : « Tes enfants ont partie liée avec le Malin, ne prends pas cet or et ne tolère pas qu'ils restent plus longtemps dans ta maison, il a pouvoir sur eux et pourrait te mener toi aussi à ta perte. » Le père craignait le Malin, et quelque chagrin qu'il en eût, il conduisit les jumeaux dans la forêt et les abandonna, le cœur plein de tristesse.

Alors les deux enfants errèrent de tous côtés dans la forêt en cherchant le chemin de la maison, mais ils ne la trouvèrent pas et ne firent que s'égarer davantage. Enfin ils rencontrèrent un chasseur, qui leur demanda : « A qui êtes-vous, enfants ? Nous sommes les garçons du pauvre faiseur de balais », répondirent-ils, et ils racontèrent que leur père n'avait pas voulu les garder plus longtemps chez lui parce que tous les matins, il y avait une pièce d'or sous leur oreiller. « Ma foi, dit le chasseur, il n'y a pas grand mal à ça, pourvu que vous restiez honnêtes et ne deveniez pas des fainéants. » Comme les enfants lui plaisaient et qu'il n'en avait pas lui-même, le brave homme les emmena chez lui et leur dit : « Je serai votre père et je vous élèverai. » Ils apprirent chez lui le métier de chasseur, et il mit de côté la pièce d'or que chacun d'eux trouvait en se levant, en cas de besoin pour l'avenir.

Quand ils furent grands, leur père adoptif les emmena un jour dans la forêt et leur dit : « Vous ferez aujourd'hui votre coup d'essai, afin que je puisse vous émanciper et vous déclarer chasseurs. » Ils se mirent à l'affût avec lui et attendirent longtemps, mais il ne venait pas de gibier. Le chasseur regarda en l'air et vit une compagnie d'oies blanches qui volaient en formant un triangle ; alors il dit à l'un des garçons : « Abats-en une à chaque coin. » Il le fit et réussit ainsi son tir d'essai. Peu après, une autre compagnie s'en vint à tire-d'aile et elle avait la forme du chiffre deux ; alors le chasseur dit à l'autre d'en tirer une aussi à chaque coin, et il réussit également son essai. Alors leur père adoptif leur dit : « Je vous émancipe, vous êtes des chasseurs accomplis. » Là-dessus les deux frères se rendirent ensemble dans la forêt, tinrent conseil et conclurent un accord. Et le soir, quand ils se furent assis pour le dîner, ils dirent à leur père adoptif : « Nous ne toucherons pas les plats et nous ne prendrons pas une bouchée que vous ne nous ayez exaucé une prière. » Il dit : « Quelle est donc votre prière ? » Ils répondirent : « Maintenant que nous avons fini notre apprentissage, il faut aussi que nous tentions notre chance dans le monde ; ainsi, permettez-nous de faire notre tour de compagnons. » Alors le vieux dit avec joie : « Vous parlez en valeureux chasseurs ; ce que vous souhaitez était mon propre désir ; partez, vous vous en trouverez bien. » Après quoi ils burent et mangèrent joyeusement ensemble.

Quand vint le jour fixé, leur père adoptif leur donna à chacun un bon fusil et un chien et les autorisa à prélever sur leurs économies autant de pièces d'or qu'ils en voulaient. Puis il leur fit un bout de conduite et, en les quittant, il leur donna encore un couteau brillant et leur dit : « Si vous devez un jour vous séparer, plantez ce couteau dans un arbre à la croisée des chemins; ainsi, si l'un de vous revient, il pourra voir ce qu'il est advenu de son frère absent, car le côté vers lequel il s'en est allé rouillera s'il meurt, mais restera brillant tant qu'il sera en vie. » Les deux frères continuèrent leur chemin et arrivèrent dans une forêt si grande qu'en une journée il leur fut impossible d'en sortir. Ils y passèrent donc la nuit et mangèrent ce qu'ils avaient emporté dans leur gibecière; mais ils marchèrent encore le deuxième jour sans parvenir à sortir. Comme ils n'avaient plus rien à manger, l'un d'eux dit : « Il nous faut tirer du gibier, sans quoi nous aurons faim », il chargea son fusil et regarda autour de lui. Et ayant vu un vieux lièvre s'en venir en courant, il le mit en joue, mais le lièvre s'écria :

> *Gentil chasseur, laisse-moi la vie*
> *Et je te donnerai deux petits.*

Il disparut d'un bond dans le fourré et amena deux petits; les petits animaux jouaient si gaiement et étaient si gentils que les chasseurs n'eurent pas le cœur de les tuer. Ils les gardèrent avec eux et les petits lièvres leur emboîtèrent le pas. Peu après un renard passa devant eux à vive allure, ils voulurent l'abattre, mais le renard s'écria :

> *Gentil chasseur, laisse-moi la vie*
> *Et je te donnerai deux petits.*

Il amena aussi deux renardeaux, et les chasseurs n'osèrent pas non plus les tuer ; ils les mirent avec les levrauts pour leur tenir compagnie, et tous leur emboîtèrent le pas. Peu après, un loup sortit du fourré, les chasseurs le mirent en joue, mais le loup s'écria :

> *Gentil chasseur, laisse-moi la vie*
> *Et je te donnerai deux petits.*

Les chasseurs mirent les deux jeunes loups avec les autres animaux, et ils leur emboîtèrent le pas. Là-dessus vint un ours, qui aurait bien aimé trotter encore longtemps et qui dit :

> *Gentil chasseur, laisse-moi la vie*
> *Et je te donnerai deux petits.*

Les deux oursons furent mis en compagnie des autres, et ils étaient déjà huit. Et qui vint enfin ? Un lion qui secouait sa crinière. Mais les chasseurs ne reculèrent pas et le visèrent ; cependant le lion dit aussi :

> *Gentil chasseur, laisse-moi la vie*
> *Et je te donnerai deux petits.*

Il alla chercher ses petits, en sorte que maintenant les chasseurs avaient deux lions, deux ours, deux loups, deux renards et deux lièvres, qui les escortaient et les servaient. Cependant leur faim n'en était pas pour autant apaisée ; alors ils dirent aux renards : « Vous autres rôdeurs, procurez-vous quelque chose à manger, car vous êtes rusés et malins. » Ils répondirent : « Non loin d'ici il y a un village qui nous a fourni déjà plus d'une poule ; nous allons vous montrer le chemin. » Alors ils allèrent au village, achetèrent à manger, firent donner aussi la pâtée à leurs bêtes et continuèrent leur chemin. Or les renards connaissaient fort bien la région, à cause des fermes où il y avait des poules, et ils purent renseigner les chasseurs en tous lieux.

Ils allèrent un bout de temps à l'aventure, mais ne purent pas trouver d'emploi qui leur eût permis de rester ensemble ; alors ils se dirent : « Rien à faire, il faut nous séparer. » Ils se partagèrent les animaux, en sorte que chacun eut un lion, un ours, un loup, un renard et un lièvre ; puis ils se dirent adieu, se jurèrent d'être fidèles jusqu'à la mort à leur amour fraternel et plantèrent dans un arbre le couteau que leur père adoptif leur avait donné ; après quoi l'un partit vers l'est, l'autre vers l'ouest.

Or, le cadet arriva avec ses animaux dans une ville qui était entièrement tendue de crêpe noir. Il alla dans une auberge et demanda au patron s'il consentait à héberger ses bêtes. L'aubergiste leur donna une écurie où il y avait un trou dans le mur ; le lièvre passa par là et alla se chercher une

tête de chou, et le renard alla se chercher une
poule et après l'avoir mangée, il prit aussi le coq ;
mais le lion, l'ours et le loup étaient trop gros
pour pouvoir sortir. Alors l'aubergiste les fit
conduire à un endroit où il y avait justement une
vache couchée dans l'herbe, afin qu'ils pussent se
rassasier. Et seulement après avoir pris soin de
ses bêtes, le chasseur demanda à l'aubergiste
pourquoi la ville était ainsi tendue de crêpe noir.
Celui-ci répondit : « Parce que demain, la fille
unique de notre roi va mourir. » Le chasseur
demanda : « Est-elle moribonde ? — Que non,
répondit l'aubergiste, elle est fraîche et dispose,
mais elle devra tout de même mourir. —
Comment cela ? demanda le chasseur. — Aux
portes de la ville il y a une haute montagne où
habite un dragon ; tous les ans il faut lui donner
une vierge, faute de quoi il dévaste tout le pays.
Or on lui a déjà livré toutes les vierges, et il ne
reste plus personne que la fille du roi ; mais il n'y
a pas de grâce possible et elle doit lui être livrée ;
et cela se fera demain. » Le chasseur dit :
« Pourquoi ne tue-t-on pas le dragon ? — Ah,
répondit l'aubergiste, tant de chevaliers ont
essayé, mais ils l'ont tous payé de leur vie ; le roi
a promis sa fille en mariage à celui qui vaincra le
dragon, et après sa mort il héritera aussi du
royaume. »

Le chasseur n'ajouta pas un mot, mais le
lendemain il prit ses bêtes et monta avec elles sur
la montagne du dragon. Au sommet il y avait une

petite chapelle, et sur l'autel étaient posées trois coupes pleines portant l'inscription : « Celui qui videra les coupes deviendra l'homme le plus fort du monde et maniera l'épée qui est enterrée devant le seuil. » Le chasseur ne but pas tout de suite, il sortit et chercha l'épée dans la terre, mais ne parvint pas à la déplacer. Alors il rentra et vida les coupes, et ensuite il fut assez fort pour prendre l'épée et la manier aisément. Quand vint le moment où la jeune fille devait être livrée au dragon, le roi, le maréchal et les courtisans l'accompagnèrent hors de la ville. Elle vit le chasseur de loin sur le sommet de la montagne, et croyant que c'était le dragon qui l'attendait, elle refusa de monter, mais comme autrement toute la ville aurait été perdue, il lui fallut enfin gravir son calvaire. Le roi et les courtisans rentrèrent au château grandement affligés, mais le maréchal du roi resta en arrière pour assister à tout de loin.

Quand la princesse arriva au sommet de la montagne, elle n'y trouva pas le dragon, mais le jeune chasseur qui la réconforta en lui disant qu'il voulait la sauver ; il la fit entrer dans la chapelle et l'y enferma. Très peu de temps après, le dragon à sept têtes s'en vint au milieu d'un grand tumulte. A la vue du chasseur, il s'étonna et dit : « Que viens-tu faire sur cette montagne ? » Le chasseur répondit : « Je veux me battre avec toi. » Le dragon dit : « Plus d'un chevalier y a laissé sa vie, je viendrai bien à bout de toi aussi » et il se mit à souffler le feu par ses

sept gueules. Le feu devait faire flamber l'herbe
sèche, et le chasseur serait mort étouffé dans la
fumée du brasier, mais ses animaux accoururent
et piétinèrent le feu. Alors le dragon se jeta sur le
chasseur, mais celui-ci brandit son épée si vite
qu'elle siffla en l'air, et lui trancha trois têtes.
Plus furieux que jamais, le dragon se dressa,
cracha ses flammes sur le chasseur et voulut se
précipiter sur lui, mais celui-ci brandit de nouveau son épée et lui trancha encore trois têtes. Le
monstre était épuisé, il s'affaissa tout en voulant
encore s'élancer sur le chasseur, mais celui-ci
rassembla ses dernières forces pour lui trancher
la queue, et comme il ne pouvait plus combattre,
il appela ses animaux qui le mirent en pièces. Le
combat terminé, le chasseur ouvrit la porte de la
chapelle et trouva la princesse étendue sur le sol,
car, de peur et d'effroi, elle avait perdu connaissance pendant la bataille. Il la porta dehors et
quand elle se ranima et ouvrit les yeux, il lui
montra le dragon taillé en pièces et lui dit qu'à
présent elle était délivrée. Elle se réjouit et dit :
« Tu seras mon époux bien aimé, car mon père
m'a promise à celui qui tuerait le dragon. » Là-
dessus elle détacha de son cou son collier de
corail et le partagea entre les animaux pour les
récompenser, et ce fut le lion qui eut le petit
fermoir d'or. Quant à son mouchoir, sur lequel il
y avait son nom, elle en fit cadeau au chasseur,
qui alla couper les langues des sept têtes du

dragon, les enveloppa dans le mouchoir et les mit soigneusement de côté.

Cela fait, il était tellement abattu et fatigué par le feu et la bataille qu'il dit à la jeune fille : « Nous sommes tous deux si abattus et fatigués, nous devrions dormir un peu. » Elle dit oui, et ils se couchèrent par terre et le chasseur dit au lion : « Tu monteras la garde, afin que personne ne nous attaque pendant notre sommeil », et ils s'endormirent tous les deux. Le lion se coucha à leur côté pour monter la garde, mais lui aussi était fatigué par le combat, de sorte qu'il appela l'ours et lui dit : « Couche-toi à côté de moi, il faut que je dorme un peu, s'il y a quelque chose réveille-moi. » Alors l'ours se coucha à côté de lui, mais lui aussi était fatigué, il appela donc le loup et lui dit : « Couche-toi à côté de moi, il faut que je dorme un peu, s'il se passe quelque chose réveille-moi. » Alors le loup se coucha à côté de lui, mais lui aussi était fatigué, il appela donc le renard et lui dit : « Couche-toi à côté de moi, il faut que je dorme un peu, s'il se passe quelque chose réveille-moi. » Alors le renard se coucha à côté de lui, mais lui aussi était fatigué, il appela le lièvre et lui dit : « Couche-toi à côté de moi, il faut que je dorme un peu, s'il se passe quelque chose réveille-moi. » Alors le lièvre se coucha à côté de lui, le pauvre lièvre aussi était fatigué, mais il n'avait personne pour le remplacer, et il s'endormit. A présent la princesse, le chasseur, le lion, l'ours, le loup, le renard et le lièvre dor-

maient, et tous étaient plongés dans un profond
sommeil.

Cependant, le maréchal, qui devait assister à
tout de loin, voyant que le dragon n'emportait
pas la princesse et que tout restait calme sur la
montagne, prit son courage à deux mains et
monta jusqu'au sommet. Là, le dragon était
étendu par terre, mis en pièces et déchiqueté, et
non loin de lui étaient couchés la princesse et un
chasseur avec ses animaux, qui tous dormaient
profondément. Et comme il était méchant et
impie, il saisit son épée, trancha d'un coup le tête
du chasseur et, prenant la jeune fille dans ses
bras, la porta en bas. Alors elle se réveilla et fut
prise d'épouvante, mais le maréchal lui dit :
« Tu es entre mes mains, tu diras que c'est moi
qui ai tué le dragon. — Je ne peux pas dire cela,
répondit-elle, car c'est un chasseur qui l'a fait
avec ses animaux. » Alors il tira son épée et la
menaça de la tuer si elle n'obéissait pas, et ainsi il
la força à donner sa parole. Après quoi il la mena
devant le roi, qui fut transporté de joie en
revoyant sa chère enfant vivante, alors qu'il la
croyait dévorée par le monstre. Le maréchal lui
dit : « J'ai tué le dragon et ainsi, j'ai délivré la
jeune fille et tout le royaume, c'est pourquoi je
l'exige pour femme, selon ce qui a été promis. »
Le roi demanda à la jeune fille : « Ce qu'il dit
est-il vrai ? — Ah oui, répondit-elle, il faut le
croire, mais je me réserve le droit de ne célébrer
les noces que dans un an et un jour », car elle

espérait pendant ce temps avoir des nouvelles de son gentil chasseur.

Cependant, les animaux étaient encore couchés sur la montagne à côté de leur maître mort, et ils dormaient ; alors un gros bourdon vint se poser sur le nez du lièvre, qui le chassa avec sa patte et continua de dormir. Le bourdon revint, mais le lièvre le chassa encore et continua son somme. Alors il revint une troisième fois et lui piqua le nez si violemment qu'il se réveilla. Sitôt réveillé, il réveilla le renard, et le renard le loup, et le loup l'ours, et l'ours le lion. Et quand le lion fut réveillé et qu'il constata que la jeune fille était partie et que son maître était mort, il se mit à rugir effroyablement, et s'écria : « Qui a fait cela ? Ours, pourquoi ne m'as-tu pas réveillé ? » L'ours demanda au loup : « Pourquoi ne m'as-tu pas réveillé ? » et le loup au renard : « Pourquoi ne m'as-tu pas réveillé ? » et le renard au lièvre : « Pourquoi ne m'as-tu pas réveillé ? » Seulement le pauvre lièvre ne sut que répondre et toute la faute retomba sur lui. Alors ils voulurent le mettre à mal, mais il les implora en disant : « Ne me tuez pas, je vais rendre la vie à notre maître. Je connais une montagne où pousse une certaine racine, celui qui l'a dans la bouche est guéri de toutes les maladies et de toutes les blessures. Mais la montagne est à deux cents lieues d'ici. » Le lion dit : « Tu feras l'aller et retour en vingt-quatre heures et tu rapporteras la racine. » Le lièvre partit d'un bond et au bout de vingt-quatre

heures, il était revenu et apportait la racine. Le
lion remit la tête du chasseur en place, et le lièvre
lui plaça la racine dans la bouche ; bientôt tout se
rassembla, le cœur se mit à battre et la vie revint.
Alors le chasseur se réveilla, et effrayé de ne plus
voir la jeune fille, il pensa : « Elle est sans doute
partie pendant mon sommeil pour se débarrasser
de moi. » Dans sa grande hâte, le lion avait remis
la tête de son maître à l'envers, mais, absorbé par
ses tristes pensées au sujet de la princesse, celui-
ci ne s'en aperçut pas : à midi seulement, au
moment de manger, il constata qu'il avait la tête
du côté du dos, et n'en comprenant pas la cause,
il demanda à ses animaux ce qui lui était arrivé
pendant son sommeil. Alors le lion lui raconta
qu'ils s'étaient tous endormis de fatigue et qu'à
leur réveil, ils l'avaient trouvé mort, la tête
tranchée ; le lièvre était allé chercher la racine de
vie, mais lui, dans sa hâte, lui avait mis la tête à
l'envers ; à présent il allait réparer sa faute. Alors
il détacha de nouveau la tête du chasseur, et
quand il l'eut retournée, le lièvre referma la plaie
avec la racine.

Cependant le chasseur était triste, il errait de
par le monde et faisait danser ses animaux
devant les gens. Il advint que juste un an après, il
se trouva dans la ville où il avait délivré la jeune
fille du dragon, et cette fois, la ville était toute
tendue d'écarlate. Alors il dit à l'aubergiste :
« Qu'est-ce que cela veut dire ? Il y a un an la
ville était tendue de crêpe noir, que signifie

aujourd'hui cet écarlate ? » L'aubergiste répondit : « Il y a un an, la fille de notre roi devait être livrée au dragon, mais le maréchal s'est battu avec lui et l'a tué, et demain on doit célébrer leur mariage ; ainsi, la ville était alors tendue de crêpe en signe de deuil, et aujourd'hui elle l'est d'écarlate en signe de joie. »

Le lendemain, qui était le jour de la noce, le chasseur dit à l'aubergiste à l'heure du déjeuner : « Croirez-vous, monsieur l'aubergiste, qu'aujourd'hui même, je mangerai chez vous du pain provenant de la table du roi ? — Oui-da, dit l'aubergiste, je parierais bien cent pièces d'or que ce n'est pas vrai. » Le chasseur accepta le pari et donna sa bourse en gage avec autant de pièces d'or. Puis il appela le lièvre et lui dit : « Va, cher ami sauteur, et apporte-moi du pain tel qu'en mange le roi. » Or, le lièvre était le plus petit de tous, il ne pouvait charger personne d'autre de la commission et il lui fallut bien se mettre en route. « Aïe, pensait-il, si je saute comme ça tout seul dans les rues, j'aurai les chiens du boucher à mes trousses. » C'est bien ce qui arriva, et les chiens se lancèrent à sa poursuite dans le dessein de lui rapiécer son honnête pelage. Mais d'un bond, hop ! il se réfugia dans une guérite sans que le soldat s'en aperçût. Et quand les chiens voulurent le faire sortir, le soldat, ne comprenant pas la plaisanterie, tapa dessus avec la crosse de son fusil, de sorte qu'ils s'enfuirent en poussant des cris et en gémissant. Quand le lièvre se vit le champ libre, il courut d'une traite au château, alla tout droit chez la princesse, s'assit sous sa chaise et lui gratta le pied. Alors elle dit : « Veux-tu bien t'en aller ! » car elle croyait que c'était son chien. Le lièvre lui gratta une seconde fois le pied, et elle dit de nouveau : « Veux-tu bien t'en aller ! », croyant toujours que c'était son chien. Mais le lièvre ne perdit pas la tête, il la gratta une troisième fois, alors elle se baissa pour voir ce que c'était et reconnut le lièvre à son collier. Alors elle le prit sur ses genoux, le porta dans sa chambre et dit : « Mon gentil lièvre, que veux-tu ? » Il répondit : « Mon maître, qui a tué le dragon, est ici et m'envoie chercher du pain tel qu'en mange le roi. » Alors elle fut pleine de joie et fit venir le boulanger et lui ordonna d'apporter un pain semblable à celui du roi. Et le petit lièvre ajouta : « Mais il faut aussi que le boulanger me le porte, afin que les chiens du boucher ne me fassent pas de mal. » Le boulanger le lui porta jusqu'au seuil de l'auberge ; là, le lièvre se dressa sur ses pattes de derrière, saisit le pain avec ses pattes de devant et le porta à son maître. Alors le chasseur dit : « Voyez-vous, monsieur l'aubergiste, les cent pièces d'or sont à moi. » L'aubergiste fut étonné, mais le chasseur continua : « Nous disons donc que j'ai le pain, monsieur l'aubergiste, mais à présent je voudrais aussi manger du rôti du roi. » L'aubergiste dit : « J'aimerais bien voir cela », mais il ne voulut plus parier. Le chasseur appela le renard et dit :

« Mon petit renard, va me chercher du rôti tel qu'en mange le roi. » Le renard connaissait mieux que personne les chemins dérobés, il se glissa dans les coins sans qu'un chien l'aperçût, se mit sous la chaise de la princesse et lui gratta le pied. Alors elle regarda sous sa chaise et reconnut le renard à son collier, elle l'emporta dans sa chambre et dit : « Gentil renard, que veux-tu ? » Il répondit : « Mon maître, qui a tué le dragon, est ici et m'envoie demander un rôti tel qu'en mange le roi. » Alors elle fit venir le cuisinier, qui dut préparer un rôti tel que le roi en mangeait et le porter jusqu'au seuil de l'auberge ; là, le renard lui prit le plat, agita sa queue pour chasser les mouches qui s'étaient posées sur le rôti et le porta à son maître. « Voyez-vous, monsieur l'aubergiste, dit le chasseur, voici déjà le pain et la viande, à présent je veux aussi des légumes tels qu'en mange le roi. » Alors il appela le loup et dit : « Cher loup, va me chercher des légumes tels qu'en mange le roi. » Alors le loup alla tout droit au château, car il ne craignait rien ni personne, et quand il arriva chez la princesse, il la tira par-derrière pour l'obliger à se retourner. Elle le reconnut à son collier et l'emmena dans sa chambre et lui dit : « Cher loup, que veux-tu ? » Il répondit : « Mon maître, qui a tué le dragon, est ici et m'envoie demander des légumes tels qu'en mange le roi. » Alors elle fit venir le cuisinier, qui dut préparer des légumes tels que le roi en mangeait et les porter jusqu'à l'auberge : là, le loup prit le plat et l'apporta à son maître. « Voyez-vous, monsieur l'aubergiste, dit le chasseur, voici le pain, la viande et les légumes, à présent je veux aussi des bonbons tels qu'en mange le roi. » Il appela l'ours et dit : « Cher ours, toi qui aimes bien les friandises, va me chercher des bonbons tels qu'en mange le roi. » Alors l'ours trotta vers le château et tout le monde s'écartait sur son passage : mais lorsqu'il arriva devant les gardes, ils montrèrent leurs fusils et ne voulurent pas le laisser passer. Alors il se dressa et donna de la patte quelques gifles à droite et à gauche, de sorte que toute la garde s'écroula, après quoi il alla tout droit chez la princesse, se plaça derrière elle et grogna un peu. Elle se retourna et le reconnut et, lui disant de la suivre dans sa chambre, elle lui demanda : « Cher ours, que veux-tu ? » Il répondit : « Mon maître, qui a tué le dragon, est ici et m'envoie demander des bonbons tels qu'en mange le roi. » Alors elle fit venir le confiseur, qui dut faire des bonbons tels qu'en mangeait le roi et les porter jusqu'à l'auberge : là, l'ours donna d'abord un coup de langue aux petits pois en sucre qui avaient roulé par terre, puis il se dressa sur ses pattes, prit le plat et l'apporta à son maître. « Voyez-vous, monsieur l'aubergiste, voici le pain, la viande, les légumes et les bonbons, à présent je veux boire aussi du vin tel qu'en boit le roi. » Il appela son lion et lui dit : « Cher lion, toi qui aimes bien boire un coup, va me chercher du

vin tel qu'en boit le roi. » Alors le lion marcha
dans la rue et les gens prirent la fuite en le
voyant. et quand il arriva devant les gardes, ils
voulurent lui barrer le chemin, mais il n'eut qu'à
grogner une seule fois, et tout le monde s'enfuit.
Le lion se posta donc devant la chambre royale et
frappa avec sa queue. La princesse sortit et pour
un peu elle eût été saisie d'épouvante en voyant
le lion, mais elle le reconnut au fermoir d'or de
son collier, elle le fit entrer dans sa chambre et
dit : « Gentil lion, que veux-tu ? » Il répondit :
« Mon maître, qui a tué le dragon, est ici et
m'envoie demander du vin comme celui que boit
le roi. » Alors elle fit venir le sommelier, pour
qu'il donnât au lion du vin comme celui que
buvait le roi. Le lion dit : « Je vais aller voir avec
lui s'il me donne celui qu'il faut. » Il accompagna
donc le sommelier et quand ils furent en bas,
celui-ci voulut lui tirer du vin ordinaire, qui était
pour les domestiques du roi, mais le lion dit :
« Halte ! Je veux d'abord le goûter », il s'en tira
un demi-setier et le vida d'un trait. « Non, dit-il,
ce n'est pas le bon. » Le sommelier le regarda de
travers, mais il s'apprêta à lui donner d'un autre
tonneau, qui était pour le maréchal du roi. Le
lion dit : « Halte ! Je veux d'abord le goûter », il
s'en tira un demi-setier et le but : « Il est
meilleur, mais ce n'est pas encore le bon. » Alors
le sommelier se fâcha et dit : « Comme si ce sot
animal était connaisseur ! » Mais le lion lui
donna derrière les oreilles un coup qui le fit

tomber sans douceur, et quand il se fut relevé, il
conduisit le lion sans mot dire dans une petite
cave particulière où était le vin du roi, dont
personne n'avait le droit de boire. Le lion s'en
tira d'abord un demi-setier et le goûta, puis il
dit : « Cela pourrait être le bon », et il ordonna
au sommelier d'en remplir six bouteilles. Puis ils
remontèrent ; mais quand le lion se trouva à l'air
libre au sortir de la cave, il se mit à tituber, car il
était un peu ivre, en sorte que le sommelier dut
lui porter le vin jusqu'au seuil de l'auberge : là,
le lion prit le panier dans sa gueule et l'apporta à
son maître. Le chasseur dit : « Voyez-vous,
monsieur l'aubergiste, j'ai le pain, la viande, les
légumes, les bonbons et le vin comme ceux du
roi, et à présent je vais me mettre à table avec
mes animaux », il s'assit, mangea et but, donna
aussi quelque chose à manger et à boire au lièvre,
au renard, au loup, à l'ours et au lion, et il se
sentit de bonne humeur, car il voyait que la
princesse l'aimait toujours. Et quand il eut fini
son repas, il dit : « Monsieur l'aubergiste, maintenant que j'ai mangé et bu comme le roi, je vais
aller à la cour du roi afin d'épouser la princesse. » L'aubergiste demanda : « Comment cela
se pourrait-il, puisqu'elle a déjà un fiancé et que
les noces seront célébrées aujourd'hui ? » Alors le
chasseur tira de sa poche le mouchoir que la
princesse lui avait donné sur la montagne du
dragon et où les sept langues du monstre étaient
enveloppées, et il dit : « Ce que j'ai dans la main

m'y aidera. » Alors l'aubergiste regarda le mouchoir et dit : « Quand je croirai tout le reste, je ne
croirai pas cela, et je parie ma maison et mon
auberge. » Mais le chasseur prit une bourse avec
mille pièces d'or et la posa sur la table en disant :
« Voici mon enjeu. »

Cependant le roi dit à sa fille à la table royale :
« Que voulaient toutes ces bêtes féroces qui sont
venues te voir et ont fait des allées et venues dans
mon château ? » Elle répondit : « Je ne peux pas
le dire, mais envoyez chercher le maître de ces
animaux, vous ferez sagement. » Le roi envoya
un serviteur à l'auberge et fit inviter l'inconnu, et
le serviteur arriva juste au moment où le chasseur faisait son pari avec l'aubergiste. Alors il
dit : « Vous voyez, monsieur l'aubergiste, le roi
m'envoie un serviteur pour m'inviter, mais je
n'irai pas tout de go. » Et il dit au serviteur : « Je
prie le roi de me faire envoyer des habits royaux,
un carrosse avec six chevaux et des domestiques
pour me servir. » Quand le roi connut sa réponse,
il dit à sa fille : « Que dois-je faire ? » Elle dit :
« Envoyez-le chercher comme il le demande,
vous ferez sagement. » Alors le roi envoya des
habits royaux, un carrosse avec six chevaux et
des domestiques pour le servir. En les voyant
venir, le chasseur dit : « Vous voyez, monsieur
l'aubergiste, on vient me chercher comme je l'ai
exigé », et il mit les habits royaux, prit le
mouchoir avec les langues du dragon, et se rendit
chez le roi. En le voyant venir, le roi dit à sa fille :

« Comment dois-je le recevoir ? » Elle répondit :
« Allez à sa rencontre, vous ferez sagement. »
Alors le roi alla à sa rencontre et le conduisit en
haut, et ses animaux le suivirent. Le roi lui
désigna une place à côté de lui et de sa fille, en sa
qualité de fiancé le maréchal était assis de l'autre
côté, mais il ne le reconnut pas. Or, on apportait
justement les sept têtes du dragons pour les faire
voir, et le roi dit : « Ces sept têtes sont celles que
le maréchal a tranchées au dragon, c'est pourquoi je lui donne aujourd'hui ma fille pour
femme. » Alors le chasseur se leva, ouvrit les sept
gueules et dit : « Où sont les septs langues du
dragon ? » Le maréchal fut pris de peur, il devint
tout pâle et ne sut que répondre, enfin il dit dans
sa frayeur : « Les dragons n'ont pas de langue. »
Le chasseur dit : « Les menteurs n'en devraient
pas avoir, mais les langues de dragon·sont les
preuves du vainqueur », et il défit son mouchoir ;
elles y étaient toutes les sept, puis il mit chaque
langue dans la gueule dont elle faisait partie, et
elle s'y adaptait parfaitement. Ensuite il prit le
mouchoir où était brodé le nom de la princesse et
il le montra à la jeune fille en lui demandant à
qui elle l'avait donné, alors elle répondit : « A
celui qui a tué le dragon. » Puis il appela ses
animaux, ôta à chacun son collier et au lion son
fermoir d'or, les montra à la jeune fille et lui
demanda à qui ils appartenaient. Elle répondit :
« Le collier et le fermoir d'or étaient à moi, je les
ai partagés entre les animaux qui ont aidé à

vaincre le dragon. » Alors le chasseur dit :
« Quand, las du combat, je me suis couché pour
dormir, le maréchal est venu et m'a tranché la
tête. Ensuite il a emporté la princesse, se donnant
pour celui qui avait tué le dragon ; et je prouve
qu'il a menti par ces langues, ce mouchoir et ce
collier. » Ensuite il raconta comment ses animaux l'avaient guéri avec une racine merveilleuse, et qu'il avait erré tout un an avec eux pour
revenir enfin ici, où il avait appris l'imposture du
maréchal grâce au récit de l'aubergiste. Alors le
roi demanda à sa fille : « Est-il vrai que celui-ci
a tué le dragon ? » Alors elle répondit : « Oui,
c'est vrai ; à présent je peux révéler le forfait du
maréchal, puisqu'il éclate au grand jour sans que
j'y sois pour rien, car il m'avait arraché la
promesse de me taire. C'est pourquoi je me suis
réservé le droit de ne célébrer le mariage que
dans un an et un jour. » Alors le roi fit venir
douze conseillers pour juger le maréchal, et ils le
condamnèrent à être écartelé par quatre bœufs.
Ainsi le maréchal fut-il exécuté, quant au roi, il
donna sa fille au chasseur et le nomma gouver-
neur de tout son royaume. La noce fut célébrée
en grande joie, et le jeune roi fit venir son père et
son père adoptif et les combla de trésors. Il
n'oublia pas non plus l'aubergiste, il le fit venir et
lui dit : « Voyez-vous, monsieur l'aubergiste, j'ai
épousé la princesse, en sorte que votre maison et
votre auberge sont à moi. » L'aubergiste dit :
« Oui, ce serait justice. » Mais le jeune roi dit :

« La grâce primera le droit : vous garderez votre maison et votre auberge, et je vous fais cadeau des mille pièces d'or par-dessus le marché. »

A présent le jeune roi et la jeune reine étaient gais et vivaient heureux ensemble. Il allait souvent à la chasse, car il y prenait plaisir, et ses animaux le suivaient. Or il y avait dans le voisinage une forêt dont on disait qu'elle n'était pas rassurante et qu'une fois qu'on était dedans, il n'était pas facile d'en sortir. Cependant le jeune roi avait grande envie d'aller y chasser et le vieux roi n'eut pas de repos qu'il ne le lui eût permis. Alors il se mit en route avec une nombreuse suite et quand il arriva à la forêt, il vit une grande biche blanche comme neige et il dit à ses gens : « Arrêtez-vous ici et attendez mon retour, je veux poursuivre cette belle bête », puis il s'enfonça dans la forêt, et seuls ses animaux le suivirent. Ses gens firent halte et l'attendirent jusqu'au soir, mais il ne revint pas : alors ils rentrèrent au château et dirent à la jeune reine : « Le jeune roi a poursuivi une biche blanche dans la forêt enchantée et il n'est pas revenu. » Alors elle eut grande crainte à son sujet. Quant à lui, il avait toujours suivi la belle bête, mais sans parvenir à la rattraper ; chaque fois qu'il la croyait à sa portée, il la voyait tout à coup bondir au loin, et pour finir, elle disparut tout à fait. Alors il s'aperçut qu'il s'était profondément enfoncé dans la forêt, il prit son cor et souffla, mais il ne reçut pas de réponse, car ses gens ne

pouvaient pas l'entendre. Et comme en outre la
nuit tombait, il vit qu'il ne pourrait pas rentrer
chez lui ce jour-là, il descendit donc de cheval, se
fit du feu auprès d'un arbre, où il se disposa à
passer la nuit. Tandis qu'il était assis près du feu,
ses animaux couchés à côté de lui, il lui sembla
entendre une voix humaine : il regarda de tous
côtés, mais ne put rien distinguer. Peu après il
entendit de nouveau des gémissements qui
paraissaient venir d'en haut, alors il leva la tête
et aperçut une vieille femme perchée dans l'arbre
qui ne cessait de gémir : « Oh, oh, oh, que j'ai
froid ! » Il lui dit : « Si tu as froid, descends et
viens te chauffer. » Mais elle répondit : « Non,
tes animaux me mordraient. » Il répondit : « Ils
ne te feront rien, ma brave vieille, viens donc. »
Or c'était une sorcière et elle dit : « Je vais te
lancer une verge du haut de l'arbre, si tu leur en
donnes un coup sur le dos, ils ne me feront rien. »
Alors elle lui lança une petite verge et il leur en
donna un coup, aussitôt ils cessèrent de bouger et
furent changés en pierre. Et quand la sorcière fut
tranquille de ce côté-là, elle descendit de l'arbre
et le touchant lui aussi avec une baguette, elle le
changea en pierre. Puis elle éclata de rire et le
traîna avec ses animaux dans une fosse où il y
avait déjà beaucoup de pierres pareilles.

Cependant, comme le jeune roi ne revenait
toujours pas, les craintes et les appréhensions de
la reine ne cessaient de grandir. Or il advint que
juste en ce temps-là, l'autre frère, qui était parti

vers l'est au moment de leur séparation, arriva
dans le royaume. Il avait cherché un emploi et
n'en ayant pas trouvé, il avait erré à l'aventure
en faisant danser ses animaux. Alors il eut l'idée
d'aller voir le couteau qu'ils avaient fiché dans
un tronc d'arbre en se séparant, afin d'apprendre
ce qu'il était advenu de son frère. Une fois là, il
vit que le côté de son frère était à demi rouillé, à
demi brillant. Alors il fut effrayé et pensa : « Il
faut qu'un grand malheur lui soit arrivé, mais je
puis peut-être encore le sauver, car la moitié de
la lame est encore brillante. » Il partit donc vers
l'ouest avec ses animaux et quand il arriva à la
porte de la ville, le garde vint à sa rencontre et lui
demanda s'il fallait annoncer son retour à son
épouse : la jeune reine était déjà depuis plusieurs
jours dans une grande angoisse à cause de son
absence, car elle craignait qu'il n'eût péri dans la
forêt enchantée. C'est que la sentinelle ne doutait
pas qu'il fût le jeune roi lui-même tant il lui
ressemblait, avec ses bêtes sauvages marchant
sur ses talons. Alors il comprit qu'il s'agissait de
son frère et il pensa : « Le mieux est de me faire
passer pour lui, ainsi je pourrai plus facilement le
sauver. » Il se fit donc accompagner au château
par la sentinelle, et il fut reçu en grande joie. La
jeune reine ne doutait pas que ce fût son époux,
et elle lui demanda pourquoi il s'était absenté si
longtemps. Il répondit : « Je m'étais égaré dans
la forêt et je n'ai pu en sortir plus tôt. » Le soir,
on le coucha dans le lit royal, mais il mit entre lui

et la jeune reine une épée à double tranchant :
elle ne savait pas ce que cela voulait dire, mais
elle n'osa pas l'interroger.

Il demeura là pendant quelques jours et pendant ce temps, il fit des recherches pour savoir ce
qu'il en était de la forêt enchantée ; enfin il dit :
« Il me faut retourner à la chasse. » Le roi et la
jeune reine tentèrent de l'en dissuader, mais il
s'obstina et partit avec une nombreuse suite. Une
fois dans la forêt, il lui advint la même chose qu'à
son frère, il vit une biche blanche et dit à ses
gens : « Restez ici et attendez mon retour, je
veux poursuivre cette belle bête », puis il s'enfonça dans la forêt et ses animaux lui emboîtèrent le pas. Mais il ne put pas rattraper la biche et
s'engagea si profondément dans la forêt qu'il dut
y passer la nuit. Après avoir fait du feu, il
entendit gémir au-dessus de lui : « Oh, oh, oh,
que j'ai froid ! » Alors il leva la tête et vit la
même sorcière perchée en haut de l'arbre. Il dit :
« Si tu as froid, descends et chauffe-toi, ma
brave vieille. » Elle répondit : « Non, tes animaux me mordraient. » Mais il lui dit : « Non, ils
ne te feront rien. » Alors elle s'écria : « Je vais te
lancer une verge, si tu leur en donnes un coup, ils
ne me feront rien. » En entendant cela, le
chasseur se méfia de la vieille et dit : « Je ne bats
pas mes animaux, tu descends, ou je vais te
chercher. » Alors elle s'écria : « Qu'est-ce que tu
veux donc ? Ce n'est pas encore toi qui pourras
me toucher. » Mais il répondit : « Descends, ou

je tire. » Elle dit : « Tire donc, je ne crains pas
tes balles. » Alors il épaula et la visa, mais la
sorcière était protégée contre les balles de plomb,
elle éclata d'un rire strident et dit : « Tu ne m'as
pas encore touchée. » Le chasseur savait à quoi
s'en tenir, il arracha trois boutons d'argent de sa
tunique et en chargea son mousqueton, car
contre cela tous les artifices étaient vains, et
quand il appuya sur la détente, elle s'écroula en
poussant un cri. Alors il posa le pied sur elle et
dit : « Vieille sorcière, si tu ne me dis pas où est
mon frère, je t'empoigne à deux mains et je te
jette dans le feu. » Prise d'une grande peur, elle
demanda grâce et dit : « Il est pétrifié et couché
dans une fosse avec ses animaux. » Alors il la
força à l'accompagner et la menaça en disant :
« Vieux hibou, tu vas ranimer mon frère et toutes
les créatures qui sont là, sans quoi je te jette au
feu. » Elle prit une baguette et en toucha les
pierres : alors son frère revint à la vie ainsi que
ses animaux, et bien d'autres, marchands,
ouvriers, bergers, se levèrent, le remercièrent de
les avoir délivrés et rentrèrent chez eux. Quant
aux frères jumeaux, en se revoyant ils s'embrassèrent et se réjouirent de tout leur cœur. Puis ils
se saisirent de la sorcière, la ligotèrent et la
jetèrent dans le feu, et quand elle fut brûlée, la
forêt s'ouvrit d'elle-même, et comme il y faisait
clair, on put voir le château royal à trois lieues de
là.

Alors les deux frères rentrèrent ensemble à la

maison et en chemin, ils se racontèrent leurs aventures. Et le cadet ayant dit qu'il régnait dans tout le pays à la place du roi, l'autre répondit : « Je m'en suis bien aperçu, car lorsque je suis entré dans la ville et que l'on m'a pris pour toi, on m'a rendu tous les honneurs royaux : la jeune reine m'a pris pour son époux, j'ai dû manger à son côté et dormir dans ton lit. » A ces mots, l'autre fut si jaloux et entra dans une si violente colère qu'il tira son épée et trancha la tête de son frère. Mais quand celui-ci fut couché par terre et qu'il vit son sang rouge couler, il éprouva un violent remords : « Mon frère m'a délivré, s'écria-t-il, et en récompense je l'ai tué ! », et il se mit à gémir tout haut. Alors son lièvre vint lui proposer d'aller chercher la racine de vie, il partit d'un bond et la rapporta à temps : et le mort fut ranimé et ne sentit pas du tout sa blessure.

Là-dessus ils continuèrent leur chemin et le cadet dit : « Tu es semblable à moi, tu as des habits royaux comme moi, et tes animaux te suivent comme moi : nous allons entrer par les deux portes opposées et nous arriverons auprès du vieux roi des deux côtés en même temps. » Ils se séparèrent donc, et la sentinelle de chacune des portes vint annoncer en même temps au vieux roi que le jeune roi était rentré de la chasse avec ses animaux. Le roi dit : « Ce n'est pas possible, les deux portes sont à une lieue l'une de l'autre. » Mais à ce moment, les deux frères entrèrent des deux côtés dans la cour du château

et montèrent ensemble l'escalier. Alors le roi dit à
sa fille : « Dis-moi, lequel est ton époux ? L'un
est pareil à l'autre, moi je ne sais pas. » Alors elle
fut dans une grande angoisse et ne put rien dire ;
enfin elle se rappela le collier qu'elle avait donné
aux animaux, elle chercha et trouva sur l'un des
lions son petit fermoir d'or, et tout heureuse elle
s'écria : « Celui qui suit ce lion, celui-là est mon
vrai époux. » Alors le jeune roi se mit à rire et
dit : « Oui, c'est le vrai », et ils se mirent
ensemble à table, ils burent, mangèrent et furent
joyeux. Le soir, quand le jeune roi alla se
coucher, sa femme lui dit : « Pourquoi, les nuits
dernières, as-tu toujours mis une épée à double
tranchant dans notre lit, j'ai cru que tu voulais
me tuer. » Alors il comprit combien son frère
avait été fidèle.

Peau-de-Mille-Bêtes

Il était une fois un roi qui avait une femme aux cheveux d'or, et elle était si belle qu'on n'aurait pas trouvé sa pareille sur terre. Il advint qu'elle tomba malade, et quand elle se sentit près de mourir, elle appela le roi et lui dit : « Si tu veux te remarier après ma mort, ne prends pas une femme qui ne serait pas aussi belle que moi et n'aurait pas mes cheveux d'or ; il faut me le promettre. » Quand le roi le lui eut promis, elle ferma les yeux et mourut.

Le roi fut longtemps inconsolable et ne songeait pas à prendre une seconde femme. Enfin ses conseillers se dirent : « Impossible de faire autrement, il faut que le roi se remarie, afin que nous ayons une reine. » Alors on envoya des messagers à la ronde chercher une fiancée qui égalât tout à fait en beauté la défunte reine. Mais on n'en put trouver dans le monde entier, et quand on l'aurait trouvée, il n'en existait pas qui eût de pareils cheveux d'or. Les messagers rentrèrent donc chez eux sans avoir rien fait.

Or le roi avait une fille qui était aussi belle que sa défunte mère et qui avait ses cheveux d'or. Quand elle fut grande, le roi un jour la regarda et vit qu'elle était en tous points semblable à sa défunte épouse, et soudain il éprouva pour elle un violent amour. Alors il dit à ses conseillers « Je veux épouser ma fille, car elle est tout le portrait de ma défunte femme, et ainsi j'aurai trouvé une fiancée qui lui ressemble. » En entendant cela, les conseillers prirent peur et dirent « Dieu a interdit que le père épouse sa fille, il ne peut rien sortir de bon de ce péché et tout le royaume sera entraîné à sa perte. » La fille fut encore plus effrayée en apprenant la décision de son père, mais elle espérait encore le détourner de son dessein. Alors elle lui dit : « Avant que j'accède à votre désir, il me faut avoir trois robes, une dorée comme le soleil, une argentée comme la lune, et une brillante comme les étoiles : en outre j'exige un manteau fait de mille peaux et de mille fourrures, pour lequel chaque animal de votre royaume devra donner un morceau de sa peau. » Or elle pensait : « Se procurer cela est tout à fait impossible, et ainsi, je détourne mon père de ses mauvaises pensées. » Mais le roi n'abandonna pas la partie, et les plus habiles jeunes filles de son royaume durent tisser les trois robes, une dorée comme le soleil, une argentée comme la lune, une brillante comme les étoiles ;

et ses chasseurs durent s'emparer de toutes les
bêtes du royaume pour leur enlever un morceau
de peau ; on en fit un manteau composé de mille
fourrures. Enfin, quand tout fut fini, le roi
envoya chercher le manteau, l'étendit devant elle
et dit : « Demain sera le jour des noces. »

Quand la princesse vit qu'il n'y avait plus
d'espoir de changer le cœur de son père, elle
résolut de fuir. La nuit, tandis que tout dormait,
elle prit dans son trésor trois choses précieuses,
un anneau d'or, un petit rouet d'or et un petit
dévidoir d'or ; elle mit dans une coquille de noix
les trois robes de soleil, de lune et d'étoiles,
revêtit le manteau de mille fourrures et se noircit
le visage et les mains avec de la suie. Puis elle se
recommanda à Dieu et se mit en route et marcha
toute la nuit, jusqu'à ce qu'elle arrivât à une
grande forêt. Et comme elle était fatiguée, elle se
jucha dans le creux d'un arbre et s'endormit.

Le soleil se leva et elle dormait encore, et elle
dormait encore qu'il faisait déjà grand jour. Il
advint que le roi à qui appartenait cette forêt
était à la chasse. Quand ses chiens s'approchèrent de l'arbre, ils le flairèrent et se mirent à
courir de tous côtés en aboyant. Le roi dit aux
chasseurs « Allez donc voir quel est le gibier qui
s'est caché là. » Les chasseurs obéirent et quand
ils revinrent, ils dirent : « Il y a dans le creux de
l'arbre un étrange animal : sa peau est faite de
mille pelages, mais il est couché et dort. » Le roi
dit : « Voyez à le prendre vivant, puis attachez-

le sur la voiture et emmenez-le. » Quand les
chasseurs voulurent se saisir de la jeune fille, elle
se réveilla pleine de frayeur et s'écria : « Je suis
une pauvre fille, abandonnée de son père et de sa
mère, ayez pitié et emmenez-moi. » Alors ils
dirent : « Peau-de-Mille-Bêtes, tu feras l'affaire
à la cuisine, viens donc, tu pourras balayer les
cendres. » Alors ils la mirent sur la voiture et la
conduisirent au château royal. Là, ils lui montrèrent un réduit sous l'escalier où la lumière du
jour ne pénétrait pas et ils lui dirent : « Petite-
Peau-de-Mille-Bêtes, tu pourras loger là et y
dormir. » Ensuite on l'envoya à la cuisine, où elle
porta le bois et l'eau, tisonna le feu, pluma la
volaille, éplucha les légumes, tria les cendres et
fit tout le dur travail.

Peau-de-Mille-Bêtes vécut là longtemps dans
une bien grande misère. Ah, belle princesse,
qu'adviendra-t-il encore de toi ? Cependant, il
arriva un jour qu'on donna une grande fête au
château, et elle dit au cuisinier : « Puis-je monter
un peu regarder ? Je me mettrai dehors devant la
porte. » Le cuisinier répondit : « Oui, vas-y
donc, mais sois rentrée dans une demi-heure
pour vider les cendres. » Alors elle prit sa petite
lampe à huile, alla dans son réduit, ôta sa pelisse
et lava la suie de son visage et ses mains, de sorte
que sa beauté parut de nouveau dans tout son
éclat. Puis elle ouvrit la noix et prit la robe qui
brillait comme le soleil. Et quand ce fut fait, elle
monta à la fête, et tout le monde s'écarta sur son

passage, car personne ne la connaissait et on ne doutait pas que ce fût une princesse. Or le roi vint à sa rencontre, lui tendit la main et tout en dansant avec elle, il pensa en son cœur : « Mes yeux n'ont jamais vu de plus belle femme. » Quand la danse fut finie, elle fit une révérence, et le roi ayant tourné la tête, elle disparut et personne ne sut où elle s'en était allée. On appela les gardes qui étaient devant le château et on les interrogea, mais personne ne l'avait aperçue.

Quant à elle, courant à son réduit, elle avait vivement ôté sa robe, puis s'étant noirci le visage et les mains, elle avait remis sa pelisse et était redevenue Peau-de-Mille-Bêtes. Quand elle rentra dans la cuisine pour faire son travail et balayer les cendres, le cuisinier lui dit : « Laisse cela jusqu'à demain, et fais-moi la soupe pour le roi, j'aimerais bien aller aussi jeter un coup d'œil en haut : mais ne laisse pas tomber de cheveux dans la soupe, sinon je ne te donnerai plus rien à manger à l'avenir. » Puis il partit et Peau-de-Mille-Bêtes prépara la soupe du roi et fit une panade aussi bonne qu'elle le put, et quand elle eut fini, elle alla au réduit chercher son anneau d'or et le posa dans le plat où la soupe était versée. Quand la danse fut finie, le roi se fit apporter la soupe et la mangea, et elle lui parut si bonne qu'il crut n'en avoir jamais mangé de meilleure. Mais comme il arrivait au fond, il y avait un anneau d'or et ne put comprendre comment il était venu là. Alors il ordonna de

faire venir le cuisinier. En entendant l'ordre, le
cuisinier prit peur et dit à Peau-de-Mille-Bêtes :
« Sûrement tu as laissé tomber un cheveu dans la
soupe ; si c'est vrai tu seras battue. » Quand il fut
devant le roi, celui-ci lui demanda qui avait fait
la soupe. Le cuisinier répondit : « C'est moi. »
Mais le roi dit : « Ce n'est pas vrai, car elle était
faite autrement, et bien mieux que d'habitude. »
Il répondit : « J'avoue que ce n'est pas moi qui
l'ai faite, mais la petite Peau-de-Mille-Bêtes. »
Le roi dit : « Va la chercher. »

Quand Peau-de-Mille-Bêtes fut devant lui, le
roi lui demanda : « Qui es-tu ? — Je suis une
pauvre fille qui n'a plus ni père ni mère. » Il
demanda : « Que fais-tu dans mon château ? »
Elle répondit : « Je ne suis bonne à rien, qu'à
recevoir les bottes qu'on me jette à la figure. » Il
demanda encore : « D'où as-tu l'anneau qui était
dans la soupe ? » Elle répondit : « Je ne sais rien
de cet anneau. » Ainsi le roi ne put rien apprendre et dut la renvoyer.

Quelque temps après, il y eut de nouveau une
fête, et Peau-de-Mille-Bêtes demanda comme
auparavant au cuisinier la permission d'aller
regarder. Il répondit : « Oui, mais reviens dans
une demi-heure et prépare au roi la panade qu'il
aime tant. » Alors elle courut à son réduit et
sortit de la noix la robe qui était argentée comme
la lune, puis elle la mit. Ensuite elle monta et elle
avait l'air d'une princesse ; et le roi vint à sa
rencontre et se réjouit de la revoir, et comme

justement le bal s'ouvrait, ils dansèrent ensemble. Mais quand la danse fut finie, elle disparut
de nouveau, si rapidement que le roi ne put pas
voir où elle allait. Quant à elle, elle courut à son
réduit et, étant redevenue Peau-de-Mille-Bêtes,
elle alla à la cuisine faire la soupe du roi. Quand
le cuisinier fut monté, elle alla chercher le petit
rouet d'or et le mit dans le plat où la soupe était
servie. Puis on la porta au roi qui la mangea et la
trouva aussi bonne que la première fois, et fit
venir le cuisinier qui dut avouer cette fois encore
que Peau-de-Mille-Bêtes avait fait la soupe.
Alors Peau-de-Mille-Bêtes revint devant le roi,
mais elle répondit qu'elle était juste bonne à
recevoir les bottes qu'on lui jetait à la figure et
qu'elle ignorait tout du petit rouet d'or.

Quand le roi donna une troisième fête, il n'en
alla pas autrement que les autres fois. Pourtant le
cuisinier lui dit : « Tu es une sorcière, petite
Peau-de-Mille-Bêtes, il faut que tu mettes toujours quelque chose dans la soupe pour qu'elle
soit si bonne et que le roi la trouve meilleure que
la mienne », mais elle le supplia tellement qu'il la
laissa monter pour un court moment. Alors elle
mit sa robe qui scintillait comme les étoiles et
entra dans la salle ainsi vêtue. Le roi dansa
encore avec la belle jeune fille et pensa que
jamais encore elle n'avait été aussi belle. Et tout
en dansant, il lui mit un anneau d'or au doigt
sans qu'elle s'en aperçût, et il avait ordonné que
la danse durât très longtemps. A la fin, il voulut

lui prendre les mains, mais elle se dégagea et
s'échappa d'un bond si vif qu'elle se perdit parmi
les gens et disparut à ses yeux. Elle courut aussi
vite qu'elle put jusqu'à son réduit sous l'escalier ;
mais comme elle était restée trop longtemps et
que la demi-heure était passée, elle ne put pas
retirer sa belle robe, elle eut juste le temps de
jeter sa pelisse de fourrure par-dessus, et dans sa
hâte, elle ne se mit pas non plus de la suie
partout, et un de ses doigts resta blanc. Puis
Peau-de-Mille-Bêtes courut à la cuisine, prépara
la soupe du roi et, dès que le cuisinier fut parti, y
mit le dévidoir d'or. En trouvant le dévidoir au
font du plat, le roi fit appeler Peau-de-Mille-
Bêtes, alors il aperçut son doigt blanc et vit
l'anneau qu'il lui avait mis au bal. Il la saisit par
la main et la retint, et comme elle voulait se
dégager et s'enfuir, sa pelisse s'entrouvrit et la
robe étoilée scintilla dessous. Le roi saisit la
pelisse et l'arracha. Alors ses cheveux d'or furent
découverts et elle apparut dans toute sa splendeur et ne put pas continuer à se cacher. Et
quand elle eut nettoyé la suie et la cendre de son
visage, elle était plus belle que personne ne le fut
jamais sur terre. Cependant le roi lui dit : « Tu es
ma chère fiancée et nous ne nous séparerons plus
jamais. » Ensuite on célébra les noces et ils
vécurent heureux jusqu'à la fin de leurs jours.

L'alouette chanteuse et sauteuse

Il était une fois un homme qui était sur le point
de faire un grand voyage, et au moment de
partir, il demanda à ses trois filles ce qu'il devait
leur rapporter. L'aînée demanda des perles, la
deuxième des diamants, quant à la troisième, elle
dit : « Cher père, je voudrais une alouette chanteuse et sauteuse. » Le père dit : « Oui, si je peux
en trouver une, tu l'auras », puis il les embrassa
et s'en fut. Quand le temps fut venu de reprendre
le chemin du retour, il avait acheté les perles et
les diamants pour les deux aînées, mais l'alouette
chanteuse et sauteuse demandée par la cadette, il
l'avait cherchée partout en vain, et cela le
chagrinait, car c'était son enfant préférée. Or,
son chemin passait par une forêt au cœur de
laquelle s'élevait un château splendide, et à côté
du château il y avait un arbre, et tout en haut de
l'arbre il vit une alouette chanter et sauter. « Eh,
tu tombes fort à propos », se dit-il tout heureux,

et il appela son domestique pour qu'il montât sur l'arbre et prît le petit animal. Mais quand il s'approcha de l'arbre, un lion en sortit d'un bond, se secoua et se mit à rugir si terriblement que le feuillage en trembla sur les arbres. « Qui veut me voler mon alouette chanteuse et sauteuse, s'écria-t-il, je le dévore. » L'homme dit alors : « Je ne savais pas que cet oiseau t'appartenait : je veux réparer mes torts et me racheter à prix d'or, laisse-moi seulement la vie. » Le lion dit : « Tu ne peux pas être sauvé, sauf si tu promets de me donner la première créature que tu rencontreras en rentrant chez toi ; si tu y consens, je te donne la vie et l'oiseau pour ta fille par-dessus le marché. » Mais l'homme refusa en disant : « Cela pourrait être ma fille cadette, c'est elle qui m'aime le plus et elle court toujours à ma rencontre quand je rentre à la maison. » Mais le serviteur avait peur et dit : « Pourquoi serait-ce justement votre fille ? ce pourrait être aussi bien un chat ou un chien. » Alors l'homme se laissa convaincre, il prit l'alouette chanteuse et sauteuse et promit au lion de lui donner la première créature qu'il rencontrerait en rentrant chez lui.

Comme il était arrivé et allait entrer dans sa maison, la première créature qu'il rencontra ne fut personne d'autre que sa cadette bien-aimée : elle courut à lui, l'embrassa et lui fit des caresses, et quand elle vit qu'il avait apporté l'alouette chanteuse et sauteuse, sa joie ne connut plus de

bornes. Mais le père ne pouvait pas se réjouir, il
se mit à pleurer en disant : « Ma chère enfant, ce
petit oiseau a été payé cher, j'ai dû te promettre
en échange à un lion féroce, et quand il t'aura, il
te déchirera et te dévorera », et il lui conta tout
ce qui s'était passé, en la suppliant de ne pas se
livrer, quoi qu'il puisse en advenir. Mais elle le
consola en disant : « Mon très cher père, ce que
vous avez promis doit être tenu : j'irai et je saurai
bien apaiser le lion, afin de rentrer chez vous
saine et sauve. » Le lendemain elle se fit montrer
le chemin, prit congé de son père, et, le cœur
confiant, s'enfonça dans la forêt. Or, le lion était
un roi enchanté qui, le jour, était changé en lion
ainsi que tous ses gens, mais il reprenait sa forme
humaine la nuit. À son arrivée, elle fut cordialement accueillie et conduite au château. La nuit
venue, elle vit que c'était un bel homme, et les
noces furent célébrées en grande pompe. Ils
vécurent heureux ensemble, veillant la nuit et
dormant le jour. Une fois il vint lui dire :
« Demain il y a une fête dans la maison de ton
père pour le mariage de ta sœur aînée, si tu as
envie d'y aller, mes lions t'y conduiront. » Alors
elle dit que oui, elle aimerait bien revoir son père,
et elle partit accompagnée des lions. Il y eut
grande liesse quand elle arriva, car tous la
croyaient dévorée par les lions et morte depuis
longtemps. Mais elle raconta quel bel homme elle
avait pour mari et comme elle était heureuse, et
elle resta auprès d'eux tant que durèrent les

noces, après quoi elle rentra dans la forêt. Quand sa deuxième sœur se maria et qu'elle fut de nouveau invitée, elle dit au lion : « Cette fois je ne veux pas être seule, il faut que tu viennes avec moi. » Mais le lion dit que c'était trop dangereux pour lui, car si là-bas il était touché par la lumière d'une flamme, il serait changé en pigeon et devrait voler avec les pigeons pendant sept années. « Ah, dit-elle, viens donc, je saurai bien te garder et te protéger contre toutes les lumières. » Ils partirent donc ensemble et elle emmena aussi son petit enfant. Une fois arrivée, elle fit entourer une salle de murs si épais et si solides qu'aucun rayon de lumière ne pouvait les traverser ; il devait se tenir là quand on allumerait les flambeaux de la noce. Or, la porte était faite de bois vert qui éclata, laissant une petite fente que personne ne remarqua. Les noces furent célébrées en grande pompe ; mais quand, au retour de l'église, le cortège passa devant la salle avec toutes ses lumières et ses flambeaux, un rayon de la grosseur d'un cheveu tomba sur le prince, et quand ce rayon l'eut touché, il fut à l'instant métamorphosé, et quand elle rentra et le chercha, elle ne le vit pas, mais à sa place il y avait un pigeon blanc. Le pigeon lui dit : « Je dois voler de par le monde pendant sept ans ; mais tous les sept pas, je laisserai tomber une goutte de sang rouge et une plume blanche pour te montrer le chemin, et si tu suis cette trace, tu pourras me délivrer. »

Alors le pigeon s'envola par la porte, et elle le suivit, et tous les sept pas il laissait tomber une petite goutte de sang rouge et une petite plume blanche, qui lui montraient le chemin. Elle alla ainsi de par le vaste monde et ne détourna pas les yeux et ne prit pas de repos, et les sept ans furent presque révolus : alors elle se réjouit, croyant qu'ils seraient bientôt délivrés, et pourtant ils en étaient encore loin. Un jour qu'elle marchait comme à l'habitude, il ne tomba pas de petite plume et pas non plus de petite goutte de sang rouge, et quand elle leva les yeux, le pigeon avait disparu. Et se disant : « Les hommes ne peuvent rien pour toi et en cette occurrence », elle monta jusqu'au soleil et lui dit : « Tu luis dans toutes les fentes et sur les sommets, n'as-tu pas vu voler un pigeon blanc ? — Non, dit le soleil, je n'en ai pas vu, mais je te fais cadeau de ce petit coffret, ouvre-le si tu te trouves en grand péril. » Alors elle remercia le soleil et continua son chemin jusqu'au moment où le soir tomba et où la lune parut ; alors elle lui demanda : « Toi qui brilles toute la nuit sur tous les prés et les bois, n'as-tu pas vu voler un pigeon blanc ? — Non, dit la lune, je n'en ai pas vu, mais je te fais cadeau de cet œuf, casse-le si tu te trouves en grand péril. » Alors elle remercia la lune et continua son chemin jusqu'au moment où le vent de la nuit vint souffler sur elle ; alors elle lui dit : « Toi qui souffles sur tous les arbres et sous toutes les feuilles, n'as-tu pas vu voler un pigeon blanc ? —

Non, dit le vent de la nuit, je n'en ai pas vu, mais je vais demander à trois autres vents qui en auront peut-être vu un. » Le vent d'est et le vent d'ouest vinrent, mais ils n'avaient rien vu, quant au vent du sud, il dit : « J'ai vu le pigeon blanc, il a volé jusqu'à la mer rouge, là il s'est de nouveau changé en lion, car les sept ans sont révolus, et le lion est en train de se battre avec un dragon, qui est une princesse enchantée. » Alors le vent de la nuit lui dit : « Je vais te donner un conseil : va à la mer rouge, sur la rive droite il y a de grandes gaules, compte-les, coupe la onzième et donnes-en un coup au dragon, alors le lion pourra le vaincre et tous les deux reprendront leur forme humaine. Après cela, regarde autour de toi et tu verras le griffon qui habite sur la mer rouge, hisse-toi sur son dos avec ton bien-aimé : l'oiseau vous fera traverser la mer et vous ramènera chez vous. Voici encore une noix ; quand tu seras au milieu de la mer, laisse-la tomber, aussitôt elle s'ouvrira et un grand noyer sortira de l'eau où le griffon pourra se reposer ; car s'il ne pouvait pas se reposer, il ne serait pas assez fort pour vous faire faire la traversée ; et si tu oublies de jeter la noix, il vous laissera tomber à l'eau. »

Alors elle y alla et trouva tout comme le vent de la nuit avait dit. Elle compta les gaules et coupa la onzième, puis elle en donna un coup au dragon et le lion le terrassa : aussitôt ils retrouvèrent tous deux leur forme humaine. Mais quand la princesse, qui avait été un dragon, fut

délivrée de l'enchantement, elle prit le jeune
homme dans ses bras, monta sur le griffon et
l'entraîna avec elle. Alors la pauvre femme qui
venait de si loin se trouva de nouveau abandonnée et elle s'assit et se mit à pleurer. Enfin elle
reprit courage et se dit : « J'irai aussi loin que le
vent souffle et aussi longtemps que le coq chante,
je finirai bien par le trouver. » Et elle marcha,
longtemps, longtemps, jusqu'à ce qu'elle parvînt
enfin au château où les deux autres vivaient
ensemble : là elle entendit dire qu'il y aurait
bientôt une fête pendant laquelle ils célébreraient
leurs noces. Alors elle dit : « Dieu me vienne
encore en aide », et elle ouvrit le petit coffret que
le soleil lui avait donné, et dedans il y avait une
robe aussi brillante que le soleil lui-même. Elle la
sortit, s'en revêtit et se rendit au château, et tous
les gens et la fiancée elle-même la regardèrent
avec étonnement ; et la robe plut tellement à la
fiancée qu'elle pensa en faire sa robe nuptiale et
elle demanda si elle n'était pas à vendre. « Ni
pour or ni pour argent, répondit-elle, mais pour
de la chair et du sang. » La fiancée lui demanda
ce qu'elle voulait dire. Alors elle dit : « Laissez-
moi passer une nuit dans la chambre où couche
le fiancé. » La fiancée refusa et pourtant, elle
avait grande envie de la robe, finalement elle y
consentit, mais elle ordonna au valet de chambre
de donner un narcotique au prince. Quand la
nuit fut venue et que le jeune homme fut
endormi, on la conduisit dans sa chambre. Alors

elle s'assit auprès du lit et dit : « Je t'ai suivi pendant sept ans, je suis allée voir le soleil et la lune et les quatre vents et j'ai demandé après toi et je t'ai aidé à vaincre le dragon, vas-tu donc m'oublier tout à fait ? » Mais le prince dormait si profondément qu'il lui sembla seulement entendre le frémissement du vent dehors dans les sapins. Au lever du jour, on la fit ressortir et elle dut donner la robe d'or. Et comme cela non plus n'avait servi de rien, elle fut tout affligée, alla dans un pré, s'y assit et pleura. Et tandis qu'elle restait là, elle se rappela l'œuf que la lune lui avait donné : elle l'ouvrit, il en sortit une poule avec ses douze poussins tout en or, ils couraient de tous côtés et piaillaient et se fourraient sous les ailes de la vieille, en sorte qu'il n'y avait rien de plus beau au monde à voir. Alors elle se leva et les poussa devant elle jusqu'à ce que la fiancée se mît à la fenêtre, et alors les petits poussins lui plurent tellement qu'elle descendit aussitôt demander s'ils n'étaient pas à vendre. « Ni pour or ni pour argent, mais pour de la chair et du sang ; laissez-moi passer encore une nuit dans la chambre où dort le fiancé. » La fiancée accepta, car elle était résolue à le tromper comme la veille. Mais au moment d'aller se coucher, le prince demanda à son valet ce que c'étaient que ces murmures et ces bruits qu'il avait entendus la nuit. Alors le valet lui raconta tout, qu'il avait dû lui donner un narcotique parce qu'une pauvre fille avait dormi dans sa chambre, et que cette

nuit il lui en donnerait un autre. Le prince dit :
« Verse le narcotique à côté du lit. » On la
conduisit pour la nuit dans la chambre, et quand
elle se mit à raconter ses tristes aventures, il
reconnut aussitôt la voix de sa chère épouse, il se
leva d'un bond en s'écriant : « A présent je suis
vraiment délivré, il me semble que j'ai fait un
rêve, car la princesse inconnue m'a ensorcelé
pour que je t'oublie, mais Dieu m'a fait sortir à
temps de mon égarement. » Alors ils quittèrent
secrètement le château ensemble, car ils crai-
gnaient le père de la princesse, qui était un
sorcier, et ils montèrent sur le griffon qui leur fit
traverser la mer rouge, et quand ils furent au
milieu, elle laissa tomber la noix. Aussitôt un
grand noyer poussa, l'oiseau s'y posa, puis il les
conduisit chez eux où ils trouvèrent leur enfant,
qui était devenu grand et beau, et dès lors ils
vécurent heureux jusqu'à la fin de leurs jours.

Jean le Veinard

Quand Jean eut servi son maître pendant sept ans, il lui dit : « Maître, mon temps est fait, je voudrais bien m'en retourner chez ma mère, donnez-moi mon salaire. » Le maître répondit : « Tu m'as servi fidèlement et honnêtement, tel service, tel salaire », et il lui donna un lingot d'or qui était aussi gros que la tête de Jean. Celui-ci tira son mouchoir de sa poche, y enveloppa le lingot, le mit sur son épaule et prit le chemin du retour. Comme il cheminait ainsi, mettant toujours un pied devant l'autre, il aperçut un cavalier qui, dispos et joyeux, s'en venait au trot sur un cheval fringant. « Ah, dit Jean à voix haute, quelle belle chose que d'aller à cheval ! On est assis comme sur une chaise, on ne se cogne pas aux pierres, on économise ses chaussures et on avance sans s'en apercevoir. » Le cavalier, qui l'avait entendu, s'arrêta et lui cria : « Alors nigaud, pourquoi vas-tu à pied ? — Je suis bien obligé, répondit-il, j'ai là un lingot à porter chez moi ; il est vrai qu'il est en or, mais il me force à courber la tête, et puis il m'écrase l'épaule ! — J'ai une idée, dit le cavalier, nous allons faire un échange, je te donne mon cheval et tu me donnes ton lingot. — De tout cœur, dit Jean, mais je vous en avertis, il faudra vous traîner avec. » Le cavalier mit pied à terre, prit l'or, aida Jean à monter, lui mit les guides entre les mains et lui dit : « Si tu veux que ça aille très vite, tu n'as qu'à claquer de la langue et à crier hop ! hop ! »

Jean fut ravi d'être sur le cheval et de trotter ainsi d'un air dégagé. Au bout d'un petit moment, il lui vint à l'idée d'aller encore plus vite, il se mit à claquer de la langue et à crier hop ! hop ! Le cheval prit le galop, et sans avoir eu le temps de dire ouf, Jean se trouva désarçonné et jeté dans le fossé qui séparait les champs de la grand-route. Le cheval se serait sauvé s'il n'avait pas été arrêté par un paysan qui marchait sur le chemin en poussant sa vache devant lui. Jean rassembla ses membres et se remit sur ses jambes. Mais il était mécontent et dit au paysan : « Aller à cheval est une mauvaise plaisanterie, surtout quand on tombe sur une rosse comme celle-ci qui vous secoue et vous jette par terre à vous faire rompre le cou ; jamais plus je ne remonterai là-dessus. Ah ! parlez-moi de votre vache, on peut marcher tranquillement derrière et par-dessus le marché on a son lait, du beurre et du fromage assurés tous les jours. Que ne donnerais-je pas pour une vache comme ça ! —

Eh bien, si cela peut vous faire vraiment plaisir, je veux bien échanger ma vache contre votre cheval. » Jean accepta avec joie; le paysan enfourcha le cheval et s'en fut vivement.

Jean poussa tranquillement la vache devant lui en réfléchissant à son heureux marché : « Pourvu que j'aie un morceau de pain, et je n'en manquerai certainement pas, je pourrai manger du beurre et du fromage avec, aussi souvent qu'il me plaira; si j'ai soif, je trairai ma vache et je boirai du lait. Mon cœur, que demandes-tu de plus ? » Quand il arriva devant une auberge, il fit halte et dans son excès de joie, il mangea sans rien laisser tout ce qu'il avait emporté, déjeuner et dîner, puis pour ses derniers liards, il se fit servir un demi-verre de bière. Après quoi il continua de conduire sa vache, toujours en direction du village maternel. Plus midi approchait, plus la chaleur devenait accablante, et Jean se trouva dans une lande où il devrait bien marcher encore une heure. Alors il eut tellement chaud que la soif lui colla la langue au palais. « La chose n'est pas sans remède, pensa Jean, je vais traire ma vache et me désaltérer avec son lait. » Il l'attacha à un arbre mort et comme il n'avait pas de seau, il mit sous le pis sa casquette de cuir, mais en dépit de tous ses efforts, pas une goutte de lait n'apparut. Et comme il s'y prenait maladroitement, la bête impatiente lui décocha finalement un tel coup sur la tête avec une de ses pattes de derrière qu'il s'abattit en titubant et demeura un moment sans pouvoir se rappeler où il se trouvait. Heureusement un boucher s'en venait justement par le chemin, avec un jeune cochon dans une brouette. « Vous en faites de belles ! » s'écria-t-il en aidant le brave Jean à se relever. Jean lui raconta ce qui lui était arrivé. Le boucher lui tendit sa gourde et lui dit : « Buvez un coup et remettez-vous. La vache ne peut sans doute pas donner de lait, c'est une vieille bête, bonne tout au plus pour la charrue ou l'abattoir. — Hé, hé, dit Jean en se passant la main dans les cheveux, qui eût dit cela ! Certes, c'est bien agréable de pouvoir abattre une bête pareille à la maison, quelle viande cela donne ! Mais je n'aime pas beaucoup la viande de bœuf, je ne la trouve pas assez succulente. Dame, si l'on avait un jeune cochon comme celui-là ! Ça vous a un autre goût, sans parler des saucisses. — Écoutez, Jean, dit alors le boucher, pour vous être agréable, je veux bien changer avec vous et vous laisser mon cochon contre votre vache. — Dieu vous récompense de votre obligeance ! » dit Jean ; il lui donna la vache, se fit délier le cochon de la brouette et mettre en main la corde qui le ficelait.

Jean continua son chemin en se disant que vraiment, tout tournait à souhait pour lui, que s'il lui arrivait un ennui il se trouvait aussitôt réparé. Peu après, un garçon se joignit à lui, qui portait sous son bras une belle oie blanche. Ils se dirent bonjour et Jean se mit à parler de sa chance et de la façon si avantageuse dont il avait toujours fait ses marchés. Le garçon raconta qu'il allait porter son oie à un festin de baptême. « Soulevez-la un peu, ajouta-t-il en la prenant par les ailes, voyez comme elle est lourde, mais il faut dire aussi qu'on l'a gavée pendant huit semaines. Qui mordra dans le rôti devra s'essuyer la graisse des deux côtés. — Oui, dit Jean en la soupesant d'une main, elle pèse son poids, mais mon cochon n'est pas mal non plus. » Cependant, le garçon jetait de tous côtés des regards inquiets en hochant la tête. Puis il dit : « Écoutez, il doit y avoir quelque chose de louche avec votre cochon. Au village d'où je viens, on en a volé un dans l'étable du maire. Je crains que vous ne l'ayez là, à la main. Ils ont envoyé du monde à sa recherche, et ce serait une mauvaise affaire si on vous attrapait avec ce porc ; le moins qui puisse vous arriver, c'est d'être jeté au cachot. » Le brave Jean fut pris de peur. « Ah mon Dieu, dit-il, tirez-moi d'embarras, vous vous y connaissez mieux que moi par ici, prenez mon cochon et laissez-moi votre oie en échange. — Cela ne va pas sans risque, répondit le garçon, mais je ne veux pas non plus qu'il vous arrive malheur par ma faute. » Il prit donc la corde en main et emmena bien vite le cochon sur un petit chemin de traverse ; quant au brave Jean, délivré de ses soucis, il partit en direction de son pays, son oie sous le bras. « En y réfléchissant bien, se disait-il à lui-même, j'ai encore gagné au troc ; d'abord le bon rôti, puis la quantité de graisse qu'il rendra, ça me donnera des tartines de graisse d'oie pour trois mois, et enfin les belles plumes blanches, j'en ferai bourrer mon oreiller et là-dessus, je m'endormirai bien sans qu'on me berce. Comme ma mère va être contente ! »

Quand il eut traversé le dernier village, il vit un rémouleur avec une carriole, sa roue ronronnait et il l'accompagnait en chantant :

Ciseaux, couteaux, je les repasse vivement
Et je sais voir d'où vient le vent.

Jean s'arrêta pour le regarder ; enfin, il lui adressa la parole et dit : « Vos affaires doivent bien marcher pour que vous soyez si gai en travaillant. — Oui, répondit le repasseur, ce métier-là est une mine d'or. Un vrai rémouleur est un homme qui trouve de l'argent dans sa poche chaque fois qu'il fouille dedans. Mais où avez-vous acheté cette belle oie ? — Je ne l'ai pas achetée, mais reçue en échange de mon cochon. — Et le cochon ? — Je l'ai eu pour une vache. — Et la vache ? — Je l'ai eue pour un cheval. — Et le cheval ? — Je l'ai eu en échange d'un lingot d'or aussi grand que ma tête. — Et l'or ? — Hé, c'était mon salaire pour sept ans de service. — Vous avez toujours su vous débrouiller, dit le rémouleur, maintenant si vous trouvez un moyen d'entendre l'argent sauter dans vos poches quand vous vous lèverez chaque matin, votre fortune est faite. — Et comment dois-je m'y

prendre ? demanda Jean. — Faites-vous rémouleur comme moi, il n'y faut qu'une pierre à
meule, le reste se trouve tout seul. En voilà une, il
est vrai qu'elle est un peu abîmée, mais je ne vous
demanderai rien d'autre en échange que votre
oie ; cela vous va ? — Comment pouvez-vous me
le demander, répondit Jean, cela fait de moi
l'homme le plus heureux de la terre ; si j'ai de
l'argent chaque fois que je mets la main à la
poche, qu'ai-je besoin de me faire encore du
souci ? » Il lui tendit son oie et reçut la meule.
« Et maintenant, dit le rémouleur en soulevant
une grosse pierre ordinaire qui se trouvait à côté
de lui, voilà encore par-dessus le marché une
pierre solide sur laquelle vous pourrez taper et
redresser vos vieux clous. Prenez-la et conservez-
la soigneusement. »

Jean se chargea de la pierre et continua sa
route, le cœur content ; ses yeux brillaient de joie.
« Je dois être né coiffé, s'écria-t-il, tout ce que je
souhaite se réalise comme si j'étais un enfant du
dimanche. » Cependant, comme il était sur ses
jambes depuis le lever du jour, il commença de
sentir la fatigue, et puis la faim le tourmentait,
car dans sa joie d'avoir acquis la vache, il avait
mangé toutes ses provisions d'un seul coup. Pour
finir, il eut de la peine à continuer et dut s'arrêter
à chaque instant ; avec cela les pierres lui
pesaient d'une façon lamentable. Alors il ne put
s'empêcher de penser qu'il serait bien agréable
de n'avoir pas à les porter juste en ce moment. Il

se traîna comme une limace jusqu'à un puits, pensant s'y reposer et se désaltérer en buvant une gorgée d'eau fraîche ; mais afin de ne pas abîmer les pierres en s'asseyant, il les posa avec précaution sur la margelle du puits, à côté de lui. Puis il s'assit et voulut se pencher pour boire, mais il les heurta légèrement par inadvertance et les deux pierres tombèrent lourdement au fond. Après les avoir vues de ses propres yeux s'engouffrer dans la profondeur du puits, Jean sauta de joie, puis, les larmes aux yeux, il se mit à genoux et remercia Dieu de lui avoir fait cette nouvelle grâce et, sans qu'il eût rien à se reprocher, de l'avoir débarrassé si gentiment des lourdes pierres qui ne faisaient plus que le gêner. « Il n'est personne d'aussi heureux que moi sous le soleil », s'écria-t-il. Puis, le cœur léger et libre de tout fardeau, il s'en alla en gambadant jusque chez sa mère.

La gardeuse d'oies

Il était une fois une vieille reine, son époux était mort depuis longtemps et sa fille était très belle. Quand elle fut grande, on la fiança au prince d'un pays lointain. Une fois venu le temps des épousailles, comme la jeune fille devait partir pour le royaume étranger, la vieille mit dans sa malle beaucoup de vaisselle précieuse et de parures, d'or et d'argent, de coupes et de joyaux, bref tout ce qui fait partie d'une dot royale, car elle chérissait son enfant de tout son cœur. Elle lui donna aussi une cameriste qui devait l'accompagner à cheval et la remettre entre les mains de son fiancé, et chacune d'elles reçut une monture. Or, le cheval de la princesse s'appelait Falada et savait parler. Quand vint l'heure des adieux, la vieille mère monta dans sa chambre à coucher, prit un canif et se coupa les doigts si forts qu'ils se mirent à saigner : puis elle mit dessous un chiffon blanc et y laissa tomber trois gouttes de sang, après quoi elle le donna à sa fille en disant :

« Ma chère enfant, conserve-les bien, tu en auras besoin en route. »

Alors elles se firent tristement leurs adieux : la princesse cacha le chiffon dans son corsage, monta sur son cheval et s'en alla rejoindre son fiancé. Quand elles eurent chevauché une heure, elle ressentit une soif dévorante et dit à sa cameriste : « Descends et va puiser de l'eau dans ce ruisseau avec la coupe que tu as emportée pour moi, j'ai grande envie de boire — Si vous avez soif, dit la cameriste, descendez vous-même, mettez-vous au bord de l'eau et buvez, je ne veux pas être votre servante. » La princesse avait tellement soif qu'elle descendit de cheval, se pencha sur le ruisseau et but, et elle ne put pas se servir de la coupe d'or. Alors elle s'écria : « Ah mon Dieu ! » et les trois gouttes de sang répondirent : « Si ta mère savait cela, son cœur se briserait en éclats. » Mais la princesse était humble, elle ne dit rien et remonta à cheval. Elles firent encore plusieurs lieues, mais la journée était chaude, le soleil dardait, et bientôt elle eut encore soif. Comme elles passaient devant une rivière, elle dit de nouveau à sa cameriste : « Descends et donne-moi à boire dans ma coupe d'or », car elle avait oublié depuis longtemps toutes les méchantes paroles. Mais la cameriste répondit encore plus orgueilleusement : « Si vous avez soif, buvez toute seule, je ne veux pas être votre servante. » Alors la princesse descendit à cause de sa grande soif, elle se coucha au bord de l'eau courante, se mit à pleurer et dit : « Ah, mon Dieu ! » et les trois gouttes de sang répétèrent : « Si ta mère savait cela, son cœur se briserait en éclats. » Et tandis qu'elle buvait ainsi et se penchait fort en avant, le chiffon avec les trois gouttes tomba de son corsage et sans qu'elle s'en aperçût dans sa grande angoisse, il s'en alla au fil de l'eau. Mais la caměriste l'avait vu et se réjouit de tenir la fiancée en son pouvoir : car celle-ci ayant perdu les gouttes de sang, elle était devenue faible et impuissante. Quand elle voulut remonter sur le cheval qui s'appelait Falada, la caměriste lui dit : « Falada est pour moi, et ma rosse pour toi », il lui fallut se soumettre. Ensuite, la caměriste lui ordonna durement d'enlever ses habits princiers et de mettre ses propres hardes, et enfin elle dut jurer à la face du ciel de n'en rien dire à personne à la cour du roi ; et si elle n'avait pas fait ce serment, elle aurait été tuée sur place. Mais Falada avait tout vu et se promit de s'en souvenir.

A présent, la caměriste était montée sur Falada et la vraie fiancée sur la haridelle ; elles continuèrent ainsi jusqu'au château royal. Il y eut grand liesse à leur arrivée, le prince se précipita à leur rencontre, fit descendre la caměriste de cheval et la prit pour sa future épouse : il lui donna la main pour monter l'escalier, tandis que la vraie princesse devait rester en bas. Alors le vieux roi se mit à la fenêtre et la vit s'arrêter dans la cour, et il vit comme elle était mignonne, délicate et si jolie : rentrant aussitôt dans les appartements royaux, il interrogea la fiancée sur celle qui l'accompagnait et restait en bas dans la cour, et il lui demanda qui elle était : « Je l'ai prise en route pour me tenir compagnie ; donnez-lui quelque ouvrage, afin qu'elle ne reste pas oisive. » Mais le roi n'avait pas d'ouvrage à lui donner, et ne sachant que faire, il dit : « J'ai là un gamin qui garde les oies, elle pourra l'aider. » Le garçon s'appelait le petit Conrad, c'est lui que la vraie fiancée dut aider à garder les oies.

Bientôt, cependant, la fausse fiancée dit au jeune roi : « Mon cher époux, faites quelque chose pour moi, je vous en prie. » Il répondit : « Bien volontiers. — Alors, faites appeler l'équarrisseur et qu'il coupe la tête de ce cheval sur lequel je suis venue, car il m'a contrariée en chemin. » Mais en réalité, elle craignait que le cheval ne révélât la façon dont elle avait traité la princesse. Les choses avaient été poussées si loin que cela fut accompli et que le fidèle Falada dut mourir ; la princesse l'ayant entendu dire, elle promit à l'équarrisseur de lui payer une pièce d'argent s'il voulait bien lui rendre un petit service. Il y avait dans la ville une grande porte sombre par où elle devait passer matin et soir avec ses oies ; il clouerait la tête de Falada sous la porte sombre, afin qu'elle pût le voir encore plus qu'une fois. Ainsi l'équarrisseur promit-il de le faire, il coupa la tête et la cloua solidement sous la porte sombre.

Quand, accompagnée du petit Conrad, elle passa sous la porte en menant paître les oies tôt le matin, elle dit :

> *O Falada, comme tu es cloué là.*

Alors la tête répondit :

> *O jeune reine, comme tu vas là,*
> *Si ta mère savait cela*
> *Son cœur se briserait en éclats.*

Alors elle sortit de la ville en silence et ils menèrent leurs oies paître dans la campagne. Quand ils furent arrivés au pré, elle s'assit et dénoua ses cheveux, ils étaient d'or pur et le petit Conrad les vit, et tout heureux de les voir briller, il voulu en arracher quelques-uns. Alors elle dit :

> *Souffle, souffle, ventelet.*
> *Ote à Conrad son bonnet*
> *Et fais-le courir après*
> *Le temps que je peigne mes nattes*
> *Et que je remette ma coiffe.*

Alors un vent violent se leva qui emporta le bonnet du petit Conrad à travers champs, et il dut courir après. Quand il revint, elle avait fini de se peigner et de remettre sa coiffe, en sorte qu'il ne put pas lui prendre le moindre cheveu. Alors le petit Conrad fut fâché et ne lui parla

plus ; et ainsi ils gardèrent les oies jusqu'au soir,
puis ils rentrèrent à la maison.

Le lendemain, comme ils passaient avec leurs
oies sous la porte sombre, la jeune fille dit :

O Falada, comme tu es cloué là.

Falada répondit :

O jeune reine, comme tu vas là,
Si ta mère savait cela
Son cœur se briserait en éclats.

Et une fois dans la campagne, elle s'assit de
nouveau sur l'herbe et se mit à démêler ses
cheveux, et le petit Conrad se précipita pour les
saisir ; alors elle dit promptement :

Souffle, souffle, ventelet,
Ote à Conrad son bonnet
Et fais-le courir après
Le temps que je peigne mes nattes
Et que je remette ma coiffe.

Alors le vent souffla, emportant son bonnet
loin de là, si bien qu'il dut courir pour le
rattaper ; et quand il revint, elle avait depuis
longtemps arrangé ses cheveux et il ne put pas en
prendre un seul ; et ainsi ils gardèrent les oies
jusqu'à la tombée de la nuit.

Mais le soir, une fois rentrés à la maison, le

petit Conrad alla trouver le vieux roi et dit : « Je
ne veux pas garder les oies plus longtemps avec
cette fille. — Pourquoi donc ? demanda le vieux
roi. — Ah, elle me fâche toute la journée. » Alors
le vieux roi lui ordonna de lui raconter ce qui en
était. Et le petit Conrad dit : « Le matin, quand
nous passons avec le troupeau sous la porte
sombre, il y a une tête de cheval sur le mur à qui
elle dit :

> *Falada, comme tu es cloué là.*

Et la tête répond :

> *O jeune reine, comme tu vas là,*
> *Si ta mère savait cela*
> *Son cœur se briserait en éclats.*

Et le petit Conrad raconta encore tout ce qui se
passait sur le pré et comment il devait courir
après son chapeau en plein vent.

Le vieux roi lui ordonna de mener encore
paître les oies le lendemain, et lui-même, le
matin venu, se posta derrière la porte sombre et
l'entendit parler avec la tête de Falada ; puis il la
suivit dans la campagne et se cacha au milieu
d'un buisson, dans le pré. Et alors il vit bientôt
de ses propres yeux la gardeuse d'oies et le
garçon pousser les bêtes devant eux, et au bout
d'un moment, il la vit s'asseoir et défaire ses

nattes, qui brillaient d'un grand éclat. De nouveau, elle dit promptement :

> *Souffle, souffle, ventelet,*
> *Ote à Conrad son bonnet*
> *Et fais-le courir après*
> *Le temps que je peigne mes nattes*
> *Et que je remette ma coiffe.*

Alors il y eut un coup de vent qui emporta le
chapeau du petit Conrad, en sorte qu'il dut
courir longtemps, et la jeune fille continua tranquillement de peigner et de natter ses cheveux,
tandis que le vieux roi l'observait. Après quoi, il
rentra sans que personne l'ait vu et le soir, quand
la gardeuse d'oies fut au logis, il la prit à part et
lui demanda pourquoi elle se conduisait de la
sorte. « Je n'ai pas le droit de vous le dire et je ne
peux pas non plus confier ma peine à qui que ce
soit, j'en ai fait le serment à la face du ciel parce
qu'autrement j'aurais perdu la vie. » Il insista et
ne la laissa pas en repos, mais il ne put pas lui
tirer un mot de plus. Alors il dit : « Si tu ne veux
rien me dire à moi, confie ta peine à ce poêle », et
il s'en alla. Alors elle se glissa dans le poêle, et se
mettant à gémir et à pleurer, elle épancha son
cœur en disant : « Me voici abandonnée de tout
le monde et pourtant je suis fille de roi, et une
camériste perfide m'a contrainte par force d'ôter
mes habits royaux et elle a pris ma place auprès
de mon fiancé, tandis que je dois faire le vil

travail d'une gardeuse d'oies. Si ma mère savait cela, son cœur se briserait en éclats. » Mais le vieux roi se tenait à l'extrémité du tuyau, il prêta l'oreille et entendit ce qu'elle disait. Alors il revint et la fit sortir du poêle. Puis on la revêtit de ses habits royaux, et c'était merveille de la voir si belle. Le vieux roi appela son fils et lui révéla qu'il avait la fausse fiancée : ce n'était qu'une camériste, quant à la vraie il l'avait devant lui sous les traits de l'ancienne gardienne d'oies. Le jeune roi se réjouit de tout son cœur en voyant sa beauté et sa vertu, et l'on ordonna un grand festin auquel furent conviés tous les gens et les bons amis. Le fiancé était assis au haut bout de la table avec la princesse d'un côté et, de l'autre, la camériste, mais celle-ci était frappée d'aveuglement et elle ne reconnut pas la princesse dans ses brillants atouts. Quand ils eurent mangé et bu et se sentirent pleins d'entrain, le vieux roi posa une devinette à la camériste : que méritait celle qui aurait trompé son maître de telle et telle façon ? Il lui raconta ainsi tous les événements et lui demanda : « Comment mérite-t-elle d'être châtiée ? » Alors la fausse fiancée répondit : « Elle ne mérite rien de mieux que d'être mise entièrement nue dans un tonneau garni à l'intérieur de clous pointus : et on l'attellera de deux chevaux blancs qui la traîneront de rue en rue jusqu'à ce que la mort s'ensuive.

— C'est de toi qu'il s'agit, dit le vieux roi, tu as prononcé ta propre sentence et il t'adviendra

ce que tu as dit. » Et quand le jugement eut été
exécuté, le jeune roi épousa sa vraie fiancée, et
tous deux gouvernèrent·leur royaume dans la
paix et la félicité.

LIVRE DEUXIÈME

Le roi de la Montagne d'or

Un marchand avait deux enfants : un garçon et une fille, qui étaient encore petits et ne savaient pas marcher. Cependant deux navires qui lui appartenaient avaient pris la mer avec une riche cargaison, et il avait mis dedans toute sa fortune, et tandis qu'il croyait ainsi gagner beaucoup d'argent, il reçut la nouvelle qu'ils avaient fait naufrage. De riche qu'il était, il devint donc un pauvre homme, et il ne lui resta plus rien qu'un champ à proximité de la ville. Pour se distraire un peu l'esprit de son malheur, il alla à ce champ, et comme il marchait là de long en large, voici qu'un petit homme noir apparut tout à coup à côté de lui et lui demanda pourquoi il était si triste et qu'est-ce qu'il prenait tellement à cœur. Alors le marchand dit : « Je veux bien te le dire si tu peux me venir en aide. — Qui sait, répondit le petit homme noir, peut-être le puis-je. » Alors le marchand lui raconta que toutes ses richesses avaient sombré en mer et qu'il n'avait plus rien que ce champ. « Ne te tourmente pas, dit le petit homme, si tu me promets de m'apporter ici même, dans douze ans, la première chose qui te heurtera la jambe quand tu rentreras chez toi, tu auras autant d'argent que tu veux. » Le marchand pensa : « Quoi d'autre que mon chien cela pourrait-il être ? », mais il ne pensa pas à son petit garçon ; il consentit donc, donna à l'homme noir sa signature et son sceau en gage et rentra chez lui.

Quand il arriva à la maison, son petit garçon en fut tellement heureux que, se tenant aux bancs, il alla vers lui en vacillant et l'empoigna solidement par les jambes. Alors le père fut épouvanté, car il se rappelait sa promesse et il savait maintenant ce à quoi il s'était engagé : mais comme il ne trouvait toujours pas d'argent dans ses caisses et ses armoires, il pensa que le petit homme avait seulement voulu plaisanter. Un mois plus tard, il alla au grenier pour ramasser du vieil étain qu'il voulait vendre ; et il vit là un gros tas d'argent. Alors il retrouva sa bonne humeur, acheta des marchandises, devint un marchand plus considérable qu'avant et laissa aller les choses. Mais plus le terme des douze années approchait, plus le marchand devenait soucieux, si bien qu'on pouvait lire l'angoisse sur son visage. Un jour, son fils lui demanda ce qu'il avait : le père ne voulut pas le dire, mais le garçon insista tellement qu'il finit par lui avouer que, sans savoir ce qu'il promettait, il avait accepté de le donner à un petit homme noir et avait reçu en échange beaucoup d'argent. Il avait donné sa signature revêtue de son sceau en gage, et quand les douze ans seraient révolus, il lui faudrait le livrer. Le fils dit alors : « O père, ne soyez pas inquiet, cela s'arrangera, l'homme noir est sans pouvoir sur moi. »

Le fils se fit bénir par le prêtre et quand l'heure vint, ils allèrent ensemble au champ et le fils traça un cercle dans lequel il se plaça avec son père. Alors le petit homme noir vint et dit au vieux : « As-tu apporté ce que tu m'as promis ? » Il garda le silence, mais le fils répondit : « Que viens-tu faire ici ? » Le petit homme noir dit alors : « J'ai à parler avec ton père, non avec toi. » Le fils répondit : « Tu as trompé et séduit mon père, rends-lui sa signature. — Non, dit le petit homme noir, je ne renoncerai pas à mon droit. » Ils discutèrent encore longtemps, enfin ils tombèrent d'accord : comme le fils n'appartenait pas plus à l'Ennemi des hommes qu'à son père, il s'embarquerait sur un petit bateau qui se trouvait en aval d'un cours d'eau, et le père pousserait la barque avec son propre pied, après quoi le fils serait abandonné au fleuve. Alors il dit adieu à son père, monta dans une petite barque, et le père dut la repousser de son propre pied. La barque se retourna, de sorte que la partie inférieure était en haut, tandis que la bâche était dans l'eau. Croyant son fils perdu, le père rentra chez lui et prit le deuil.

Cependant la barque n'avait pas sombré, elle continuait de flotter et le jeune homme y était en sûreté, et elle flotta tant et si bien qu'elle finit par échouer sur un rivage inconnu. Alors il descendit à terre, vit devant lui un beau château et y porta aussitôt ses pas. Mais comme il y entrait, il vit que le château était enchanté : il traversa toutes les chambres, mais elles étaient vides, puis il arriva à la dernière ; un serpent était couché là, enroulé sur lui-même. Or, le serpent était une jeune fille ensorcelée qui se réjouit en le voyant et lui dit : « Viens-tu, mon sauveur ? Il y a déjà douze ans que je t'attends, ce royaume est enchanté et il faut que tu le délivres. — Que faut-il faire ? — Cette nuit, douze hommes noirs chargés de chaînes viendront te demander ce que tu fais ici ; mais garde le silence et ne leur réponds pas, laisse-les faire de toi ce qu'ils veulent : ils te tortureront, te battront et te piqueront, laisse-les faire et surtout ne parle pas ; à minuit, ils sont obligés de partir. Et la deuxième nuit, il en viendra douze autres, et la troisième vingt-quatre ; ceux-là te trancheront la tête : mais à minuit leur pouvoir prend fin, et si tu as tenu bon, sans prononcer le moindre petit mot, je serai délivrée. Je viendrai te rejoindre et j'aurai un flacon contenant de l'eau de Jouvence ; je te frotterai avec cette eau et tu reprendras vie et santé. » Alors il dit : « Je te délivrerai volon-

tiers. » Tout se passa donc comme elle avait dit :
les hommes noirs ne purent pas lui arracher un
seul mot et la troisième nuit, le serpent se
changea en une belle princesse qui apporta l'eau
de Jouvence et le ranima. Puis elle lui sauta au
cou et l'embrassa, et tout le château exulta et fut
en liesse. On célébra leurs noces et il devint roi de
la Montagne d'or.

Ils vécurent donc heureux ensemble et la reine
mit au monde un beau garçon. Huit ans avaient
déjà passé ; alors le souvenir de son père lui
revint, et son cœur fut ému, et il souhaita l'aller
voir un jour. Mais la reine ne voulait pas le laisser
partir et disait : « Je sais d'avance que cela fera
mon malheur », mais il ne lui laissa pas de repos
qu'elle n'ait consenti. Au moment de la séparation, elle lui donna encore une bague magique et
dit : « Prends cette bague et mets-là à ton doigt,
ainsi tu seras transporté sur-le-champ où tu le
désires, promets-moi seulement de ne pas en
faire usage pour me faire venir chez ton père. » Il
le lui promit, mit la bague à son doigt et souhaita
se trouver à la porte de la ville où habitait son
père. Il y fut à l'instant et voulut entrer dans la
ville : mais comme il arrivait devant la porte, les
sentinelles ne voulurent pas le laisser passer, à
cause du costume qu'il portait et qui était
étrange, quoique riche et superbe. Alors il se
rendit sur une montagne où un pâtre gardait son
troupeau, il échangea ses vêtements avec lui et,
vêtu de la vieille houppelande du berger, il fit

sans encombre son entrée dans la ville. Arrivé
chez son père, il se fit connaître, mais le père ne
voulut jamais croire que c'était là son fils, il dit
qu'il avait bien eu un fils autrefois, mais qu'il
était mort depuis longtemps ; toutefois, puisqu'il
était un pauvre berger dans le besoin, il lui
donnerait volontiers une pleine assiettée de
soupe. Alors le berger dit à ses parents : « Je suis
réellement votre fils ; n'ai-je pas un signe sur le
corps à quoi vous pourriez me reconnaître ? —
Si, dit la mère, notre fils avait une tache de
framboise sous le bras droit. » Il releva sa
manche ; alors ils virent la tache de framboise
sous son bras et ne doutèrent plus que ce fût leur
fils. Là-dessus, il leur raconta qu'il était roi de la
Montagne d'or, qu'il avait épousé une princesse
et qu'ils avaient un beau garçon de sept ans.
Alors le père dit : « Jamais de la vie cela ne peut
être vrai ; voilà ma foi un beau roi qui se
promène en haillons de berger. » Alors le roi fut
pris de colère et, sans penser à sa promesse, il
tourna le chaton de sa bague et souhaita de faire
venir auprès de lui son épouse et son enfant. Et
de fait ils arrivèrent à l'instant, mais la reine se
lamentait et pleurait, disant qu'il avait manqué à
sa parole et l'avait rendue malheureuse. Il dit :
« Je l'ai fait par inadvertance et sans mauvaise
intention », et tâcha de la persuader ; et elle fit
semblant de céder, mais elle formait de noirs
desseins.

Ensuite, il alla avec elle hors de la ville et la

conduisit au champ pour lui montrer le fleuve où
la barque avait été poussée loin de la rive, et là il
lui dit : « Je suis fatigué, assieds-toi que je dorme
un peu sur tes genoux. » Alors il posa la tête sur
ses genoux et elle l'épouilla un peu pour l'endormir. Quand il fut endormi, elle lui retira la bague
du doigt, puis elle ôta son pied de dessous lui et
n'y laissa que sa pantoufle ; ensuite, elle prit son
enfant dans ses bras et souhaita d'être ramenée
dans son royaume. A son réveil, il se trouva tout
abandonné, et son épouse et son enfant étaient
partis, ainsi que la bague, et il ne restait plus que
la pantoufle comme preuve. « Tu ne peux pas
rentrer chez tes parents, pensa-t-il, ils te pren-
draient pour un sorcier ; tu vas plier bagage et
marcher jusqu'à ce que tu retrouves ton
royaume. » Il partit donc et arriva à une montagne devant laquelle trois géants se querellaient
parce qu'ils ne savaient pas comment partager
leur héritage paternel. Quand ils le virent passer,
ils l'appelèrent et lui dirent que, les petits
hommes étant malins, il devrait bien leur partager leur héritage. Or l'héritage se composait
d'une épée : quand quelqu'un la saisissait en
disant : « Abats toutes les têtes, sauf la
mienne », toutes les têtes roulaient par terre ;
deuxièmement d'un manteau ; quiconque le mettait devenait invisible ; troisièmement d'une
paire de bottes ; quand on les avait aux pieds et
qu'on souhaitait d'être transporté quelque part,
on y était en un clin d'œil. Il dit : « Donnez-moi

ces trois choses, que je vérifie si elles sont encore
en bon état. » Alors ils lui donnèrent le manteau,
et quand il se fut enveloppé dedans, il était
devenu invisible et changé en mouche. Puis il
reprit sa forme et dit : « Le manteau est en bon
état, maintenant donnez-moi l'épée. » Ils dirent :
« Que non ! Nous ne te la donnerons pas ! Si tu
disais : « Abats toutes les têtes, sauf la mienne »,
toutes nos têtes tomberaient, et tu serais le seul à
avoir encore la tienne. » Ils la lui donnèrent
néanmoins, à condition qu'il l'essaie sur un
arbre. Il le fit, et l'épée fendit le tronc de l'arbre
comme un fétu. Alors il voulut aussi les bottes,
mais ils dirent : « Que non, nous ne te les
donnerons pas ; quand tu les aurais aux pieds, tu
pourrais souhaiter d'être en haut de la montagne,
et nous resterions là sans rien. — Non, dit-il, je
ne ferai pas cela. » Alors ils lui donnèrent aussi
les bottes. Quand il eut les trois choses, il ne
pensa plus qu'à sa femme et à son enfant et dit à
part soi : « Ah que ne suis-je sur la Montagne
d'or ! » Et aussitôt il disparut aux yeux des
géants, si bien que leur héritage se trouva
partagé. En approchant du château, il entendit
des cris d'allégresse, le son des flûtes et des
violons, et les gens lui dirent que son épouse
célébrait ses noces avec un autre. Alors, il entra
dans une grande colère et dit : « La perfide ! Elle
m'a trompé et abandonné quand je me suis
endormi. » Alors il mit son manteau et, devenu
invisible, il pénétra dans le château. Une fois

dans la salle, il vit une grande table chargée des
mets les plus délicats, et les invités buvaient et
mangeaient tout en riant et en faisant des
plaisanteries. Elle, cependant, trônait au milieu
sur son siège royal, dans de splendides atours et
avec la couronne sur la tête. Il se plaça derrière
elle et personne ne le vit. Quand on lui mettait un
morceau de viande dans son assiette, il le prenait
et le mangeait; et quand on lui versait un verre
de vin, il le prenait et le buvait; on la servait
continuellement, mais elle n'avait toujours rien,
car son assiette et son verre disparaissaient
aussitôt. Alors, troublée et honteuse, elle se leva
et alla pleurer dans sa chambre, mais il lui avait
emboîté le pas. Elle dit alors : « Serais-je tombée
au pouvoir du diable et mon sauveur ne serait-il
jamais venu? » Alors il la frappa au visage et
dit : « Ton sauveur n'est-il jamais venu? Tu es
en son pouvoir, menteuse. Ai-je mérité cela de ta
part? » Puis il se rendit visible et alla crier dans
la salle : « La noce est finie, le vrai roi est
revenu ! » Les rois, les princes et les conseillers
qui y étaient rassemblés le tournèrent en dérison
et le raillèrent : mais lui parla bref et dit :
« Voulez-vous sortir, oui ou non? » Alors ils
tentèrent de s'emparer de lui et l'encerclèrent,
mais il tira son épée et dit : « Abats toutes les
têtes, sauf la mienne. » Alors toutes les têtes
roulèrent par terre et il resta seul maître et
redevint le roi de la Montagne d'or.

Le corbeau

Il était une fois une reine qui avait une fillette
encore toute petite qu'elle devait porter dans ses
bras. Un jour, l'enfant ne fut pas sage, elle ne
tenait pas en place quoi que sa mère pût lui dire.
Celle-ci s'impatienta, et, comme une volée de
corbeaux traçaient des cercles autour du château, elle ouvrit la fenêtre et dit : « Je voudrais
que tu sois un corbeau et que tu t'envoles, ainsi
j'aurais la paix. » A peine eut-elle dit ces mots
que l'enfant fut changée en corbeau et, quittant
son bras, s'envola par la fenêtre. Elle s'en fut
dans une sombre forêt et y resta longtemps, et ses
parents n'eurent plus de ses nouvelles. Quelque
temps après, un homme prit un chemin qui le
conduisit dans cette forêt, il entendit le corbeau
appeler et suivit la voix : et quand il se fut
approché, le corbeau dit : « Je suis princesse de
naissance et j'ai été enchantée, mais toi tu peux
me délivrer. — Que dois-je faire ? » dit-il. Elle
répondit : « Continue à marcher dans la forêt et

tu trouveras une maison où se tient une vieille femme, elle t'offrira à boire et à manger, mais n'accepte rien ; si tu mangeais ou buvais quelque chose, tu tomberais dans un profond sommeil et ne pourrais pas me délivrer. Dans le jardin, derrière la maison, il y a un grand tas d'écorces, monte dessus et attends-moi. Pendant trois jours, je viendrai te voir à deux heures dans un carrosse attelé d'abord de quatre étalons blancs, puis de quatre étalons bruns, enfin de quatre étalons noirs. Mais si tu dors au lieu d'être éveillé, je ne serai pas délivrée. » L'homme promit de faire tout ce qu'elle demandait. Mais le corbeau lui dit : « Hélas, je sais d'avance que tu ne me délivreras pas, tu accepteras quelque chose de la femme. »

Alors l'homme promit encore une fois de ne toucher ni à la nourriture ni à la boisson. Mais quand il entra dans la maison, la vieille femme s'approcha de lui et lui dit : « Mon pauvre homme, comme vous êtes las, venez réparer vos forces, mangez et buvez. — Non, dit l'homme je ne veux ni manger ni boire. » Mais elle ne le laissa pas en repos et dit : « Si vous ne voulez pas manger, buvez au moins une gorgée dans ce verre, une fois n'est pas coutume. » Alors il se laissa convaincre et but. Vers deux heures de l'après-midi, il alla dans le jardin sur le tas d'écorces et voulut attendre le corbeau. Mais tandis qu'il était là debout, il se sentit tout à coup si fatigué qu'il ne put pas se dominer et voulut s'allonger un peu : sans toutefois dormir. Mais à peine était-il étendu que ses yeux se fermèrent d'eux-mêmes et qu'il s'endormit, et il dormit d'un sommeil si profond que rien au monde n'eût pu le réveiller. A deux heures, le corbeau arriva en carrosse avec les quatre étalons blancs, mais la jeune fille était déjà toute triste et dit : « Je sais qu'il dort. » Et quand elle entra dans le jardin, il dormait en effet sur le tas d'écorces. Elle descendit de voiture, alla à lui, le secoua, l'appela mais sans pouvoir le réveiller. Le lendemain à l'heure de midi, la vieille femme revint et lui apporta à manger et à boire, mais il ne voulut rien accepter. Elle ne lui laissa pas de repos et le pressa si bien qu'il finit par boire de nouveau une gorgée. Vers deux heures, il alla au jardin sur le tas d'écorces et voulut attendre le corbeau ; mais il ressentit soudain une si grande fatigue que ses membres cessèrent de le porter : rien à faire, il dut s'étendre et tomba dans un profond sommeil. Quand le corbeau s'en vint avec ses quatre étalons bruns, il était déjà tout triste et dit : « Je sais qu'il dort. » La jeune fille alla à lui, mais il dormait et rien ne put le réveiller. Le lendemain la vieille femme lui demanda ce qu'il avait. Il ne mangeait ni ne buvait rien, voulait-il donc mourir ? Il répondit : « Je ne veux et ne peux ni manger ni boire. » Cependant elle posa devant lui un plat avec de la nourriture et un verre de vin, et quand il en sentit le fumet, il ne put pas résister et but un bon coup. Le moment venu, il

alla dans le jardin sur le tas d'écorces et attendit
la princesse : mais voilà qu'il se sentit plus las
encore que les autres jours, il se coucha et dormit
comme une souche. Quant à elle, elle était déjà
toute triste et dit : « Je sais qu'il dort et ne peut
pas me délivrer. » Et quand elle alla près de lui,
elle le trouva couché, dormant à poings fermés.
Elle le secoua et l'appela, mais ne put pas le tirer
de son sommeil. Enfin elle posa près de lui un
pain, puis un morceau de viande, puis un flacon
de vin, et ces provisions, on pouvait en prendre
tant qu'on voulait sans qu'elles diminuent. Après
quoi elle ôta de son doigt un anneau d'or qu'elle
mit au sien et son nom était gravé dessus. A la fin
elle mit près de lui une lettre dans laquelle elle lui
expliquait ce qu'elle lui avait donné et que ses
provisions ne s'épuiseraient jamais, puis elle
disait encore : « Je vois bien que tu ne pourras
jamais me délivrer ici, mais si tu le veux toujours,
viens au château d'or de Stromberg, c'est en ton
pouvoir, j'en suis sûre. » Et quand elle lui eut
donné tout cela, elle monta dans son carrosse et
se fit conduire au château d'or de Stromberg.

A son réveil, l'homme vit qu'il avait dormi, il
en fut profondément affligé et se dit : « Certainement, à présent elle est passée, et je ne l'ai pas
délivrée. » Alors son regard se posa sur les choses
qui étaient à côté de lui, et il lut la lettre où elle
lui disait la façon dont c'était arrivé. Il se mit
donc en route pour aller au château d'or de
Stromberg, mais il ne savait pas où il était. Or il y

avait déjà longtemps qu'il courait le monde quand il arriva dans une sombre forêt, où il marcha pendant quinze jours sans parvenir à en sortir. De nouveau le soir tomba et il était si fatigué qu'il se coucha à l'abri d'un buisson et s'endormit. Le lendemain il poursuivit sa route et le soir, comme il voulait de nouveau se coucher à l'abri d'un buisson, il entendit des hurlements et des gémissements tels qu'il ne put pas dormir. Et comme c'était l'heure où les gens allument des lumières, il en vit une scintiller, se leva et la suivit : il arriva ainsi devant une maison qui paraissait toute petite parce qu'il y avait un énorme géant devant. Alors il pensa à part soi : « Si tu entres et que le géant t'aperçoive, c'en est fait de ta vie. » Il finit par s'y risquer et s'approcha. Dès qu'il le vit, le géant lui dit : « C'est gentil à toi de venir, je n'ai rien mangé depuis longtemps, je vais t'avaler tout de suite pour mon souper. — Mieux vaut n'en rien faire, dit l'homme, je ne me laisse pas volontiers avaler ; si tu as besoin de nourriture, j'ai tout ce qu'il faut pour te rassasier. — Si c'est vrai, dit le géant, tu peux être tranquille ; je ne voulais te dévorer que parce que je n'ai rien d'autre. » Alors ils allèrent se mettre à table et l'homme sortit le pain, le vin et la viande qui ne s'épuisaient jamais. « Cela me convient fort bien », dit le géant, et il mangea tout son soûl. Après quoi l'homme lui dit : « Pourrais-tu me dire où se trouve le château d'or de Stromberg ? » Le géant répondit : « Je vais regarder sur ma carte, tous les villages, villes et maisons y sont marqués. » Il alla prendre la carte dans sa chambre et chercha le château, mais il n'était pas marqué. « Cela ne fait rien, dit-il, j'ai des cartes plus grandes en haut dans mon armoire ; nous allons chercher là », mais ce fut encore en vain. L'homme voulut alors continuer sa route, mais le géant le pria de rester quelques jours pour attendre le retour de son frère, lequel était parti chercher des provisions. Quand il rentra à la maison, ils l'interrogèrent sur le château d'or de Stromberg ; il répondit : « Après le repas, quand je serai rassasié, je chercherai sur la carte. » Ensuite il monta avec eux dans sa chambre et ils cherchèrent sur sa carte, mais ils ne trouvèrent pas ; alors il alla prendre d'autres vieilles cartes et ils ne cessèrent de chercher que lorsqu'ils eurent enfin trouvé le château d'or de Stromberg, mais il était à plusieurs milliers de lieues de distance. « Comment irai-je jusque-là ? » demanda l'homme. Le géant répondit : « J'ai deux heures de libres ; je te porterai à proximité, ensuite il faudra que je rentre à la maison pour donner à boire à l'enfant que nous avons. » Alors le géant porta l'homme jusqu'à quelque cent lieues du château et dit : « Tu peux faire le reste du chemin tout seul. » Ensuite il fit demi-tour, et l'homme marcha jour et nuit jusqu'à ce qu'il se trouvât enfin au château d'or de Stromberg. Or le château était situé sur une montagne de cristal,

et il vit la jeune fille enchantée en faire le tour
dans son carrosse, puis disparaître à l'intérieur. Il
se réjouit de la voir et voulut la rejoindre, mais
dès qu'il se mit à grimper, il glissa sur le cristal et
tomba à chaque pas. Voyant qu'il ne l'atteindrait
point, il fut tout affligé et se dit à lui-même : « Je
vais rester ici à l'attendre. » Il se fit donc une
hutte où il vécut toute une année, et chaque jour
il voyait la princesse passer dans son carrosse,
mais il ne pouvait pas la rejoindre.

Mais voici qu'un jour, apercevant de sa hutte
trois brigands qui se battaient, il leur cria :
« Dieu soit avec vous ! » En entendant ces mots,
ils s'arrêtèrent, mais comme ils ne voyaient
personne, ils recommencèrent à se battre, et
même fort dangereusement. Alors il répéta :
« Dieu soit avec vous ! » De nouveau ils cessèrent, regardèrent autour d'eux, et comme ils ne
voyaient toujours personne, ils continuèrent de se
battre. Alors il cria pour la troisième fois : « Dieu
soit avec vous ! », et tout en pensant : « Il faut
que tu saches ce que ces trois-là ont en vue », il
alla à eux et leur demanda pourquoi ils tapaient
ainsi l'un sur l'autre. Alors l'un dit qu'il avait
trouvé un bâton ; si l'on frappait avec contre une
porte, elle s'ouvrait d'un coup ; l'autre dit qu'il
avait trouvé un manteau ; en le mettant on
deviendrait invisible ; quant au troisième, il dit
qu'il s'était emparé d'un cheval qui vous condui-
rait n'importe où, voire jusqu'en haut de la
montagne de cristal. Seulement ils ne savaient

pas s'ils devaient garder tout cela en commun ou
se séparer. Alors l'homme dit : « Je vais vous
échanger ces trois choses : il est vrai que je n'ai
pas d'argent, mais je possède d'autres biens qui
ont plus de valeur ! Toutefois il faut d'abord que
je fasse un essai pour m'assurer que vous avez
bien dit la vérité. » Alors ils le firent monter sur
le cheval, lui mirent le manteau et lui donnèrent
le bâton, et quand il eut tout cela, ils cessèrent de
le voir. Alors il leur donna une bonne raclée et
s'écria : « A présent, fainéants, vous avez ce que
vous méritez, êtes-vous contents ? » Puis il gravit
la montagne de cristal à cheval et quand il arriva
devant le château, il était fermé, alors il frappa à
la porte avec son bâton et elle ne tarda pas à
s'ouvrir. Il entra et monta l'escalier jusqu'à la
salle du haut ; la jeune fille était là, et devant elle,
il y avait une coupe d'or pleine de vin. Mais elle
ne pouvait pas le voir, car il avait mis son
manteau. Arrivé devant elle, il retira de son
doigt l'anneau qu'elle lui avait donné et le
jeta dans la coupe, qui se mit à tinter. Alors
elle s'écria : « C'est mon anneau, l'homme qui
doit me délivrer est sans doute là aussi. » Ils
cherchèrent dans tout le château et ne le trouvèrent pas, lui cependant était sorti, il était
monté sur son cheval et avait rejeté son manteau.
Quand ils arrivèrent devant la porte, ils le virent
et poussèrent des cris de joie. Alors il descen-

dit et prit la princesse dans ses bras : quant à
elle, elle l'embrassa en disant : « A présent
tu m'as délivrée, demain nous célèbrerons nos
noces. »

L'eau de Jouvence

Il était une fois un roi qui était malade, et
personne ne croyait qu'il en sortirait vivant. Or,
il avait trois fils qui en furent très affligés, ils
descendirent dans le jardin du château et se
mirent à pleurer. Ils rencontrèrent alors un
vieillard qui leur demanda la cause de leur
chagrin. Ils lui dirent que leur père était si
malade qu'il allait sans doute mourir, car aucun
remède ne le soulageait. Alors le vieillard dit :
« Je connais encore un remède, c'est l'eau de
Jouvence ; s'il en boit, il guérira, mais elle est
difficile à trouver. » L'aîné dit : « Je la trouverai
bien », il se rendit au chevet de son père et le pria
de bien vouloir le laisser partir pour chercher
l'eau de Jouvence, car cela seul pourrait le guérir.
« Non, dit le roi, le danger est trop grand, je
préfère mourir. » Mais il insista tant que le roi
consentit. Le prince pensait en son cœur : « Si
j'apporte l'eau, mon père me donnera la préfé-
rence et j'hériterai du royaume. »

Il se mit donc en route et après avoir chevauché un bout de temps, il vit sur son chemin un
nain qui l'appelait en disant : « Où cours-tu si
vite ? — Qu'est-ce que cela peut te faire, sot
marmouset ? » dit le prince fièrement en conti-
nuant son chemin. Mais le petit homme s'était
mis en colère et lui avait jeté un mauvais sort.
Peu après, le prince se trouva pris dans une
gorge, et plus il avançait, plus les montagnes se
rapprochaient et à la fin le chemin devint si étroit
qu'il lui fut impossible d'avancer ; impossible
aussi de tourner bride ou de quitter la selle, il
était sur son cheval comme dans un cachot. Le
roi malade l'attendit longtemps, mais il ne revint
pas.

Alors le deuxième fils dit : « Père, laissez-moi
partir à la recherche de l'eau », et il pensait à
part soi : « Si mon frère est mort, le royaume me
reviendra. » D'abord le roi ne voulut point le
laisser partir, enfin il céda. Le prince prit donc le
même chemin que son frère et rencontra aussi le
nain, qui l'arrêta et lui demanda où il allait si
vite : « Ça ne te regarde pas, sot marmouset »,
dit le prince et il continua son chemin sans se
retourner. Mais le nain lui jeta un sort et il tomba
comme l'autre dans une gorge, où il ne put ni
avancer ni reculer. Voilà ce qui arrive aux
orgueilleux.

Comme le deuxième frère ne revenait pas non
plus, le cadet s'offrit à partir chercher l'eau, et le
roi finit par le lui permettre. Quand il rencontra

le nain et que celui-ci lui demanda où il allait si vite, il s'arrêta et lui donna des explications en disant : « Je cherche l'eau de Jouvence, car mon père est à la mort. — Sais-tu où elle se trouve ? — Non, dit le prince. — Puisque tu t'es conduit poliment et non pas en orgueilleux comme tes méchants frères, je vais te renseigner et te dire comment tu accéderas à l'eau de Jouvence. Elle jaillit d'une fontaine dans la cour d'un château enchanté ; mais tu ne pourras pas y entrer si je ne te donne pas une baguette de fer et deux petites miches de pain. Avec la baguette, frappe trois fois à la porte de fer du château, elle s'ouvrira d'un coup : à l'intérieur il y aura deux lions qui ouvriront la gueule, mais jette-leur un pain et ils se tiendront tranquilles, ensuite dépêche-toi d'aller chercher l'eau de Jouvence avant que sonne midi, autrement la porte se refermerait et tu serais enfermé. » Le prince le remercia, prit la baguette et le pain et se mit en route. Et quand il arriva, il trouva tout comme le nain avait dit. La porte s'ouvrit au troisième coup de baguette, et quand il eut apaisé les lions avec le pain il entra dans le château et arriva à une grande et splendide salle : il y avait là des princes enchantés, auxquels il retira les anneaux qu'ils portaient au doigt, puis une épée et un pain, qu'il prît. Ensuite il arriva à une autre chambre où se trouvait une belle jeune fille qui, tout heureuse de le voir, l'embrassa et lui dit qu'il l'avait délivrée, qu'elle lui donnerait tout son royaume, et que s'il revenait dans un an, on célébrerait leurs noces. Elle lui dit aussi où était la fontaine à l'eau de Jouvence, mais qu'il devait se hâter de la puiser avant les douze coups de midi. Il continua et arriva enfin à une chambre où il y avait un joli lit avec des draps frais, et comme il était fatigué, il voulut d'abord se reposer un peu. Il s'étendit donc et s'endormit : quand il se réveilla, midi moins le quart sonnait. Alors il se leva tout effrayé, courut à la fontaine et y puisa l'eau à l'aide d'une coupe qui était posée à côté, puis il se hâta de sortir. Juste à l'instant où il arrivait à la porte de fer, midi sonna, et la porte se referma si violemment qu'il y laissa un bout de son talon.

Tout heureux d'avoir obtenu l'eau de Jouvence, il prit le chemin du retour et passa de nouveau devant le nain. En voyant l'épée et le pain, celui-ci lui dit : « Avec cela tu as gagné de grands biens, l'épée te permettra de battre des armées entières et le pain ne s'épuisera jamais. » Le prince ne voulait pas rentrer chez son père sans ses frères et il dit : « Gentil nain, pourrais-tu me dire où sont mes deux frères ? Ils sont partis avant moi chercher l'eau de Jouvence, et ils ne sont pas revenus. — Ils sont prisonniers entre deux montagnes, dit le nain, c'est moi qui les ai enchantés parce qu'ils étaient trop orgueilleux. » Alors le prince le supplia tant et si bien que le nain consentit à les libérer ; mais il le mit en garde et dit : « Méfie-toi d'eux, ils ont mauvais cœur. »

Quand ses frères arrivèrent, il se réjouit et leur raconta ce qui lui était arrivé, qu'il avait trouvé l'eau de Jouvence, dont il avait pris une pleine coupe, et qu'il avait délivré une belle princesse qui l'attendrait pendant un an, après quoi on célébrerait les noces et il aurait un grand royaume. Ensuite ils partirent ensemble à cheval et tombèrent dans un pays où il y avait la famine et la guerre, et le roi se voyait déjà condamné à périr, tant la détresse était grande. Alors le prince alla le trouver et lui donna le pain, avec quoi il put nourrir et rassasier tout son royaume ; puis le prince lui donna aussi l'épée, grâce à quoi il battit les armées de ses ennemis et put enfin vivre en paix. Alors le prince reprit son pain et son épée, et les trois frères se remirent en route. Mais ils passèrent encore dans deux pays où régnaient la famine et la guerre, et chaque fois le prince donna aux rois son pain et son épée, de sorte qu'à présent il avait sauvé trois royaumes. Ensuite ils s'embarquèrent sur un vaisseau et traversèrent la mer. Pendant la traversée, les deux autres frères se dirent : « Notre cadet a trouvé l'eau de Jouvence et nous pas, en récompense notre père lui donnera le royaume qui nous revient, et il nous volera notre part de bonheur. » Alors ils furent assoiffés de vengeance et décidèrent de le faire périr. Ils attendirent qu'il fût profondément endormi ; alors ils vidèrent l'eau de Jouvence et la prirent pour eux, et à la place, ils lui mirent de l'eau de mer salée dans sa coupe.

Une fois rentrés à la maison, le cadet alla porter sa coupe au roi afin qu'il y boive et recouvre la santé. Mais à peine eut-il bu de l'eau de mer salée qu'il fut encore plus malade qu'avant. Et comme il s'en plaignait, les deux frères aînés vinrent accuser le cadet d'avoir voulu l'empoisonner, eux lui apportaient la vraie eau de Jouvence, et ils la lui tendirent. Sitôt qu'il en eut bu, il sentit son mal le quitter, et il redevint fort et bien portant comme aux jours de sa jeunesse. Après quoi les deux frères allèrent trouver le cadet et se moquèrent de lui en disant : « Il est vrai que tu as trouvé l'eau de Jouvence, mais tu as eu la peine et nous le salaire, tu aurais dû être plus malin et ouvrir les yeux : nous te l'avons volée quand tu étais endormi en mer, et dans un an, l'un de nous ira chercher pour lui la belle princesse. Cependant garde-toi d'en rien révéler, de toute façon notre père ne te croira pas, et si tu dis un seul mot, tu perdras la vie par-dessus le marché, tandis que si tu te tais nous t'en ferons cadeau. »

Le vieux roi était en colère contre son plus jeune fils, croyant qu'il avait voulu attenter à sa vie. Il rassembla donc la cour et le fit condamner à être abattu en cachette. Un jour que le prince était à la chasse sans rien soupçonner, le chasseur du roi dut l'accompagner. Quand ils furent seuls dans la forêt, le chasseur avait l'air si triste que le prince lui dit : « Gentil chasseur, qu'as-tu donc ? » Le chasseur répondit : « Je ne peux pas

le dire et pourtant il le faut. » Alors le prince dit :
« Dis-moi ce que c'est, je te le pardonnerai. —
Ah, dit le chasseur, il faut que je vous tue, le roi
me l'a ordonné. » Alors le prince fut effrayé et
dit : « Gentil chasseur, laisse-moi la vie, voici
mon habit royal, donne-moi ton habit grossier en
échange. » Le chasseur dit : « Je le ferai bien
volontiers, de toute façon je n'aurais pas pu tirer
sur vous. » Alors ils échangèrent leurs vêtements
et le chasseur rentra à la maison, tandis que le
prince continuait sa route dans la forêt.

Quelque temps après, trois chariots chargés
d'or et de pierres précieuses arrivèrent chez le roi
pour son plus jeune fils : or ils étaient envoyés
par les trois rois qui avaient vaincu leurs ennemis
avec l'épée du prince et nourri leur peuple avec
son pain, et qui voulaient montrer leur reconnaissance. Le vieux roi pensa alors : « Mon fils
serait-il innocent ? » et il dit à ses gens : « Que
n'est-il encore en vie ! comme je regrette de
l'avoir fait tuer. — Il vit encore, dit le chasseur, je
n'ai pas eu le cœur d'exécuter votre ordre », et il
dit au roi comment cela s'était passé. Alors le roi
fut soulagé d'un grand poids, et il fit savoir dans
tous les royaumes que son fils pouvait revenir et
serait accueilli avec clémence.

La princesse, quant à elle, avait fait construire
devant son château une route qui était toute
dorée et brillante, et elle dit à ses gens que celui
qui la ferait prendre tout droit à son cheval serait
le bon et qu'ils devraient le laisser passer, tandis

que celui qui passerait à côté ne serait pas le bon
et qu'ils devraient l'empêcher d'entrer. Quand le
temps fut révolu, l'aîné pensa qu'il devrait vite
aller chez la princesse et se donner pour son
libérateur, ainsi il l'aurait pour femme, avec le
royaume par-dessus le marché. Il partit donc et
quand il fut devant le château, voyant la belle
route d'or, il se dit : « Ce serait dommage de
passer dessus », il s'écarta et suivit la route à
droite. Mais quand il arriva devant la porte, les
gens lui dirent qu'il n'était pas le bon et qu'il
devait repartir. Peu après le deuxième prince
partit à son tour, et quand il fut sur la route d'or,
où son cheval avait déjà mis un pied, il se dit :
« Ce serait dommage d'écraser quelque chose »,
il s'écarta et passa à gauche. Mais quand il arriva
devant la porte, les gens lui dirent qu'il n'était
pas le bon et qu'il devait repartir. Quand l'année
fut tout à fait révolue, le troisième quitta la forêt
pour rejoindre sa bien-aimée et oublier son
chagrin auprès d'elle. Il partit donc, songeant
sans cesse à elle et à la joie qu'il aurait à être à ses
côtés, en sorte qu'il ne vit pas la route d'or. Alors
son cheval marcha au beau milieu et quand il
arriva devant la porte, on la lui ouvrit et la
princesse l'accueillit avec joie et lui dit qu'il était
son libérateur et le maître du royaume, et la noce
eut lieu en grande félicité. Et quand elle fut
passée, elle lui raconta que son père l'avait
mandé auprès de lui et lui accordait son pardon.
Alors il l'alla trouver et lui raconta tout,

comment, ses frères l'ayant trompé, il avait
cependant gardé le silence. Le vieux roi voulut
les punir, mais ils s'étaient embarqués, un vaisseau les avait emmenés au loin et jamais ils ne
revinrent de leur vie.

Le chasseur accompli

Il était une fois un jeune garçon qui, ayant appris le métier de serrurier, dit à son père qu'à présent, il voulait tenter sa chance dans le monde. « Bon, dit le père, j'en suis content », et il lui donna quelque argent pour le voyage. Il alla donc à l'aventure et chercha du travail. Au bout d'un certain temps, voici que le métier de serrurier refusa de se conformer à ses exigences, et puis il avait cessé de lui plaire, en revanche l'envie le prit de se faire chasseur. A ce moment il rencontra sur la route un chasseur en habit vert qui lui demanda d'où il venait et où il voulait aller. Le garçon dit qu'il était compagnon serrurier, mais que le métier avait cessé de lui plaire et qu'il voulait tâter de la vénerie, le prendrait-il en apprentissage ? « Oh, oui, si tu veux me suivre. » Alors le jeune garçon le suivit, s'engagea à le servir pendant plusieurs années et apprit la vénerie. Après quoi il voulut tenter sa chance plus loin et le chasseur ne lui donna qu'une carabine en guise de salaire, mais elle avait la propriété de toucher infailliblement son but à chaque coup. Alors il partit et arriva dans une très grande forêt dont il ne put trouver la fin en marchant toute la journée. Le soir venu, il se jucha sur un grand arbre pour se mettre hors de portée des bêtes féroces. Vers minuit, il lui sembla voir luire une faible lumière au loin; alors il la regarda à travers les branches pour bien repérer l'endroit où elle était. Mais avant de descendre, il prit son chapeau et le lança dans la direction de la lumière, afin de l'avoir comme point de repère quand il serait en bas. Puis il se laissa glisser de l'arbre, se dirigea vers son chapeau, le remit sur sa tête et partit en ligne droite. Plus il allait, plus la lumière grandissait, et en approchant il vit que c'était un grand feu autour duquel étaient assis trois géants en train de faire rôtir un bœuf à la broche. Alors l'un d'eux dit : « Je vais goûter la viande pour voir si elle est bientôt à point », et ayant arraché un morceau, il s'apprêtait à se le fourrer dans la bouche quand, d'un coup de feu, le chasseur le lui fit tomber de la main. « Eh bien, dit le géant, voilà le vent qui m'enlève le morceau de la main », et il en prit un autre. Comme il s'apprêtait à y mordre, le chasseur l'emporta encore d'un coup de feu ; alors le géant donna une gifle à son voisin et s'écria, furieux : « Qu'as-tu à m'enlever mon morceau ? — Je ne te l'ai pas enlevé, répondit l'autre, ce sera un tireur d'élite

qui te l'aura emporté d'un coup de feu. » Le
géant prit un troisième morceau, mais il ne put
pas le garder, le chasseur le lui enleva des mains.
Alors les géants se dirent : « Ce doit être un bon
tireur pour vous ôter ainsi les morceaux de la
bouche, un homme comme ça nous serait utile »,
et ils crièrent très fort : « Viens ici, tireur,
assieds-toi avec nous auprès du feu et mange ton
content, nous ne te ferons pas de mal ; mais si tu
ne viens pas, nous irons te chercher de force et tu
seras perdu. » Alors le garçon approcha et dit
qu'il était un chasseur accompli et que tout ce
qu'il visait avec sa carabine, il le touchait à coup
sûr et certain. Alors ils lui dirent que s'il voulait
les accompagner, il n'aurait pas la mauvaise vie,
puis ils lui racontèrent qu'à l'orée de la forêt il y
avait un grand cours d'eau, et de l'autre côté une
tour, et dans la tour, une belle princesse qu'ils
auraient bien aimé enlever. « Bon, dit-il, j'aurai
tôt fait de vous l'amener. » Ils continuèrent :
« Mais il y a encore autre chose, c'est un petit
chien qui se met à aboyer dès que quelqu'un
approche, et dès qu'il aboie tout se réveille à la
cour du roi : c'est pourquoi nous ne pouvons pas
entrer ; oseras-tu abattre le chien ? — Oui, dit-il,
c'est une bagatelle pour moi. » Ensuite il s'em-
barqua sur un bateau et traversa le fleuve, et
sitôt qu'il fut à terre, le petit chien accourut, prêt
à aboyer, mais il saisit la carabine et le tua net.
Voyant cela, les géants se réjouirent et se crurent
déjà en possession de la princesse ; toutefois le

chasseur voulut d'abord voir comment la chose
se présentait, et il leur dit de rester dehors
jusqu'à ce qu'il les appelle. Alors il entra dans le
château, et là, on aurait entendu voler une
mouche, tout était endormi. Comme il ouvrait la
première chambre, il vit un sabre appendu au
mur, et il était d'argent pur et il y avait une étoile
d'or dessus avec le nom du roi ; et sur une table, à
côté, il y avait une lettre scellée dont il rompit le
sceau, et dedans il était dit que celui qui avait ce
sabre pouvait ôter la vie à tout ce qui se trouvait
sur son chemin. Alors il décrocha le sabre, s'en
ceignit et continua ; il arriva enfin à la chambre
où dormait la princesse : et elle était si belle que,
retenant son souffle, il s'arrêta à la contempler. Il
pensait en lui-même : « Je n'ai pas le droit de
remettre une jeune fille innocente au pouvoir de
ces géants féroces, ils ont de mauvais desseins. »
En examinant la chambre, il vit une paire de
pantoufles sous le lit, sur la pantoufle droite il y
avait le nom de son père avec une étoile, sur la
gauche son propre nom avec une étoile. Elle avait
aussi sur elle un grand châle de soie brodé d'or,
sur la pointe de droite il y avait le nom de son
père, sur la gauche le sien, brodés en lettres d'or.
Alors le chasseur, prenant des ciseaux, coupa la
pointe de droite et la mit dans sa gibecière, ainsi
que la pantoufle droite avec le nom du roi. La
jeune fille dormait toujours, et elle était entièrement cousue dans sa chemise : il coupa aussi un
petit bout de la chemise et le mit avec le reste,

mais tout cela sans la toucher. Puis la laissant
dormir tranquillement, il partit, et quand il
revint à la porte, les géants l'attendaient toujours
dehors, pensant qu'il ramenait la princesse. Lui,
cependant, leur cria d'entrer, car la jeune fille
était déjà en son pouvoir : il ne pouvait pas leur
ouvrir la porte, mais il y avait là un trou par
lequel ils pourraient se glisser. Le premier s'approcha, alors le chasseur enroula ses cheveux
autour de sa main, puis tirant la tête à l'intérieur,
il la trancha d'un coup de sabre et tira le reste du
corps. Ensuite il appela le deuxième et lui
trancha également la tête, puis en fit autant au
troisième, et tout heureux d'avoir délivré la belle
jeune fille de ses ennemis, il coupa les trois
langues des géants et les mit dans sa gibecière.
Alors il se dit : « Je vais retourner chez mon père
pour lui montrer ce que j'ai déjà fait, puis j'irai
de par le monde ; le bonheur que Dieu me destine
me trouvera bien en route. »

Or, en se réveillant, le roi du château aperçut
les trois géants raides morts par terre. Alors il
alla à la chambre de sa fille, la réveilla et lui
demanda qui pouvait bien avoir occis les géants.
Elle dit : « Mon cher père, je l'ignore, je dor-
mais. » Sitôt levée, elle voulut mettre ses pantoufles, et voici que la droite manquait, et en
considérant son châle, elle vit que la pointe droite
était coupée, et en regardant sa chemise, elle
constata qu'il en manquait un bout. Le roi fit
rassembler toute la cour, y compris les soldats et

tous les gens qui s'y trouvaient, et demanda qui avait délivré sa fille et occis les géants. Or, il y avait un capitaine qui était borgne et laid de sa personne, il prétendit l'avoir fait. Alors le vieux roi dit que s'il avait accompli cela, il épouserait sa fille. Mais la jeune fille répondit : « Cher père, plutôt que d'épouser cet homme, j'aime mieux aller dans le vaste monde aussi loin que mes jambes pourront me porter. » Mais le roi dit que si elle ne voulait pas l'épouser, elle devrait ôter ses habits royaux, s'habiller en paysanne et quitter la maison ; et elle irait chez un potier et se mettrait à vendre des pots de terre. Alors elle ôta ses habits royaux et alla chez un potier à qui elle emprunta toutes sortes de poteries, elle lui promit de les lui payer le soir quand elle aurait tout vendu. Or le roi lui dit de s'installer avec sa marchandise à un coin de rue et de la vendre, puis il fit venir plusieurs carrioles qui devaient passer au beau milieu et tout réduire en mille morceaux. Quand la princesse eut déballé sa marchandise dans la rue, les carrioles passèrent et réduisirent tout en miettes. Elle se mit à pleurer en disant : « Mon Dieu, comment à présent paierai-je le potier ? » Quant au roi, il avait voulu par là la forcer à épouser le capitaine, mais au lieu de cela, elle retourna chez le potier et lui demanda de lui prêter d'autres marchandises. Il refusa, elle devait d'abord payer les premières. Alors elle alla trouver son père, poussa des cris et des gémissements, disant

qu'elle voulait aller au bout du monde. Alors il
dit : « Je vais te faire bâtir une cabane dans la
forêt, tu y resteras toute ta vie et tu feras la
cuisine pour tout venant, mais sans accepter
d'argent. » Quand la cabane fut finie, on mit
devant la porte une pancarte portant ces mots :
« Aujourd'hui gratis, demain on paie. » Elle
resta là longtemps, et le bruit se répandit partout
qu'il y avait une jeune fille qui faisait la cuisine
pour rien et que c'était écrit devant sa porte. Le
chasseur en entendit parler et se dit : « Voilà ce
qu'il te faudrait, car tu es pauvre et sans
argent. » Il prit donc sa carabine et la gibecière
où se trouvaient encore toutes les choses qu'il
avait prises au château comme pièces à conviction, puis il alla dans la forêt et trouva la
maisonnette avec la pancarte : « Aujourd'hui
gratis, demain on paie. » Or, il avait ceint le
sabre avec lequel il avait décapité les trois géants,
il entra ainsi équipé dans la maisonnette et
demanda quelque chose à manger. Il se réjouit de
voir la belle jeune fille, et elle était vraiment
d'une merveilleuse beauté. Elle lui demanda d'où
il venait et où il allait ; alors il dit : « Je vais de
par le monde. » Alors elle lui demanda d'où il
tenait ce sabre, car elle voyait le nom de son père
dessus. Il lui demanda si elle était la fille du roi.
« Oui, répondit-elle. — Avec ce sabre, dit-il, j'ai
tranché la tête des trois géants », puis, comme
pièces à conviction, il sortit les langues de sa
gibecière, ensuite il lui montra la pantoufle, la

pointe du châle et le bout de chemise. Alors elle
fut pleine de joie et lui dit qu'il était celui qui
l'avait délivrée. Après quoi, ils allèrent ensemble
trouver le vieux roi et elle le conduisit à sa
chambre et lui dit que le chasseur était le vrai,
celui qui l'avait délivrée des géants. Et en voyant
toutes les pièces à conviction, le vieux roi déclara
qu'il n'en pouvait plus douter, qu'il était heureux
de savoir comment tout s'était passé, et que
maintenant il lui donnait sa fille pour femme ; la
jeune fille s'en réjouit de tout son cœur. Là-
dessus ils l'habillèrent comme s'il était un seigneur étranger et le roi commanda un festin.
Quand ils se mirent à table, le capitaine eut la
place de gauche à côté de la princesse, tandis que
le chasseur avait la place de droite : et le
capitaine le prit pour un seigneur étranger venu
en visite. Quand ils eurent bu et mangé, le vieux
roi dit au capitaine qu'il voulait lui donner une
énigme à déchiffrer : si un homme prétend avoir
occis trois géants et si, quand on lui demande où
sont les langues, il regarde et voit qu'ils n'en ont
pas dans la tête, qu'est-ce que cela veut dire ?
Alors le capitaine répondit : « C'est qu'ils n'auront pas eu de langue. — Nenni, dit le roi, tout
animal a une langue », et il demanda encore ce
que cet homme méritait qu'on lui fît. Le capitaine répondit : « Il mérite d'être écartelé. »
Alors le roi dit qu'il avait prononcé lui-même sa
sentence et le capitaine fut mis en prison, puis
écartelé ; quant à la princesse, elle épousa le

chasseur. Par la suite, il alla chercher son père et
sa mère et ils vécurent en grande joie auprès de
leur fils, et après la mort du vieux roi il reçut le
royaume en héritage.

La lumière bleue

Il était une fois un soldat qui avait servi
fidèlement le roi pendant de longues années ;
mais comme la guerre était finie et qu'il ne
pouvait pas continuer de servir à cause des
nombreuses blessures qu'il avait reçues, le roi lui
dit : « Tu peux rentrer dans tes foyers, je n'ai
plus besoin de toi, tu ne recevras plus d'argent,
car seul touche une solde celui qui me sert en
échange. » Alors le soldat ne sut plus comment
subvenir à ses besoins ; il s'en alla fort soucieux
et marcha toute la journée jusqu'au soir où il
arriva dans une forêt. Comme la nuit tombait, il
vit une lumière, s'en approcha et se trouva
devant une maison où vivait une sorcière.
« Donne-moi donc un gîte pour la nuit et un peu
à boire et à manger, lui dit-il, sinon je vais
mourir d'inanition. — Hoho ! répondit-elle, qui
fait la charité à un soldat en fuite ? Pourtant
j'aurai pitié de toi, et si tu fais ce que je te
demande, je te donnerai asile. — Que demandes-

tu ? s'enquit le soldat. — Que demain tu me
retournes mon jardin. » Le soldat y consentit et
le lendemain il travailla de toutes ses forces, mais
ne put terminer avant le soir. « Je vois bien, dit la
sorcière, que tu ne peux pas continuer ta route
aujourd'hui, je veux bien te garder encore une
nuit et demain, en échange, tu me fendras une
charretée de bois et tu me la débiteras en petites
bûches. » Le soldat eut besoin de toute la journée
pour le faire et le soir, la sorcière lui proposa de
rester encore une nuit : « Demain, tu n'auras
qu'un petit travail, derrière ma maison il y a un
vieux puits vide, ma chandelle est tombée
dedans, elle donne une lumière bleue et ne
s'éteint pas, tu iras me la chercher. » Le lendemain, la vieille le conduisit au puits et le
descendit dans un panier. Il trouva la lumière
bleue et fit signe à la femme de le remonter. Elle
le hissa bien, mais quand il fut arrivé près de la
margelle, elle tendit la main et voulut lui prendre
la chandelle. « Non, dit-il, car il devinait ses
mauvaises intentions, je ne te donnerai pas la
chandelle avant que mes deux pieds n'aient
touché terre. » Alors la sorcière fut prise de
fureur, elle le fit retomber au fond du puits et
s'en alla.

Le pauvre soldat tomba sans se faire de mal
sur le sol humide, et la lumière bleue continua de
brûler, mais à quoi cela pouvait-il lui servir ? Il
voyait bien qu'il n'échapperait pas à la mort. Il
resta là un moment, tout triste, puis par hasard il

mit la main dans sa poche et trouva sa pipe encore à moitié bourrée de tabac. « Ça sera mon dernier plaisir », se dit-il ; il la sortit, l'alluma à la lumière bleue et se mit à fumer. Mais comme la fumée se répandait dans son trou, voilà que soudain un petit homme noir se trouva devant lui et lui demanda : « Maître, qu'ordonnes-tu ? — Qu'aurais-je à t'ordonner ? demanda le soldat tout surpris. — Je suis obligé de faire tout ce que tu demandes, dit le petit homme. — Bon, dit le soldat, en ce cas, aide-moi d'abord à sortir du puits. » Le petit homme le prit par la main et l'emmena par un couloir souterrain, sans toutefois oublier la lumière bleue. En chemin, il lui montra les trésors que la sorcière avait entassés et cachés là, et le soldat prit autant d'or qu'il en put porter. Quand il fut en haut, il dit au petit homme : « A présent, va, ligote la vieille sorcière et conduis-la devant la justice. » L'instant d'après, elle passait comme le vent, avec des cris affreux, à califourchon sur un chat sauvage, et en moins de temps encore, le petit homme était de retour et disait : « Tout est exécuté, et la sorcière pend déjà au gibet. — Maître, qu'ordonnes-tu encore ? ajouta le nain. — Rien pour le moment, dit le soldat, tu peux rentrer chez toi, mais sois prêt dès que je t'appellerai. — Tu n'auras qu'à allumer ta pipe à la lumière bleue, dit le petit homme, et je serai immédiatement près de toi. » Là-dessus, il disparut à ses yeux.

Le soldat retourna à la ville d'où il était venu.

Il descendit dans la meilleure auberge et se fit faire de beaux habits, puis il donna l'ordre au patron de lui installer une chambre aussi somptueusement que possible. Quand il eut fini et que le soldat en eut pris possession, il rappela le petit homme noir et dit : « J'ai servi fidèlement le roi, mais lui, il m'a renvoyé et m'a fait souffrir la faim, maintenant je veux en tirer vengeance. — Que dois-je faire ? dit le petit homme. — Tard dans la soirée, quand la princesse sera au lit, apporte-la-moi endormie, elle fera chez moi la besogne d'une servante. » Le petit homme répondit : « Pour moi, c'est facile, mais pour toi c'est une affaire dangereuse ; si cela se sait, il t'en cuira. » Quand minuit eut sonné, la porte s'ouvrit et le petit homme entra portant la princesse. « Haha, te voilà, dit le soldat, au travail ! Va chercher le· balai et balaie-moi la chambre ! » Quand elle eut fini, il lui ordonna de s'approcher de son fauteuil et lui dit : « Tire-moi mes bottes », puis il les lui jeta en pleine figure et elle dut les ramasser, les nettoyer et les astiquer. Cependant elle faisait tout ce qu'il lui demandait sans résister, muette et les yeux mi-clos. Au premier chant du coq, le petit homme la remporta au château du roi et la remit dans son lit.

Le lendemain matin, quand la princesse fut levée, elle alla trouver son père et lui raconta qu'elle avait fait un rêve étrange. « On m'emportait par les rues avec la rapidité de l'éclair et l'on m'amenait dans la chambre d'un soldat, il me

fallait être sa domestique, le servir et faire tout le
gros ouvrage, balayer la pièce et cirer les chaussures. Ce n'était qu'un rêve, et pourtant je suis
aussi fatiguée que si j'avais réellement fait tout
cela. — Il se pourrait que le rêve fût vrai, dit le
roi, je vais te donner un conseil, emplis ta poche
de pois et fais-y un petit trou ; ils tomberont et
laisseront ta trace dans la rue. » Tandis que le roi
parlait ainsi, le petit homme était là, invisible, et
entendait tout. La nuit, quand il porta de
nouveau la princesse endormie par les rues, les
petits pois tombèrent bien un à un de sa poche
mais ils ne purent laisser de traces, car le rusé
compère en avait répandu partout. Quant à la
fille du roi, elle fut de nouveau obligée de
travailler comme servante jusqu'au chant du
coq.

Le lendemain, le roi envoya ses gens à la
recherche de la piste, mais ce fut en vain, car
dans toutes les rues, les enfants pauvres étaient
en train de ramasser des pois en disant : « Il a
plu des petits pois cette nuit. » « Il faut inventer
autre chose, dit le roi ; garde tes souliers, quand
tu te coucheras, et avant de revenir de là-bas,
caches-en un, je me charge de le retrouver. » Le
petit homme noir eut vent du projet, et le soir,
quand le soldat lui demanda de lui amener la fille
du roi, il le lui déconseilla en disant qu'il ne
savait comment déjouer cette ruse et que si l'on
trouvait le soulier chez lui, il pourrait en voir de
dures. « Fais ce que je te dis », répondit le soldat,

et la fille du roi dut encore passer la troisième
nuit à travailler comme une servante ; mais avant
qu'on la remportât, elle cacha un soulier sous le
lit.

Le lendemain matin, le roi fit chercher le
soulier de sa fille dans toute la ville ; on le
retrouva chez le soldat, et celui-ci, qui avait
franchi les portes sur les instances du petit
homme, fut bientôt rattrapé et jeté en prison. En
fuyant, il avait oublié son bien le plus précieux :
la lumière bleue et l'or, et il n'avait plus qu'un
ducat en poche. Comme il se tenait, chargé de
chaînes, à la fenêtre de son cachot, il vit passer
un de ses camarades. Il frappa à la vitre, et
l'autre s'étant rapproché, il lui dit : « Aie la
bonté d'aller me chercher le petit paquet que j'ai
laissé à l'auberge, je te donnerai un ducat en
récompense. » Le camarade y courut et lui
rapporta ce qu'il avait demandé. Aussitôt que le
soldat se retrouva seul, il alluma sa pipe et fit
venir le petit homme noir. « Sois sans crainte,
dit-il à son maître, va où ils te conduiront et
laisse-les faire, seulement emporte la lumière
bleue. » Le lendemain on jugea le soldat, et bien
qu'il n'eût rien fait de mal, le juge le condamna
néanmoins à mort. Comme on l'emmenait, il pria
le roi de lui accorder une dernière grâce.
« Laquelle ? demanda le roi. — De pouvoir
fumer encore une pipe en chemin. — Tu peux en
fumer trois, dit le roi, mais ne crois pas que je te
ferai grâce de la vie. » Alors le soldat prit sa pipe

et l'alluma avec la lumière bleue, et elle avait à
peine produit quelques volutes de fumée que le
petit bonhomme était déjà là, un gourdin à la
main et demandait : « Qu'ordonne mon maître ?
— Assomme-moi ces mauvais juges et leurs
sbires, et n'épargne pas non plus le roi qui m'a si
mal traité. » Alors le petit homme s'élança
comme l'éclair, frappant de droite et de gauche,
et celui qu'il touchait de son gourdin tombait par
terre et ne se risquait plus à bouger. Le roi prit
peur, il eut recours aux prières et, à seule fin
d'avoir la vie sauve, il donna son royaume au
soldat, avec sa fille pour épouse.

Le poêle de fonte

Au temps où les souhaits se réalisaient encore, un prince fut enchanté par une vieille sorcière et enfermé dans un grand poêle de fonte au milieu de la forêt. Il y passa de longues années et personne ne pouvait le délivrer. Un jour, une princesse vint dans la forêt, elle s'était égarée et ne pouvait pas retrouver le royaume de son père : elle avait marché à l'aventure pendant neuf jours et pour finir, elle se trouva devant la caisse de fonte. Alors il en sortit une voix qui lui demanda : « D'où viens-tu et où vas-tu ? » Elle répondit : « J'ai perdu le chemin du royaume de mon père et je ne peux pas rentrer à la maison. » Alors la voix, sortant du poêle de fonte : « Je t'aiderai à rentrer chez toi, et en peu de temps, si tu veux t'engager à faire ce que je te demande. Je suis un prince plus puissant que toi et je veux t'épouser. » A ces mots, elle fut effrayée et pensa : « Mon Dieu, que ferais-je de ce poêle de fonte ! » Mais elle avait tellement envie de ren-

trer chez son père qu'elle s'engagea tout de même
à faire ce qu'il demandait. Or, il lui dit : « Tu
devras revenir et te munir d'un couteau pour
racler la fonte et y faire un trou. » Puis il lui
donna un guide qui marcha près d'elle sans
parler, mais la conduisit chez elle en deux heures
de temps. Il y eut grande liesse au château au
retour de la princesse, le vieux roi lui sauta au
cou et l'embrassa. Mais elle était tout affligée et
dit : « Cher père, si vous saviez ce qui m'est
arrivé ! Je n'aurais pas pu sortir de la grande
forêt sauvage si je n'avais rencontré un poêle de
fonte à qui j'ai dû promettre de revenir vers lui
pour le délivrer et l'épouser. » Alors le vieux roi
fut tellement effrayé qu'il tomba presque sans
connaissance, car elle était sa fille unique. Ils
tinrent donc conseil et décidèrent de prendre à sa
place la fille du meunier, qui était jolie ; ils la
menèrent dans la forêt, lui donnèrent un couteau
en lui disant de racler le poêle de fonte. De fait,
elle racla pendant vingt-quatre heures, mais sans
pouvoir enlever le moindre morceau. Au lever du
jour, la voix dit dans le poêle de fonte : « Il me
semble qu'il fait jour dehors. » Alors elle répondit : « Il me semble aussi, je crois bien que
j'entends le moulin de mon père se démener. —
Ainsi tu es fille de meunier, en ce cas va-t'en tout
de suite et fais venir la princesse. » Elle y alla et
dit au vieux roi que l'autre là-bas ne voulait pas
d'elle et qu'il réclamait sa fille. Alors le vieux roi
fut épouvanté et sa fille se mit à pleurer. Mais ils

avaient encore une fille de porcher qui était plus
belle que la fille du meunier ; ils décidèrent de lui
donner un peu d'argent pour qu'elle allât trouver
le poêle de fonte à la place de la princesse. Ils l'y
menèrent et elle dut à son tour racler le poêle
pendant vingt-quatre heures ; mais elle n'arriva
à rien. Au lever du jour, la voix dit, sortant du
poêle : « Il me semble qu'il fait jour dehors. »
Alors elle répondit : « Il me semble aussi, je crois
bien que j'entends sonner la corne de mon père.
— Ainsi, tu es la fille d'un porcher ; va-t'en vite
chercher la princesse, et dis-lui qu'il lui arrivera
ce que je lui ai promis, et que si elle ne vient pas,
tout sera détruit et s'écroulera dans tout le
royaume et que pas une pierre ne restera
debout. » En entendant cela, la princesse se mit à
pleurer : mais il n'y avait pas moyen de faire·
autrement, il fallait tenir sa promesse. Alors elle
fit ses adieux à son père, mit un couteau dans sa
poche et alla trouver le poêle de fonte dans la
forêt. Arrivée là elle se mit à racler et la fonte
céda, et au bout de deux heures, elle avait déjà
fait un joli trou. Alors elle regarda à l'intérieur et
elle vit un jeune homme si beau, ah, il était si
beau et étincelait si magnifiquement d'or et de
pierreries que son cœur en fut fort épris. Elle
continua donc de racler le poêle et fit un trou
assez grand pour qu'il pût sortir. Alors il dit :
« Tu es à moi et je suis à toi, tu es ma fiancée et
tu m'as délivré. » Il voulut l'emmener dans son
royaume, mais elle lui demanda la permission

d'aller voir son père une dernière fois et le prince y consentit, à condition qu'elle ne prononce pas plus de trois mots et qu'elle revienne ensuite. Elle rentra donc chez elle, mais elle dit plus de trois mots : aussitôt le poêle de fonte disparut et fut transporté loin, loin de là, par-delà des montagnes de cristal et des épées tranchantes ; mais le prince, délivré, n'était plus enfermé dedans. Peu après, elle prit congé de son père et emporta quelque argent, mais pas beaucoup, puis elle retourna dans la grande forêt et chercha le poêle de fonte, seulement il était introuvable. Elle le chercha pendant neuf jours, alors elle eut si grand-faim qu'elle ne sut que faire, car elle n'avait plus de quoi vivre. Et quand le soir fut venu, elle se jucha sur un petit arbre, pensant y passer la nuit, car elle avait peur des bêtes féroces. Comme il était près de minuit, elle vit de loin une petite lumière et pensa : « Ah, ce serait sans doute mon salut. » Elle descendit de l'arbre et suivit la petite lumière tout en priant le long du chemin. Alors, elle arriva à une vieille petite bicoque entourée de beaucoup d'herbe, et devant il y avait un petit tas de bois. Elle pensa : « Ah, en quel endroit es-tu tombée ! » Elle regarda par la fenêtre et ne vit à l'intérieur rien d'autre que des grenouilles, une grosse et une petite, et une table joliment servie avec du vin et un rôti, et les assiettes et les coupes étaient d'argent. Alors, reprenant courage, elle frappa. Aussitôt la grosse grenouille s'écria :

> *Rainette jeunette et verte,*
> *Pomme de reinette,*
> *Pomme de reinette et pomme d'api,*
> *Saute de là, saute de ci,*
> *Montre-nous vite qui est ici.*

Alors la petite rainette alla lui ouvrir. Quand elle entra, elles lui souhaitèrent la bienvenue et elles la firent asseoir. Elles lui demandèrent : « D'où venez-vous ? Où allez-vous ? » Elle leur raconta ce qui lui était arrivé et comment le poêle était parti ainsi que le prince parce qu'elle avait violé sa promesse de ne pas dire plus de trois mots : et maintenant elle voulait aller par monts et par vaux et le chercher aussi longtemps qu'il le faudrait. Alors la vieille grosse dit :

> *Rainette jeunette et verte,*
> *Pomme de reinette,*
> *Pomme de reinette et pomme d'api,*
> *Saute de là, saute de ci,*
> *Apporte-moi le grand étui.*

Alors la petite rainette alla chercher le grand étui. Puis elles lui donnèrent à manger et à boire et la conduisirent à un joli lit aux draps frais ; il était comme de soie et de velours, elle s'y glissa et s'endormit en se recommandant à Dieu. A l'aube, elle se leva et la vieille grenouille prit trois aiguilles dans le grand étui en la priant de les emporter ; elle en aurait besoin, car il lui faudrait passer par une haute montagne de cristal, trois épées tranchantes et un grand cours d'eau : si elle y parvenait, elle retrouverait son bien-aimé. Puis avec cela elle lui donna trois sortes de choses qu'elle devait garder soigneusement, et c'étaient trois grandes aiguilles, une roue de charrue et trois noix. Ainsi pourvue, elle se mit en route et quand elle arriva à la montagne de cristal, qui était si lisse, elle y enfonça les trois aiguilles derrière ses pieds, puis devant, et ainsi elle parvint de l'autre côté, et une fois de l'autre côté, elle les mit en un endroit qu'elle repéra soigneusement. Puis elle arriva devant les trois épées tranchantes ; elle se mit sur sa roue de charrue et roula par-dessus. Enfin, elle arriva devant un grand cours d'eau et quand elle l'eut traversé, elle se trouva devant un grand et beau château. Elle entra et demanda un emploi, disant qu'elle était une pauvre servante désireuse de se placer ; or, elle savait que dans le château il y avait le prince qu'elle avait délivré du poêle de fonte au cœur de la grande forêt. Elle fut donc engagée comme fille de cuisine pour un mince salaire. Cependant, le prince en avait déjà une autre auprès de lui qu'il voulait épouser, car il la croyait morte depuis longtemps. Le soir, quand elle eut lavé la vaisselle et fini son travail, elle tâta sa poche et y trouva les trois noix que la vieille grenouille lui avait données. Elle en cassa une pour la manger, et, tiens ! voici que dedans il

y avait une somptueuse robe royale. Quand la
fiancée entendit parler de cela, elle vint demander la robe, elle désirait l'acheter, disant que ce
n'était pas une robe pour une servante. Alors elle
dit que non, elle ne voulait pas la vendre, mais
que si elle lui accordait une chose, elle pourrait
l'avoir, et c'était de passer une nuit dans la
chambre de son fiancé. La fiancée y consentit,
parce que la robe était si belle et qu'elle n'en
avait pas encore de semblable. Le soir venu, elle
dit à son fiancé : « Cette folle veut passer la nuit
dans ta chambre. — Si tu y consens moi aussi »,
dit-il. Mais elle lui donna un verre de vin dans
lequel elle avait versé un narcotique. Ils allèrent
donc tous deux dans la chambre et il s'endormit
si profondément qu'elle ne put pas le réveiller.
Elle pleura toute la nuit en disant : « Je t'ai
délivré de la forêt sauvage et d'un poêle de fonte,
je t'ai cherché, et avant de te trouver, j'ai marché
sur une montagne de cristal, trois épées tranchantes et un cours d'eau, et pourtant tu ne veux
pas m'entendre. » Les domestiques étaient assis
derrière la porte et l'entendirent pleurer ainsi
toute la nuit et le matin, ils le dirent à leur
maître. Et le lendemain soir, quand elle eut lavé
la vaisselle, elle ouvrit la deuxième noix et il y
avait dedans une robe plus belle encore ; voyant
cela, la fiancée voulut encore l'acheter. Mais la
jeune fille ne voulut pas d'argent et demanda la
permission de dormir encore une fois dans la
chambre du fiancé. Mais la fiancée lui donna un

narcotique et il dormit si profondément qu'il n'entendit rien. Cependant la jeune fille pleura toute la nuit en disant : « Je t'ai délivré d'une forêt et d'un poêle de fonte, je t'ai cherché et avant de te trouver, j'ai marché sur une montagne de cristal, trois épées tranchantes et un grand cours d'eau, et pourtant tu ne veux pas m'entendre. » Les domestiques étaient assis derrière la porte et l'entendirent pleurer toute la nuit et le matin, ils le dirent à leur maître. Et le troisième soir, quand elle eut lavé la vaisselle, elle cassa la troisième noix, et dedans il y avait une robe encore plus belle, étincelante d'or pur. Voyant cela, la fiancée voulut l'avoir, mais la jeune fille ne la lui donna qu'à condition de pouvoir dormir une troisième fois dans la chambre du fiancé. Mais le prince se méfiait et il jeta la potion. Quand elle se mit à pleurer et à dire : « Mon bien-aimé, je t'ai délivré de la forêt cruelle et d'un poêle de fonte », le prince s'élança en disant : « Tu es la vraie, tu es à moi et je suis à toi. » Là-dessus il la fit monter la nuit même dans un carrosse, et ils emportèrent les vêtements de la perfide fiancée, afin qu'elle ne pût pas se lever. Quand ils arrivèrent au bord du grand cours d'eau, ils le traversèrent en barque, puis quand ils furent devant les trois épées tranchantes, ils montèrent sur la roue de charrue, et devant la montagne de cristal, ils y enfoncèrent les trois aiguilles. Ainsi, ils finirent par arriver à la petite bicoque, mais quand ils entrèrent, elle se

changea en un grand château : toutes les grenouilles étaient délivrées et c'étaient des prin-
cesses et toutes se réjouirent grandement. Alors
on célébra les noces, et ils restèrent dans le
château, qui était beaucoup plus grand que le
château de son père. Mais comme le vieillard se
plaignait de rester seul, ils partirent et le ramenè-
rent avec eux et ils eurent deux royaumes et
furent heureux en ménage.

Voici une souris,
Mon conte est fini.

Jean-de-Fer

Il était une fois un roi qui avait une grande forêt près de son château, où courait du gibier de toutes espèces. Un jour, il envoya un chasseur tirer un chevreuil, mais il ne revint pas. « Il lui est peut-être arrivé malheur », dit le roi ; il envoya deux autres chasseurs le chercher, mais ils ne revinrent pas non plus. Alors le troisième jour, il fit venir tous ses chasseurs et leur dit : « Battez toute la forêt et n'abandonnez pas avant que vous ne les ayez retrouvés tous les trois. » Mais ceux-là non plus ne revinrent pas et aucun chien de la meute qu'ils avaient emmenée avec eux ne réapparut. Personne désormais ne voulut plus se risquer dans la forêt : elle resta plongée dans un profond silence et dans la solitude, et l'on n'y voyait rien, sauf parfois un aigle ou un vautour qui volaient au-dessus des arbres. Cela dura de longues années ; puis un chasseur étranger se présenta au roi, il cherchait une situation et s'offrit à aller dans la forêt dangereuse. Mais le roi ne voulut pas y consentir et dit : « Il y a quelque chose de suspect là-dedans, je crains que tu n'aies pas un sort meilleur que les autres et que tu ne puisses pas ressortir. » Le chasseur répondit : « Sire, je le ferai à mes risques et périls ; j'ignore la peur. »

Le chasseur se rendit donc dans la forêt avec son chien. Ce ne fut pas long, le chien se lança sur la trace d'un gibier et voulut le suivre ; mais il avait à peine fait quelques pas qu'il se trouvait devant un bourbier profond qui l'empêcha d'aller plus loin, et un bras nu sortit de l'eau, l'empoigna et le tira au fond. Voyant cela, le chasseur retourna sur ses pas et alla chercher trois hommes qui durent vider la mare avec des seaux. Quand ils purent voir le fond, voici qu'un homme sauvage y était couché ; il était brun de corps comme du fer rouillé et ses cheveux lui couvraient le visage et lui tombaient jusqu'aux genoux. Ils le ligotèrent avec des cordes et l'emmenèrent au château. Il y eut un grand étonnement à cause de l'homme sauvage, mais le roi le fit mettre en une cage de fer dans sa cour et défendit d'ouvrir la porte de la cage sous peine de mort, et la clé elle-même fut confiée à la garde de la reine. Désormais, tout le monde put aller en toute sécurité dans la forêt.

Le roi avait un fils de huit ans qui, un jour qu'il jouait dans la cour, fit tomber sa balle dorée dans la cage. Le garçon courut la réclamer : « Rends-moi ma balle. — Pas avant, répondit

l'homme, que tu ne m'aies ouvert la porte. —
Non, dit l'enfant, je ne le ferai pas, le roi l'a
défendu », et il s'en fut. Le lendemain, il revint et
réclama sa balle : l'homme sauvage dit :
« Ouvre-moi la porte », mais le garçon refusa. Le
troisième jour, le roi étant parti à la chasse,
l'enfant revint et dit : « Même si je voulais, je ne
pourrais pas ouvrir la porte, je n'ai pas la clé. »
L'homme sauvage dit alors : « Elle est sous
l'oreiller de ta mère, tu peux aller la chercher. »
Comme il voulait avoir sa balle, le garçon chassa
tous ses scrupules et ramena la clé. La porte
s'ouvrit avec peine et le garçon se pinça le doigt.
Quand elle fut ouverte, l'homme sauvage sortit,
lui rendit la balle d'or et prit la fuite. L'enfant
eut peur, il se mit à l'appeler et à crier derrière
lui : « Ah, homme sauvage, ne t'en va pas, sinon
je serai battu. » L'homme sauvage fit demi-tour,
le souleva, le mit sur son dos et se dirigea vers la
forêt d'un bon pas. A son retour, le roi vit la cage
vide et demanda à la reine ce qui s'était passé.
N'en sachant rien, elle chercha la clé, mais elle
était partie. Elle appela l'enfant, mais personne
ne répondit. Le roi envoya des gens le chercher
dans la campagne, mais ils ne le trouvèrent pas.
Alors, il put aisément deviner ce qui s'était passé,
et l'on mena grand deuil à la cour.

Une fois arrivé dans la forêt sombre, l'homme
sauvage descendit l'enfant de ses épaules et lui
dit : « Tu ne reverras ni père ni mère, mais je te
garderai auprès de moi, car tu m'as délivré, et

j'ai pitié de toi. Si tu fais tout ce que je te dis, tu
seras bien traité. J'ai des trésors et de l'or en
suffisance et plus que quiconque au monde. » Il
fit à l'enfant un lit de mousse sur lequel il dormit,
et le lendemain il le conduisit à une fontaine et
dit : « Vois-tu, cette fontaine d'or est claire et
transparente comme du cristal : tu auras à rester
là et à veiller que rien ne tombe dedans, afin
qu'elle ne soit pas souillée. Je viendrai voir
chaque soir si tu as bien exécuté mes ordres. »
L'enfant s'assit au bord de la fontaine où il vit
apparaître tantôt un poisson d'or, tantôt un
serpent d'or, et il veilla que rien n'y tombe.
Tandis qu'il restait ainsi immobile, il ressentit
soudain au doigt une douleur si violente que sans
le vouloir il le plongea dans l'eau. Il se hâta de le
retirer, mais il s'aperçut qu'il était tout doré, et il
eut beau se donner beaucoup de peine pour faire
partir l'or, ce fut en vain. Le soir, Jean-de-Fer
rentra, regarda l'enfant et dit : « Qu'est-il arrivé
à la fontaine ? — Rien, rien », dit l'enfant en
cachant son doigt derrière son dos afin qu'il ne le
voie pas. Mais l'homme dit : « Tu as plongé ton
doigt dans l'eau : passe pour cette fois, mais
garde-toi d'y laisser de nouveau tomber quelque
chose. » Le lendemain de bonne heure, il était
déjà à surveiller la fontaine. Son doigt recommença à lui faire mal et il le passa sur sa tête ;
alors, par malheur, un cheveu tomba à l'eau. Il le
retira aussitôt ; mais il était déjà tout doré. Jean-
de-Fer rentra, sachant déjà ce qui s'était passé.

« Tu as laissé tomber un cheveu dans la fontaine,
dit-il, je te le passerai encore cette fois, mais si
cela se reproduit, la fontaine sera souillée et je ne
pourrai pas te garder auprès de moi. » Le
troisième jour, l'enfant était assis à la fontaine, et
son doigt avait beau lui faire mal, il ne le remuait
pas. Mais le temps commença de lui paraître
long, et il contempla son visage qui apparaissait
à la surface de l'eau. Et comme il se penchait de
plus en plus pour se regarder bien en face, voici
que ses longs cheveux lui tombèrent des épaules
et trempèrent dans l'eau. Il se releva en hâte,
mais toute sa chevelure était déjà dorée et brillait
comme un soleil. Vous pouvez imaginer comme
le pauvre enfant fut épouvanté. Il prit son
mouchoir et le noua autour de sa tête afin que
l'homme ne s'en aperçoive pas. Lorsqu'il rentra,
il savait déjà tout et dit : « Dénoue ton mouchoir. » Alors les cheveux d'or jaillirent et le
garçon eut beau s'excuser comme il pouvait, cela
ne lui servit de rien. « Tu n'as pas soutenu
l'épreuve et tu ne peux rester ici plus longtemps.
Va dans le vaste monde, là tu apprendras ce que
c'est que la pauvreté. Mais comme tu n'as pas
mauvais cœur et que je te veux du bien, je
t'accorde une chose : quand tu seras en péril, va
dans la forêt et crie : « Jean-de-Fer ! », alors je te
viendrai en aide. Mon pouvoir est grand, plus
grand que tu ne crois, et j'ai de l'or et de l'argent
en abondance. »

Alors le prince quitta la forêt et alla sans

relâche par des chemins frayés et non frayés,
jusqu'à ce qu'il eût enfin atteint une grande ville.
Là, il chercha du travail, mais sans pouvoir en
trouver, et d'ailleurs il n'avait rien appris qui lui
permît de se pousser dans le monde. Enfin, il alla
au château et demanda si l'on voulait le garder.
Les gens de la cour ne savaient pas trop à quoi
l'employer, mais il leur plaisait et ils lui dirent de
rester. Pour finir, le cuisinier le prit à son service,
disant qu'il pourrait porter le bois et l'eau et
balayer les cendres. Un jour qu'il n'avait personne d'autre sous la main, le cuisinier l'envoya
porter les plats à la table royale ; mais comme il
ne voulait pas laisser voir ses cheveux d'or, il
garda son bonnet. Jamais encore le roi n'avait vu
une chose pareille et il dit : « Quand tu sers à la
table royale, il faut ôter ton chapeau. — Ah, Sire,
répondit-il, je ne peux pas, j'ai une vilaine teigne
sur la tête. » Alors le roi fit appeler le cuisinier, le
réprimanda et lui demanda comment il avait pu
prendre un pareil garçon à son service ; il fallait
le chasser tout de suite. Mais le cuisinier eut pitié
de lui et l'échangea contre l'aide-jardinier.

A présent le garçon devait planter et arroser le
jardin, bêcher et creuser et supporter le vent et
les intempéries. Un jour d'été qu'il travaillait seul
au jardin, il faisait si chaud qu'il ôta son bonnet,
afin que l'air le rafraîchisse un peu. Quand le
soleil tomba sur ses cheveux, ils se mirent à luire
et à briller de telle sorte qu'ils lancèrent des
rayons jusque dans la chambre à coucher de la

princesse, qui se précipita pour voir ce que c'était. Alors elle aperçut le jeune garçon et lui cria : « Gamin, apporte-moi un bouquet. » Il remit son bonnet en grande hâte, cueillit des fleurs des champs et en fit un bouquet. Comme il montait l'escalier, il rencontra le jardinier, qui lui dit : « Comment peux-tu apporter à la princesse des fleurs aussi communes ? Va vite en chercher d'autres parmi les plus belles et les plus rares. — Que non, répondit le jeune garçon, les fleurs sauvages sentent plus fort et lui plairont bien mieux. » Quand il entra dans la chambre, la princesse lui dit : « Ote ton bonnet, il n'est pas séant que tu le gardes en ma présence. » Il répondit de nouveau : « Je ne peux pas, je suis teigneux. » Mais elle saisit son bonnet et le tira ; alors ses cheveux d'or se déroulèrent sur ses épaules, que c'en était superbe à voir. Il voulut s'enfuir, mais elle le retint par le bras et lui donna une poignée de ducats. Il s'en alla avec l'argent, mais n'en fit aucun cas, il l'apporta au jardinier en disant : « Je le donne à tes enfants, ils pourront s'amuser avec. » Le lendemain, la princesse lui cria encore de lui apporter un bouquet de fleurs des champs et quand il entra, elle agrippa tout de suite son chapeau pour le lui ôter, mais il le retint avec ses deux mains. Elle lui donna encore une poignée de ducats, mais il ne voulut pas les garder et les donna au jardinier comme jouets pour ses enfants. Le troisième jour il n'en alla pas autrement, elle ne put pas lui ôter son chapeau et il ne voulut pas de son argent.

Quelque temps après, il y eut la guerre dans le pays. Le roi rassembla son peuple, ne sachant pas s'il pourrait résister à l'ennemi qui était très puissant et avait une grande armée. L'aide-jardinier dit alors : « Je suis grand à présent et je veux aller à la guerre, donnez-moi seulement un cheval. » Les autres se mirent à rire et dirent : « Quand nous serons partis, cherches-en un, nous t'en laisserons un dans l'écurie. » Quand ils furent partis, il alla à l'écurie et fit sortir le cheval, il boitait et traînait la jambe clic clac, clic clac. Néanmoins, il l'enfourcha et se dirigea vers la sombre forêt. Arrivé à l'orée de celle-ci, il cria par trois fois « Jean-de-Fer » si fort que les arbres résonnèrent. Aussitôt l'homme sauvage apparut et dit : « Que demandes-tu ? — Je demande un coursier puissant, car je veux aller à la guerre. — Tu l'auras et tu auras même plus que tu n'en demandes. » Alors l'homme sauvage rentra dans la forêt et peu après, un palefrenier amena un coursier qui soufflait bruyamment par les naseaux et se laissait à peine maîtriser. Et derrière venait une grande troupe de soldats tous bardés de fer, et leurs épées étincelaient au soleil. Le jeune homme remit au palefrenier son cheval à trois pattes, enfourcha l'autre et prit la tête de la troupe. Quand il approcha du champ de bataille, une grande partie des gens du roi étaient tombés et il s'en fallait de peu que le reste ne

battît en retraite. Alors le jeune homme s'élança
avec sa troupe de fer, fondit comme l'orage sur
les ennemis et abattit tout ce qui lui résistait. Ils
voulurent s'enfuir, mais le jeune homme les
talonnait et ne les lâcha que lorsqu'il ne leur
resta plus un homme. Mais au lieu de rejoindre le
roi, il fit rentrer sa troupe dans la forêt par des
détours et appela le Ferré pour le faire sortir.
« Que demandes-tu ? dit l'homme sauvage. —
Prends ton coursier et ta troupe et rends-moi
mon cheval à trois jambes. » On fit tout ce qu'il
demandait et il rentra à la maison sur son cheval
boiteux. Lorsque le roi arriva à son tour, sa fille
alla à sa rencontre et le félicita de sa victoire.
« Ce n'est pas moi qui ai remporté la victoire,
dit-il, mais un chevalier inconnu qui est venu à
mon secours avec sa troupe. » La fille voulut
savoir qui était le chevalier inconnu, mais le roi
l'ignorait et dit : « Il a poursuivi son chemin et je
ne l'ai plus revu. » Elle demanda au jardinier ce
qu'était devenu son aide : mais il se mit à rire et
dit : « Il vient de rentrer sur son cheval boiteux
et les autres se sont moqués de lui en s'écriant :
« Voilà notre clic clac qui rentre. » Ils lui ont dit
aussi : « Derrière quelle haie t'es-tu couché pendant ce temps pour dormir ? » Quant à lui, il a
répondu : « J'ai fait le plus gros de la tâche, et
sans moi cela aurait mal tourné. » Alors les
moqueries ont repris de plus belle. »
   Le roi dit à sa fille : « Je vais faire annoncer
une grande fête qui durera trois jours et où tu

lanceras une pomme d'or, peut-être l'inconnu
viendra-t-il y assister. » Quand la fête fut annon-
cée, le jeune homme se rendit dans la forêt et
appela Jean-de-Fer. « Que demandes-tu ? dit-il.
— D'attraper la pomme d'or de la princesse. —
C'est comme si tu l'avais déjà, dit Jean-de-Fer, tu
auras aussi une armure rouge et tu chevaucheras
un fier alezan. » Le jour venu, le jeune homme
arriva au galop, se mêla aux chevaliers et personne ne le reconnut. La princesse s'avança et
lança une pomme d'or aux chevaliers, mais
personne d'autre que lui ne l'attrapa. Le
deuxième jour, Jean-de-Fer lui avait donné une
armure blanche et un cheval blanc. De nouveau
il fut le seul à attraper la pomme, pourtant il ne
s'attarda pas un instant, il s'esquiva promptement avec. Le roi se fâcha et dit : « Cela n'est
pas permis, il faut qu'il paraisse devant moi et
me dise son nom. » Il donna l'ordre de se lancer à
la poursuite du chevalier qui avait attrapé la
pomme s'il s'échappait de nouveau et, s'il ne
voulait pas revenir de son plein gré, de le frapper
d'estoc et de taille. Le troisième jour, il reçut des
mains de Jean-de-Fer une armure noire et un
cheval moreau, et il attrapa encore la pomme.
Mais lorsqu'il s'enfuit avec, les gens du roi se
lancèrent à sa poursuite et l'un d'eux le serra de
si près qu'il le blessa à la jambe avec la pointe de
son épée. Il parvint pourtant à leur échapper,
mais son cheval fit un bond si violent que son
heaume tomba, et ils purent voir qu'il avait des

cheveux d'or. Ils rebroussèrent chemin et rappor-
tèrent la chose au roi.

Le lendemain, la princesse interrogea le jardinier sur son aide : « Il travaille au jardin : ce
drôle de corps a assisté aussi à la fête et il n'est
rentré qu'hier soir ; en outre il a montré à mes
enfants trois pommes d'or qu'il a gagnées. »

Le roi donna l'ordre de l'amener, et il parut et
il avait de nouveau son bonnet sur la tête. Mais la
princesse alla à lui et le lui ôta, et alors ses
boucles d'or lui tombèrent sur les épaules, et il
était si beau que tous furent étonnés. « Es-tu le
chevalier qui est venu chaque jour à la fête,
portant toujours une autre couleur, et qui a
attrapé les trois pommes d'or ? demanda le roi.
— Oui, répondit-il, et voici les pommes », il les
sortit de sa poche et les tendit au roi. « Si vous
voulez encore d'autres preuves, vous pourrez voir
la blessure que vos gens m'ont faite en me
poursuivant. Mais je suis aussi le chevalier qui
vous a aidé à vaincre l'ennemi. — Si tu peux
accomplir de tels exploits, tu n'es pas aide-
jardinier ; dis-moi qui est ton père. — Mon père
est un roi puissant, et j'ai de l'or en abondance,
autant que j'en demande. — Je vois, dit le roi, je
te dois des remerciements, puis-je t'obliger en
quelque manière ? — Oui, répondit-il, vous le
pouvez, donnez-moi votre fille pour femme. »
Alors la demoiselle se mit à rire et dit : « Celui-là
ne fait pas d'embarras, mais j'avais déjà vu à ses
cheveux d'or qu'il n'était pas aide-jardinier »,

puis elle alla à lui et l'embrassa. Son père et sa
mère vinrent au mariage et ils furent en grande
joie, car ils avaient abandonné l'espoir de revoir
leur cher fils. Et tandis qu'ils étaient à table,
soudain la musique se tut, les portes s'ouvrirent
et un roi majestueux entra avec une grande suite.
Il se dirigea vers le jeune homme, l'embrassa et
lui dit : « Je suis Jean-de-Fer, j'avais été changé
en homme sauvage, mais tu m'as délivré. Tous
les trésors que je possède seront ta propriété. »

Blanchette et Rosette

Une pauvre veuve vivait solitaire dans une chaumière, et devant la chaumière il y avait un jardin où poussaient deux petits rosiers dont l'un donnait des roses blanches et l'autre des roses rouges ; et elle avait deux enfants qui ressemblaient aux deux petits rosiers, et l'un s'appelait Blanchette et l'autre Rosette. Or elles étaient aussi pieuses et bonnes, aussi actives et appliquées que deux enfants le furent jamais en ce monde. Blanchette était seulement plus calme et plus douce que Rosette. Rosette préférait gambader dans les prés et les champs, chercher des fleurs et attraper des papillons ; tandis que Blanchette restait à la maison auprès de sa mère, l'aidait aux soins du ménage ou lui faisait la lecture quand il n'y avait pas d'ouvrage. Les petites s'aimaient tellement qu'elles se tenaient par la main chaque fois qu'elles sortaient ensemble ; et quand Blanchette disait : « Nous ne nous quitterons jamais », Rosette répondait : « Jamais

tant que nous vivrons », et leur mère ajoutait :
« Ce que l'une a, elle doit le partager avec
l'autre. » Souvent elles couraient les bois toutes
seules et cueillaient des fraises, mais aucune bête
ne leur faisait de mal, au contraire elles s'appro-
chaient familièrement : le petit lièvre venait
manger une feuille de chou dans leur menotte, le
chevreuil paissait à côté d'elles, le cerf faisait
devant elles ses bonds joyeux et les oiseaux
restaient perchés dans les arbres et chantaient
tout ce qu'ils savaient. Il ne leur arrivait aucun
mal ; quand elles s'étaient attardées dans le bois
et étaient surprises par la nuit, elles se couchaient
côte à côte sur la mousse et dormaient jusqu'au
matin, et leur mère le sachant était sans inquié-
tude pour elles.

Blanchette et Rosette tenaient la chaumière de
leur mère si propre que c'était une joie d'y jeter
les yeux. En été, c'était Rosette qui s'occupait du
ménage et le matin, avant le réveil de sa mère,
elle mettait à côté de son lit un bouquet de fleurs
avec une rose de chaque rosier. En hiver, Blanchette allumait le feu et pendait la marmite à la
crémaillère, et le chaudron était en cuivre, mais
si bien récuré qu'il brillait comme de l'or. Le soir,
quand la neige tombait, la mère disait : « Blanchette, va pousser le verrou », puis elles s'as-
seyaient autour de l'âtre, la mère chaussait ses
lunettes et leur faisait la lecture dans un grand
livre, et les deux fillettes assises sagement à filer
écoutaient, à côté d'elles un petit agneau était

couché par terre, et derrière elles, sur un per-
choir, une colombe blanche cachait sa tête sous
son aile.

Un soir qu'elles étaient ainsi réunies dans
l'intimité, quelqu'un frappa à la porte comme s'il
demandait à entrer. La mère dit : « Vite,
Rosette, ce doit être un voyageur qui cherche
asile. » Rosette alla tirer le verrou, pensant que
c'était un pauvre homme, mais ce n'en était pas
un, c'était un ours qui passait sa grosse tête noire
dans l'entrebâillement de la porte. Rosette
poussa un grand cri et recula, l'agneau bêla, la
colombe s'envola et Blanchette alla se cacher
derrière le lit de sa mère. Mais l'ours se mit à
parler et dit : « Ne craignez rien, je ne vous ferai
pas de mal, je suis à moitié gelé et je désire
seulement me réchauffer un peu chez vous. —
Pauvre ours, dit la mère, couche-toi près de
l'âtre, mais prends garde que ta fourrure ne
prenne feu. » Puis elle cria : « Blanchette,
Rosette, venez ici, l'ours ne vous fera pas de mal,
il n'a pas de mauvaises intentions. » Alors elles
s'approchèrent toutes deux, et petit à petit
l'agneau et la colombe se rapprochèrent aussi
sans crainte. L'ours dit : « Enfants, tapez un peu
sur ma fourrure pour faire tomber la neige », et
elles allèrent chercher le balai et nettoyèrent
soigneusement la fourrure de l'ours ; quant à lui,
il s'allongea près du feu, en grognant de plaisir et
de bien-être. Il ne leur fallut pas longtemps pour
être sur un pied de familiarité avec lui et taquiner

leur hôte maladroit. Elles lui ébouriffaient les poils avec leurs mains, posaient leurs petits pieds sur son dos et le piétinaient en tous sens, ou bien elles prenaient une baguette de noisetier et lui tapaient dessus, et quand il grognait elles éclataient de rire. L'ours se laissait faire volontiers, mais quand elles y allaient trop fort, il s'écriait :

Blanchette, Rosette,
Tu tues ton promis, fillette.

Quand vint l'heure de se coucher et que les autres allèrent se mettre au lit, la mère dit à l'ours : « Pour l'amour de Dieu, tu peux rester couché auprès de l'âtre, tu y seras à l'abri du froid et du mauvais temps. » Dès le lever du jour, les enfants le firent sortir et, trottant dans la neige, il se dirigea vers le bois. De ce jour-là, l'ours vint chaque soir à l'heure fixée, il se couchait au coin du feu et laissait les enfants s'amuser avec lui autant qu'elles le voulaient ; et elles étaient si bien habituées à lui qu'elles ne verrouillaient pas la porte avant que leur noir compagnon fût arrivé.

Quand le printemps fut venu et que tout eut reverdi, l'ours, un beau matin, dit à Blanchette : « Maintenant il me faut partir, et je ne reviendrai pas de tout l'été — Où vas-tu donc, mon cher ours ? demanda Blanchette. — Il faut que j'aille dans la forêt garder mes trésors des méchants nains ; en hiver, quand la terre est durcie par la gelée, ils sont bien forcés de rester dessous, ils ne peuvent pas se frayer un passage, mais quand le soleil a dégelé et réchauffé la terre, ils s'ouvrent une brèche, montent à la surface, se mettent en quête et volent : ce qui est tombé une fois entre leurs mains et qu'ils ont enfoui dans leurs cavernes ne revient pas facilement à la lumière du jour. » Blanchette fut toute triste de cet adieu, et quand elle eut tiré le verrou, comme l'ours se glissait dehors, il s'accrocha au loquet, un bout de sa peau fut écorché, et Blanchette crut bien avoir vu de l'or luire au travers, mais elle n'était pas sûre de son fait. L'ours s'enfuit en courant et il eut bientôt disparu derrière les arbres.

Quelque temps après, la mère envoya les fillettes ramasser du bois mort dans la forêt. Là, elles trouvèrent un grand arbre abattu, gisant par terre, et elles virent quelque chose sautiller de-ci de-là le long du tronc, mais elles ne pouvaient distinguer ce que c'était. En s'approchant, elles virent un nain avec une vieille figure fripée et une barbe blanche longue d'une aune. Le bout de la barbe était coincé dans une fente de l'arbre et le petit homme sautait de droite et de gauche comme un chiot au bout d'une corde et ne savait comment se tirer de là. Il fixa sur les fillettes ses yeux rouges qui lançaient des flammes et s'écria : « Pourquoi restez-vous plantées là ? Vous ne pouvez pas venir à mon secours ? — Qu'as-tu donc fait, mon petit homme ? demanda Rosette. — Petite oie stupide

et curieuse, répondit le nain, j'ai voulu fendre cet
arbre afin d'avoir du petit bois pour la cuisine ;
avec les grosses bûches, on fait tout de suite
brûler le peu de nourriture dont nous avons
besoin, nous autres, car nous n'en avalons pas
autant que vous, race grossière et goinfre. J'avais
déjà réussi à enfoncer mon coin et tout aurait
marché à souhait, mais ce maudit bois était trop
lisse, le coin sauta inopinément et l'arbre se
referma si vite que je n'eus pas le temps de retirer
ma belle barbe blanche, la voilà maintenant prise
là-dedans et je ne peux pas m'en aller. Ça vous
fait rire, sottes que vous êtes avec vos figures de
papier mâché ! Pouah, que vous êtes donc
laides ! » Les enfants firent tout ce qu'elles
pouvaient, mais elles ne purent pas dégager la
barbe, elle tenait trop solidement. « Je vais courir
chercher des gens, dit Rosette. — Idiotes, glapit
le nain, quelle idée d'aller tout de suite chercher
des gens, vous êtes déjà deux de trop pour moi.
Vous ne voyez rien de mieux ? — Ne t'impatiente
pas, dit Blanchette, je trouverai bien un moyen »,
elle sortit ses petits ciseaux de sa poche et coupa
le bout de la barbe. Dès que le nain se sentit libre,
il prit un sac posé entre les racines de l'arbre et
qui était plein d'or, et le souleva en bougonnant à
part lui : « Sale engeance, malapprises, me couper un morceau de ma belle barbe ! Que le diable
vous le rende ! » Ce que disant, il jeta le sac sur
son dos et s'en alla sans même donner un regard
aux enfants.

Quelque temps après, Blanchette et Rosette
voulurent pêcher un plat de poisson. Quand elles
arrivèrent à proximité du ruisseau, elles virent
quelque chose qui ressemblait à une grande
sauterelle sautiller vers l'eau comme pour s'y
jeter. Elles accoururent et reconnurent le nain.
« Où veux-tu aller, dit Rosette, pas à l'eau tout
de même ? — Je ne suis pas assez fou pour ça, dit
le nain, ne voyez-vous pas que c'est ce maudit
poisson qui veut m'y entraîner ? » Le petit
homme s'était installé en cet endroit pour pêcher
à la ligne, mais par malheur le vent avait
entortillé sa barbe dans le fil et un grand poisson
ayant mordu aussitôt après, les forces avaient
manqué à la chétive créature pour le tirer hors de
l'eau ; le poisson gardait le dessus et tirait le nain
à lui. Celui-ci, il est vrai, s'accrochait à tous les
brins d'herbe et aux joncs, mais cela ne lui
servait pas à grand-chose, il lui fallait suivre les
mouvements du poisson et il était en perpétuel
danger de tomber à l'eau. Les fillettes arrivaient
à point, elles le retinrent et essayèrent de détacher la barbe de la ligne, mais en vain, barbe et
fil étaient solidement emmêlés. Il ne restait plus
qu'à prendre les petits ciseaux et à couper la
barbe, ce qui en fit perdre un petit bout. Quand
le nain s'en aperçut, il les injuria : « Petites
pestes, en voilà des façons, vous abîmer ainsi la
figure ! Il ne vous suffisait pas de m'avoir taillé la
barbe par le bas, voilà que vous m'en rognez
maintenant le meilleur morceau ; je n'oserai plus

du tout paraître devant les miens. Puissiez-vous être forcées de courir après avoir perdu les semelles de vos souliers ! » Puis il alla prendre un sac de perles caché derrière les roseaux et, sans dire un mot de plus, il partit en le traînant et disparut derrière une pierre.

Il advint peu après que la mère envoya ses deux fillettes acheter du fil, des aiguilles, des lacets et des rubans à la ville. Leur chemin passait par une lande où se trouvaient, dispersés çà et là, d'énormes blocs de rochers. Alors elles virent planer dans les airs un grand oiseau qui tournoya lentement au-dessus de leur tête, descendit de plus en plus bas et pour finir s'abattit non loin de là, près d'un rocher. Sitôt après elles entendirent un cri perçant et lamentable. Elles accoururent et virent avec effroi que l'aigle avait saisi leur vieille connaissance. le nain, et s'apprêtait à l'emporter. Les enfants compatissantes retinrent aussitôt le petit homme et le disputèrent à l'aigle jusqu'à ce que celui-ci lâchât prise. Quand le nain fut remis de sa première frayeur, il cria de sa voix perçante : « N'auriez-vous pas pu me traiter avec plus d'égards ? Vous avez tellement tiré sur mon habit mince qu'il est déchiré et troué de partout, racaille maladroite et pataude que vous êtes ! » Puis il prit un sac de pierres précieuses et se glissa de nouveau sous le rocher, dans sa caverne. Les fillettes étaient déjà habituées à son ingratitude, elles continuèrent leur chemin et firent leurs commissions à la ville. En

repassant par la lande, elles surprirent le nain
qui avait vidé son sac de pierres précieuses sur un
petit emplacement bien propre, sans penser que
quelqu'un pût passer par là si tard. Le couchant
éclairait les gemmes étincelantes, elles lançaient
des éclats et brillaient si magnifiquement que les
enfants s'arrêtèrent à les contempler. « Que
restez-vous là à bayer aux corneilles ? » cria
soudain le nain et, de colère, son visage gris-
cendre devint vermillon. Il allait continuer à dire
des injures, mais un fort grognement se fit
entendre et un ours noir sortit du bois au galop.
Effrayé, le nain se releva d'un bond, mais il n'eut
pas le temps de gagner son antre, l'ours était déjà
près de lui. Alors il cria dans l'effroi de son
cœur : « Mon cher seigneur, épargnez-moi, je
vous donnerai tous mes trésors, voyez les belles
pierres que j'ai là. Faites-moi grâce de la vie, que
tirerez-vous d'un petit gringalet comme moi ?
Vous ne me sentirez pas sous vos dents : attrapez
donc ces deux mauvaises gamines, voilà pour
vous des morceaux de choix, grasses comme de
jeunes cailles, pour l'amour de Dieu c'est elles
que vous devez dévorer. » Sans se soucier de ses
paroles, l'ours assomma la maligne créature d'un
seul coup de patte, et elle ne bougea plus.

Les fillettes s'étaient sauvées, mais l'ours leur
cria : « Blanchette, Rosette, n'ayez pas peur :
attendez, je vais avec vous. » Alors elles reconnurent sa voix et s'arrêtèrent et quand l'ours fut
près d'elles, sa peau tomba tout à coup, et il

apparut sous les traits d'un bel homme tout habillé d'or. « Je suis fils de roi, dit-il, ce nain impie qui m'a volé mes trésors m'a enchanté et condamné à courir les bois jusqu'à ce que sa mort me délivre. Il a reçu maintenant le châti-ment qu'il méritait. »

Blanchette fut mariée avec lui, et Rosette avec son frère, et ils se partagèrent les grands trésors que le nain avait accumulés dans sa caverne. La vieille mère vécut encore de longues années, tranquille et heureuse auprès de ses enfants. Mais elle emporta les deux petits rosiers et ils furent plantés devant sa fenêtre et portèrent chaque année les plus belles des roses, des blanches et des rouges.

Le cercueil de verre

Que personne ne dise qu'un pauvre tailleur peut pas aller loin ni parvenir à de hautes distinctions ; il n'a besoin pour cela que de frapper à la bonne porte et, ce qui est le principal, d'avoir de la chance. Il était une fois un petit tailleur de cette espèce, aimable et preste, qui, faisant son tour de compagnon, se trouva dans une grande forêt et faute de savoir le chemin se perdit. La nuit tomba et il ne lui resta plus qu'à chercher un abri dans cette effroyable solitude. Il aurait certes pu se faire un lit sur la mousse molle, mais la peur des bêtes féroces ne lui laissait pas de répit et pour finir, il dut se résoudre à passer la nuit sur un arbre. Il chercha un grand chêne, grimpa jusqu'à la cime et remercia Dieu d'avoir son fer à repasser sur lui, car autrement il eût été emporté par le vent qui soufflait sur la cime des arbres.

Après avoir passé quelques heures dans l'obscurité, non sans crainte et tremblement, il aper-

çut à peu de distance un rayon de lumière;
pensant qu'il pouvait y avoir là une habitation
humaine où il se trouverait mieux que sur les
branches d'un arbre, il descendit avec précaution
et se dirigea du côté de la lumière. Elle le
conduisit à une petite maison qui était faite de
roseaux et de joncs tressés. Il frappa bravement,
la porte s'ouvrit et à la lueur de la lumière qui
passait il vit un petit vieillard chenu dont l'habit
était fait de chiffons de toutes les couleurs. « Qui
êtes-vous et que voulez-vous ? demanda-t-il
d'une voix grinçante — Je suis, répondit-il, un
pauvre tailleur qui a été surpris par la nuit dans
cette forêt sauvage, et je vous prie instamment de
m'héberger chez vous jusqu'à demain. — Passe
ton chemin, répondit le vieux d'un ton maussade,
je n'ai rien à faire avec les vagabonds, va
chercher un abri ailleurs. » Après quoi il voulut
rentrer dans sa maison, mais le tailleur le retint
par le bas de sa veste et le supplia d'un ton si
émouvant que le vieillard, qui n'était pas aussi
méchant qu'il s'en donnait l'air, se laissa finalement fléchir et le fit entrer chez lui, et là, il lui
donna à manger, puis lui indiqua dans un coin
une couche fort convenable.

Fatigué comme il l'était, le tailleur n'eut pas
besoin d'être bercé, il dormit d'un sommeil
agréable jusqu'au matin et il n'aurait pas même
songé à se lever s'il n'avait été réveillé en sursaut
par un grand tapage. Des cris violents et des
beuglements passaient à travers les minces parois

de la maison. Pris d'un courage inattendu, le tailleur se leva d'un bond, enfila ses vêtements en hâte et sortit. Alors il aperçut tout près de la maisonnette un grand taureau noir et un splendide cerf engagés dans un violent combat. Ils se jetaient l'un sur l'autre avec une telle rage que le sol tremblait sous leurs pieds, tandis que l'air retentissait de leurs cris. Longtemps on ne put savoir lequel des deux emporterait la victoire : enfin le cerf enfonça ses cornes dans le ventre de son adversaire, après quoi le taureau s'affaissa en poussant un beuglement terrible et le cerf lui donna quelques coups qui l'achevèrent.

Le tailleur, qui avait assisté avec étonnement au combat, était encore planté là quand le cerf se précipita sur lui d'un bond, et avant qu'il eût pu fuir, l'enfourcha littéralement avec ses bois immenses. Il n'eut guère le temps de réfléchir, car il était emporté à toute allure par les prés et les bois, à travers champs, par monts et par vaux. Se tenant des deux mains aux extrémités de la ramure, il s'abandonna à son sort. Mais il ne douta point qu'il fût en train de s'envoler. Enfin le cerf s'arrêta devant une paroi de rocher et laissa doucement tomber le tailleur. Plus mort que vif, celui-ci mit quelque temps à se ressaisir. Quand il se fut un peu remis, le cerf, qui était resté debout à côté de lui, poussa ses cornes dans une porte pratiquée dans le rocher, avec une telle violence qu'elle s'ouvrit d'un coup. Des flammes s'en échappèrent, suivies d'un grand nuage de

fumée qui déroba le cerf à ses yeux. Le tailleur ne
savait que faire ni à qui s'adresser pour sortir de
ce désert et se retrouver parmi les hommes.
Tandis qu'il restait là, indécis, une voix sortit du
rocher et lui dit : « Entre sans crainte, il ne te
sera fait aucun mal. » Il hésita bien un peu, mais,
poussé par une force secrète, il franchit la porte
de fer et arriva dans une grande salle spacieuse
dont le plafond, les murs et le sol étaient faits de
pierres carrées polies comme un miroir sur
lesquelles étaient gravés des signes inconnus de
lui. Il contemplait tout cela plein d'étonnement et
se disposait à ressortir quand il entendit de
nouveau la voix qui lui disait : « Mets-toi sur la
pierre qui se trouve au centre de la salle et
attends là ton grand bonheur. »

Il avait déjà suffisamment repris courage pour
pouvoir obéir à l'ordre. La pierre commença à
céder sous ses pieds et descendit lentement dans
les profondeurs. Quand elle s'arrêta et que le
tailleur regarda autour de lui, il se trouvait dans
une salle de dimensions égales à la précédente.
Mais elle offrait plus de choses à contempler et à
admirer. Dans les murs il y avait des renfonce-
ments où étaient posés des récipients de verre
transparent remplis d'alcool coloré ou de fumée
bleuâtre. Par terre, il y avait deux grandes caisses
de verre posées l'une à côté de l'autre qui
excitèrent aussitôt sa curiosité. En approchant, il
aperçut dans l'une un bel édifice, semblable à un
château entouré de magasins, d'écuries et de

granges, ainsi que d'une foule d'autres objets. Tout était petit, mais exécuté avec un soin et une élégance extrêmes, et paraissait sculpté par une main habile avec la plus grande précision.

Il ne se fût pas pressé de détourner les regards de ces merveilles si la voix ne s'était fait entendre une fois de plus. Elle l'invitait à se retourner et à regarder l'autre caisse. Quel ne fut pas son étonnement en y voyant une jeune fille de la plus grande beauté. Elle était comme endormie et enveloppée dans ses longs cheveux blonds comme dans un manteau précieux. Ses paupières étaient bien fermées, mais son teint animé et un ruban bougeant çà et là au rythme de son souffle ne laissaient pas douter qu'elle fût en vie. Le cœur battant, le tailleur contemplait la belle quand soudain elle ouvrit les yeux et tressaillit de joyeuse surprise. « Juste ciel ! s'écria-t-elle, ma délivrance approche ! Vite, vite, aide-moi à sortir de ma prison : tire le verrou de ce cercueil de verre et je serai délivrée. » Le tailleur obéit sans hésiter, aussitôt elle fit sauter le couvercle de verre, sortit du cercueil et se précipita dans un coin de la salle pour s'envelopper d'un ample manteau. Puis elle s'assit sur une pierre, fit approcher le jeune homme et après l'avoir affectueusement baisé sur la bouche, elle lui dit : « Mon sauveur si longtemps désiré, le ciel miséricordieux t'a conduit vers moi pour mettre un terme à mes souffrances. Le jour même où elles prendront fin, ton bonheur commencera. Tu es

l'époux que le ciel m'a destiné et, aimé de moi et
comblé de tous les biens terrestres, tu passeras ta
vie dans un bonheur sans nuages. Assieds-toi et
écoute le récit de mon destin.

« Je suis la fille d'un riche comte. Mes parents
sont morts dans ma tendre enfance et en expri-
mant leurs dernières volontés, ils me confièrent à
mon frère aîné, avec lequel je fus élevée. Nous
nous aimions si tendrement et nous accordions si
bien par nos façons de penser et nos goûts que
nous résolûmes tous deux de ne jamais nous
marier, afin de vivre ensemble jusqu'à la fin de
nos jours. Dans notre maison on ne manquait
jamais de compagnie : voisins et amis venaient
souvent nous voir et nous donnions à tous une
large hospitalité. C'est ainsi qu'un soir, un
inconnu qui voyageait à cheval se présenta au
château et, sous le prétexte qu'il n'avait plus le
temps d'atteindre le prochain village, nous
demanda un abri pour la nuit. Nous accédâmes à
sa prière avec une courtoisie prévenante, et
pendant le repas, sa conversation et ses histoires
qu'il y mêlait nous divertirent de la façon la plus
agréable. Mon frère le trouva tellement à son gré
qu'il le pria de demeurer chez nous quelques
jours, ce à quoi, après avoir un peu refusé, il finit
par consentir. Nous ne nous levâmes de table que
tard dans la nuit, on conduisit l'étranger à sa
chambre et moi, lasse comme je l'étais, je ne
tardai pas à délasser mes membres sur ma
couche moelleuse. Je commençais à peine à

somnoler que je fus réveillée par les sons d'une douce et suave musique. Ne comprenant pas d'où ils venaient, je voulus appeler ma camériste qui dormait dans la chambre voisine, mais à mon étonnement, je sentis un poids m'écraser la poitrine. J'étais privée de langage par une force inconnue et incapable de faire entendre le moindre son. En même temps je vis à la lueur de la veilleuse l'inconnu entrer dans ma chambre pourtant solidement fermée par deux portes. Il s'approcha de moi et dit que grâce à des forces magiques dont il disposait, il avait fait retentir la délicieuse musique et que maintenant, il passait lui-même à travers toutes les serrures pour m'offrir sa main et son cœur. Mais la répulsion que m'inspiraient ses tours de sorcier était si grande que je ne daignai pas lui répondre. Il resta un moment immobile, probablement dans le dessein d'attendre une décision favorable ; mais comme je continuais de me taire, il déclara sur un ton furieux qu'il se vengerait et trouverait le moyen de punir mon orgueil, puis il quitta la chambre. Je passai la nuit dans la plus grande agitation et je ne m'endormis que vers le matin. Sitôt réveillée, je courus chez mon frère pour l'instruire de ce qui s'était passé, mais je ne le trouvai pas dans sa chambre et le laquais me dit qu'il était parti à la chasse dès l'aube avec l'inconnu.

Je n'en augurai rien de bon. Je m'habillai en hâte, fit seller mon palefroi favori et, accompa-

gnée d'un seul serviteur, je m'élançai à vive
allure vers la forêt. Le serviteur fit une chute
avec son cheval et ne put pas me suivre, car le
cheval s'était cassé le pied. Je poursuivis ma
route sans m'attarder et au bout de quelques
minutes, je vis l'inconnu venir à moi avec un
beau cerf qu'il tenait en laisse. Je lui demandai ce
qu'il avait fait de mon frère et comment il avait
trouvé ce cerf, dont je voyais les grands yeux
pleins de larmes. En guise de réponse, il se mit à
rire bruyamment. Prise alors d'une violente
colère, je tirai un pistolet et le déchargeai sur le
monstre, mais la balle rebondit sur sa poitrine et
alla se loger dans la tête de mon cheval. Je
m'affaissai sur le sol et l'inconnu murmura
quelques mots qui me firent perdre conscience.

Quand je revins à moi, je me trouvai dans cette
crypte souterraine, enfermée dans un cercueil de
verre. Le mage noir vint encore une fois et me dit
qu'il avait changé mon frère en cerf, réduit mon
château et ses dépendances pour les faire entrer
dans l'autre caisse de verre et jeté un sort à mes
gens, en sorte qu'ils étaient changés en fumée et
enfermés dans des flacons. Si je voulais céder à
son désir, il lui serait facile de tout remettre en
son ancien état, il n'aurait qu'à ouvrir les caisses
et tout reprendrait sa forme naturelle. Je lui
répondis aussi peu que la première fois. Il
disparut et me laissa couchée dans ma prison, où
un profond sommeil s'empara de moi. Parmi les
images dont mon âme était effleurée, il y avait

aussi la vision consolante d'un jeune homme qui venait me délivrer, et voici qu'en ouvrant les yeux, je t'aperçois et vois mon rêve réalisé. Aide-moi encore à accomplir ce qui avait lieu ensuite dans cette vision. Il faut d'abord faire remonter la caisse où se trouve mon château en la plaçant sur la grande dalle. »

Une fois chargée, la dalle remonta avec la demoiselle et le jeune homme et passa dans la salle du haut par l'ouverture du plafond, après quoi ils purent facilement gagner la campagne. Là, la demoiselle ouvrit le couvercle et ce fut merveille de voir comment château, maisons et dépendances s'étiraient et reprenaient avec la plus grande rapidité leur taille naturelle. Ensuite ils retournèrent dans la caverne et chargèrent la dalle avec les flacons remplis de fumée. A peine la demoiselle eut-elle ouvert les flacons que la fumée bleue en sortit et se changea en êtres humains que la demoiselle reconnut pour ses domestiques et ses gens. Sa joie s'accrut encore quand elle vit sortir de la forêt, sous une forme humaine, son frère qui avait tué le magicien changé en taureau, et le même jour, tenant sa promesse, elle donna sa main à l'heureux tailleur devant l'autel.

La gardeuse d'oies à la fontaine

Il était une fois une vieille petite bonne femme, vieille comme les pierres, qui vivait avec son troupeau d'oies dans une retraite solitaire, entre les montagnes, où elle avait une maisonnette. Ce lieu était environné d'une grande forêt, et tous les matins la vieille prenait sa béquille et se rendait au bois d'un pas chancelant. Une fois là, pourtant, la petite vieille était très affairée, bien plus qu'on ne l'en eût cru capable vu son âge avancé ; elle ramassait de l'herbe pour ses oies, cueillait des fruits sauvages autant qu'elle pouvait les atteindre avec ses mains et remportait le tout sur son dos. On aurait pu croire qu'elle allait succomber sous sa lourde charge, mais elle la ramenait toujours à bon port. Quand elle rencontrait quelqu'un, elle le saluait d'un air très affable. « Bonjour, pays, il fait beau aujourd'hui. Oui-da, ça vous étonne de me voir traîner mon herbe, mais il faut bien que chacun se charge de son fardeau. » Pourtant, les gens n'aimaient pas

la rencontrer, ils préféraient faire un détour, et
quand un père la croisait avec son petit garçon, il
lui disait tout bas : « Prends garde à cette vieille,
elle cache son jeu : c'est une sorcière. »

Un matin, un beau jeune homme traversa la
forêt. Le soleil brillait clair. Les oiseaux chantaient, une brise fraîche agitait le feuillage, et il
était plein de joie et de plaisir. Il n'avait pas
encore rencontré âme qui vive quand il aperçut
soudain la vieille sorcière qui, agenouillée par
terre, coupait de l'herbe avec une faucille. Elle en
avait déjà mis tout un tas dans sa toilette et à
côté, il y avait deux paniers remplis de poires et
de pommes. « Mais petite mère, dit-il, comment
pourras-tu emporter tout cela ? — Je serai bien
obligée, mon bon monsieur, répondit-elle, les
enfants de riches n'en ont pas besoin, mais chez
le paysan on dit :

Ne te retourne pas, tu courbes l'échine.

Voulez-vous m'aider ? lui dit-elle, comme il
restait planté là. Vous avez encore le dos droit et
vos jambes sont jeunes, ce sera une bagatelle
pour vous. D'ailleurs ma maison n'est pas loin
d'ici : elle est sur une lande, là-bas, derrière cette
montagne. Vous n'aurez qu'un saut à faire. » Le
jeune homme eut pitié de la vieille : « A vrai dire,
mon père n'est pas un paysan, mais un riche
comte, répondit-il, pourtant afin que vous voyiez
que les paysans ne sont pas seuls à pouvoir porter

un fardeau, je vais me charger de votre baluchon.
— Si vous voulez essayer, dit-elle, j'en serai fort
aise. Sans doute vous aurez une lieue à faire,
mais qu'est-ce que c'est pour vous ? Il faut porter
aussi ces pommes et ces poires-là. » Le jeune
comte trouva toutefois un peu bizarre qu'elle
parlât d'une lieue, mais la vieille ne le lâcha plus,
elle lui mit le ballot sur le dos et lui pendit les
deux paniers aux bras. « Vous voyez, cela va tout
seul, dit-elle. — Non, répondit le comte en
faisant une grimace de douleur, cela ne va pas
tout seul. Le ballot me blesse autant que s'il
contenait un tas de moellons, et les poires et les
pommes sont lourdes comme du plomb, c'est
tout juste si je peux respirer. » Il avait envie de
tout planter là, mais la vieille ne le laissa pas
faire. « Voyez un peu, dit-elle moqueuse, ce
jeune monsieur ne peut pas porter ce que moi,
pauvre vieille, j'ai traîné si souvent. Pour les
belles paroles, ils sont prêts, mais quand ça
devient sérieux, ils veulent prendre la poudre
d'escampette. Qu'avez-vous à rester là comme
un piquet et à hésiter ? Allons, levez les jambes,
personne ne vous reprendra le paquet. » Tant
que le terrain resta plat, ce fut encore tolérable,
mais quand ils arrivèrent à la côte et qu'il leur
fallut monter, tandis que les pierres roulaient
sous ses talons comme des choses vivantes, ce fut
au-dessus de ses forces. Les gouttes de sueur lui
perlaient sur le front et lui coulaient le long de
l'échine, tantôt brûlantes, tantôt glacées. « Petite

mère, dit-il, je n'en peux plus, je vais me reposer un peu. — Que non, répondit la vieille, quand nous serons arrivés, vous pourrez prendre du repos, mais maintenant il faut avancer. Qui sait, cela vous sera peut-être bon à quelque chose. — Vieille, tu deviens insolente », dit le comte, et il voulut se défaire du paquet, mais il s'y efforça vainement : il tenait à son dos aussi solidement que s'il y avait été soudé. Il se tourna et se retourna, mais ne put s'en débarrasser. La vieille riait de le voir et sautillait joyeusement sur sa béquille. « Ne vous fâchez pas, mon bon monsieur, dit-elle, vous en devenez rouge comme un coq. Portez votre baluchon avec patience, et quand nous serons arrivés chez moi, je vous donnerai un bon pourboire. » Que faire ? Il lui fallut se résigner à son sort et avancer patiemment derrière la vieille. Elle semblait devenir de plus en plus agile, et lui, son fardeau lui pesait de plus en plus. Tout à coup, elle fit un bond, sauta sur le haut du ballot et s'y assit, et bien qu'elle fût sèche comme du bois cela ne l'empêchait pas d'être plus lourde que la plus grosse des campagnardes. Les genoux du garçon en tremblaient, mais quand il n'avançait pas, la vieille lui tapait sur les mollets avec une baguette et des orties. Il grimpa la côte en geignant sans arrêt et lorsqu'il atteignit enfin la maison de la vieille, il était sur le point de s'écrouler. Quand les oies aperçurent leur maîtresse, elles coururent à sa rencontre, les ailes levées et le cou tendu, en criant : « Houle,

326 La gardeuse d'oies à la fontaine

houle. » Derrière le troupeau s'en venait, sa badine à la main, une maritorne d'un certain âge, grande et grosse, mais laide à faire peur. « Mère, dit-elle à la vieille, vous est-il arrivé quelque chose ? Vous vous êtes attardée bien longtemps. — Du tout, fillette, répondit-elle, il ne m'est rien arrivé de fâcheux, au contraire, le bon monsieur que voilà m'a porté mon ballot ; et figure-toi, comme j'étais fatiguée, il m'a prise moi-même sur son dos. D'ailleurs le chemin ne nous a pas paru long, nous nous sommes amusés et nous n'avons cessé de plaisanter ensemble. » Enfin la vieille se laissa glisser par terre, ôta le paquet du dos du jeune homme et les paniers de son bras, le regarda d'un air très aimable et dit : « A présent, asseyez-vous sur le banc devant la porte. Vous avez honnêtement gagné votre salaire, il ne vous fera pas défaut. » Puis elle dit à la gardeuse d'oies : « Entre dans la maison, fillette, il n'est pas séant de rester seule avec un jeune homme, il ne faut pas jeter de l'huile sur le feu, il pourrait s'amouracher de toi. » Le comte ne savait pas s'il devait pleurer ou rire, il se dit : « Quand même elle aurait trente ans de moins, une petite amie comme ça aurait de la peine à toucher mon cœur. » Cependant la vieille caressait et flattait ses oies comme des enfants, puis elle entra dans la maison avec sa fille. Le jeune homme s'étendit sur le banc, à l'ombre d'un pommier sauvage. L'air était tiède et doux : tout autour de lui s'étendait une vaste prairie parse-

mée de primevères, de serpolet et de mille autres
fleurs, au beau milieu passait en murmurant un
clair ruisseau que le soleil faisait scintiller, et les
oies blanches se promenaient de-ci de-là ou
barbotaient dans l'eau. « C'est bien agréable ici,
se dit-il, mais je suis si fatigué que je n'ai pas
envie de garder les yeux ouverts, je vais dormir
un peu. Pourvu qu'un coup de vent ne vienne pas
m'arracher les jambes, elles sont molles comme
de l'amadou. »

Quand il eut un peu dormi, la vieille vint le
secouer pour le réveiller. « Debout, dit-elle, tu ne
peux pas rester ici. Il est vrai que je ne t'ai pas
ménagé, mais cela ne t'a pas coûté la vie.
Maintenant je vais te donner ton salaire, tu n'as
besoin ni d'argent, ni de biens, voilà quelque
chose d'autre. » Ce que disant, elle lui mit dans
la main une petite boîte taillée dans une unique
émeraude. « Garde-la bien, ajouta-t-elle, elle te
portera bonheur. » Le comte sauta de son banc,
et voilà qu'il se sentit tout dispos, ses forces
étaient revenues, il remercia donc la vieille de son
cadeau et se mit en route sans se retourner une
seule fois vers la jolie fillette. Il avait déjà fait un
bout de chemin qu'il entendait encore dans le
lointain le cri joyeux des oies.

Le comte dut errer trois jours dans la contrée
sauvage avant de pouvoir en trouver l'issue. Puis
il arriva dans une grande ville, et comme personne ne le connaissait, on le conduisit au
château, où le roi et la reine étaient assis sur leur

trône. Le comte mit un genou en terre, prit la
boîte d'émeraude dans sa poche et la déposa aux
pieds de la reine. Mais à peine l'eût-elle ouverte
et y eût-elle jeté les yeux qu'elle s'écroula,
comme morte. Le comte fut saisi par les laquais
du roi et il allait être emmené en prison quand la
reine ouvrit les yeux, cria de le laisser en liberté
et ordonna à tout le monde de sortir, car elle
voulait lui parler en secret.

Quand la reine fut seule, elle se mit à pleurer
amèrement et dit : « A quoi bon le faste et les
honneurs qui m'entourent, tous les matins je
m'éveille dans les soucis et le chagrin. J'avais
trois filles, dont la cadette était si jolie que le
monde entier la tenait pour une merveille. Elle
était blanche comme la neige, rose comme une
fleur de pommier, et ses cheveux étaient aussi
brillants que les rayons du soleil. Lorsqu'elle
pleurait, ce n'étaient pas des larmes qui lui
coulaient des yeux, mais rien que des perles et
des pierres précieuses. Quand elle eut quinze ans,
le roi fit venir les trois sœurs devant le trône.
Vous auriez dû voir alors quels yeux faisaient les
assistants quand la plus jeune entra, on eût dit
que le soleil se levait. Le roi déclara : « Mes filles,
je ne sais quand mon dernier jour viendra, mais
je veux fixer aujourd'hui ce que chacune d'entre
vous recevra après ma mort. Vous me chérissez
toutes, mais celle de vous qui m'aime le mieux
aura la meilleure part. » Chacune déclara que
c'était elle qui l'aimait le plus. « Ne pouvez-vous

exprimer la manière dont vous m'aimez ? répondit le roi. Ainsi je verrai ce que vous entendez par là. » L'aînée déclara : « J'aime mon père comme le sucre le plus doux. » La seconde : « J'aime mon père comme la plus belle de mes robes. » Mais la plus jeune se taisait. Alors le roi lui demanda : « Et toi, mon enfant chéri, comment m'aimes-tu ? — Je ne sais pas, répondit-elle, je ne puis comparer mon amour à rien. » Mais le père insistant pour qu'elle nommât quelque chose, elle dit enfin : « Le meilleur des mets, je ne le trouve pas bon sans sel, c'est pourquoi j'aime mon père autant que le sel. » En entendant ces mots, le roi se mit en colère et dit : « Puisque tu m'aimes autant que le sel, je te paierai donc ton amour avec du sel. » Alors il partagea son royaume entre ses deux aînées, quant à la cadette, il lui fit attacher un sac de sel au dos, et deux valets durent la conduire dans la forêt sauvage. « Nous l'avons tous imploré et supplié pour elle, dit la reine, mais rien ne put fléchir le roi. Comme elle pleurait quand il lui a fallu nous quitter ! Tout le chemin était parsemé des perles qui lui tombaient des yeux. Le roi n'a pas tardé à regretter sa grande dureté, il a fait chercher la pauvre enfant dans toute la forêt, mais personne n'a pu la retrouver. Quand je pense que les bêtes sauvages l'ont dévorée, je ne me sens pas de tristesse ; parfois je me berce de l'espoir qu'elle est encore en vie et qu'elle s'est cachée dans une caverne ou bien qu'elle a trouvé

protection chez des personnes compatissantes.
Mais imaginez-vous qu'en ouvrant votre petite
boîte d'émeraude, j'y ai vu une perle exactement
semblable à celles qui coulaient des yeux de ma
fille, et vous pouvez vous représenter combien
cette vue a ému mon cœur. Dites-moi comment
la perle est tombée entre vos mains. » Le comte
raconta qu'il la tenait de la vieille de la forêt,
laquelle ne lui avait pas paru bien rassurante et
devait être sorcière; mais qu'il n'avait rien
appris ni rien vu au sujet de la princesse. Le roi et
la reine prirent la décision d'aller trouver la
vieille, ils pensaient que là où était la perle, ils
auraient nécessairement des nouvelles de leur
enfant.

La vieille était dans sa retraite et filait, assise à
son rouet. Il faisait déjà sombre, et une torche qui
brûlait près de l'âtre répandait une maigre lueur.
Tout à coup il y eut du bruit dehors, les oies s'en
revenaient du pré et faisaient entendre leurs cris
rauques. Peu après la fille entra à son tour. Elle
s'assit à son rouet et tordit le fil aussi prestement
qu'une jeunesse. Elles restèrent ainsi deux heures
et n'échangèrent pas un mot. Enfin quelque
chose frôla la fenêtre et deux yeux de feu tout
ronds regardèrent à l'intérieur. C'était une vieille
chouette qui par trois fois cria houhou. La vieille
se contenta de lever un peu les yeux, puis elle
dit : « Voilà le moment de sortir, ma petite fille,
fais ta besogne. »

Elle se leva et sortit. « Où s'en est-elle donc

allée ? » : par-delà les prés et toujours plus loin
jusque dans la vallée. Enfin elle arriva à une
fontaine près de laquelle se dressaient trois vieux
chênes. Pendant ce temps la lune s'était levée,
ronde et pleine, au-dessus de la montagne, et il
faisait si clair qu'on aurait pu retrouver une
épingle.

Elle ôta une peau qui recouvrait sa figure, puis
se pencha sur la fontaine et se mit à se laver.
Quand elle eut finit, elle trempa aussi la peau
dans l'eau, puis l'étendit sur le pré afin qu'elle
blanchît et séchât au clair de lune. Mais comme
la jeune fille était métamorphosée ! Vous n'avez
jamais rien vu de pareil ! Quand sa tresse grise
tomba, ses cheveux d'or jaillirent tels des rayons
de soleil et la couvrirent tout entière comme un
manteau. Seuls ses yeux brillaient au travers,
aussi étincelants que les étoiles du ciel, et ses
joues se coloraient d'un rose aussi doux que la
fleur du pommier.

Mais la belle jeune fille était triste. Elle s'assit
et versa des larmes amères. Les larmes lui
coulaient des yeux l'une après l'autre et roulaient
jusqu'à terre entre ses longs cheveux. Elle restait
là dans cette posture et y serait demeurée longtemps si elle n'avait entendu quelque chose
craquer et bruire dans les branches d'un arbre
proche. Elle se leva d'un bond comme un chevreuil qui perçoit le coup du chasseur. La lune
était justement cachée par un nuage noir, en un

clin d'œil la jeune fille rentra dans sa vieille peau et disparut, telle une lumière éteinte par le vent.

Elle rentra en courant, tremblante comme la feuille. La vieille était devant la porte et la jeune fille voulut lui raconter ce qui lui était arrivé, mais la vieille se mit à rire affectueusement et lui dit : « Je sais déjà tout. » Elle la fit entrer dans la salle et alluma une nouvelle torche. Mais elle ne retourna pas à son rouet, elle alla chercher un balai et se mit à balayer et à laver. « Il faut que tout soit propre et net, dit-elle à la jeune fille. — Mais, ma mère, dit celle-ci, pourquoi vous mettez-vous au travail à une heure si tardive? Qu'avez-vous? — Sais-tu donc quelle heure il est? demanda la vieille. — Pas encore minuit, répondit la jeune fille, mais déjà onze heures passées. — Ne te rappelles-tu pas qu'il y a aujourd'hui trois ans que tu es arrivée chez moi? Ton temps est fini, nous ne pouvons pas rester plus longtemps ensemble. » La jeune fille fut prise de frayeur et dit : « Oh, chère mère, vous voulez me chasser? Où irai-je? Je n'ai pas d'amis, pas de pays où diriger mes pas. J'ai fait tout ce que vous m'avez demandé et vous avez toujours été contente de moi; ne me renvoyez pas. » La vieille ne voulait pas dire à la jeune fille ce qui l'attendait. « Je ne peux plus rester longtemps ici, dit-elle, mais quand je m'en irai, il faudra que la maison et la salle soient propres; donc ne me retarde pas dans mon ouvrage. Sois sans crainte en ce qui te concerne, tu trouveras

un toit sous lequel tu pourras habiter, et tu seras
satisfaite aussi du salaire que je vais te donner.
— Mais dites-moi seulement ce qui se prépare ?
dit la jeune fille. — Je te répète de ne pas me
déranger dans mon travail. Ne dis plus un mot,
va dans ta chambre, ôte la peau de ton visage et
mets la robe de soie que tu portais quand tu es
arrivée ici, et puis attends chez toi que je
t'appelle. »

Mais il faut que je revienne au roi et à la reine,
qui s'étaient mis en route avec le comte pour aller
trouver la vieille dans sa retraite. S'étant trouvé
séparé d'eux la nuit, le comte dut continuer son
chemin tout seul. Le lendemain, il lui sembla
qu'il était sur la bonne voie. Il marcha donc
jusqu'à la tombée du jour, puis il monta sur un
arbre et voulut y passer la nuit, car il avait peur
de s'égarer. Quand la lune éclaira les environs, il
aperçut une silhouette qui descendait la côte.
Elle n'avait pas de baguette à la main, mais il
crut reconnaître la gardeuse d'oies qu'il avait vue
auparavant dans la maison de la vieille. « Ho
ho ! s'écria-t-il, la voilà, et si je tiens la première
sorcière, la deuxième ne m'échappera pas. »
Mais quel ne fut pas son étonnement en la voyant
aller à la fontaine, ôter sa peau et se laver, puis
quand ses cheveux d'or la recouvrirent et qu'elle
apparut, si belle qu'il n'avait jamais rien vu au
monde de pareil. C'est à peine s'il osait respirer,
mais il tendit le cou aussi loin qu'il put à travers
le feuillage et la regarda sans pouvoir en détacher

les yeux. Mais soit qu'il se fût trop penché ou
pour toute autre cause, soudain la branche
craqua, et au même instant la jeune fille se glissa
dans sa peau et s'enfuit en bondissant comme un
chevreuil, et comme en même temps la lune se
couvrait, elle fut ravie à ses regards.

A peine eut-elle disparu que le comte descendit
de son arbre et se mit à la suivre d'un pas vif. Il
n'avait pas encore marché longtemps lorsqu'il vit
dans le crépuscule deux formes qui traversaient
la prairie. C'étaient le roi et la reine qui avaient
aperçu de loin la lumière dans la maisonnette de
la vieille et s'y rendaient tout droit. Le comte leur
raconta quels prodiges il avait vus près de la
fontaine et ils ne doutèrent pas qu'il s'agissait de
leur enfant perdue. Pleins de joie, ils continuèrent leur chemin et atteignirent bientôt la maison : les oies étaient couchées tout autour, la tête
sous l'aile, elles dormaient et pas une ne bougea.
Ils regardèrent par la fenêtre ; la vieille était là,
bien tranquille, elle filait en hochant la tête et ne
levait pas les yeux. Tout était net dans la salle,
comme si elle était habitée par les petits lutins
qui ne gardent pas de poussière aux pieds. Mais
ils ne virent pas leur fille. Ils contemplèrent tout
cela un certain temps, puis ils s'armèrent de
courage et frappèrent doucement à la fenêtre. La
vieille paraissait les avoir entendus ; elle se leva
et s'écria d'un air fort aimable : « Entrez donc, je
vous connais. » Quand ils furent entrés, la vieille
dit : « Vous auriez pu vous épargner cette longue

route si, il y a trois ans, vous n'aviez chassé injustement votre enfant si bonne et si aimante. Elle, elle n'en a pas pâti, il lui a fallu garder les oies pendant trois ans, mais ce que faisant, elle n'a rien appris de mal, elle a conservé toute la pureté de son cœur. Quant à vous, vous êtes suffisamment punis par l'angoisse que vous avez endurée à cause d'elle. » Puis elle alla vers la chambre et dit : « Viens, ma petite fille. » Alors la porte s'ouvrit et la princesse sortit dans sa robe de soie, avec ses cheveux d'or et ses yeux brillants, et ce fut comme si un ange tombait du ciel.

Elle alla à son père et à sa mère, leur sauta au cou et les embrassa. Ils ne purent s'empêcher de pleurer tous de joie. Le jeune comte était auprès d'eux et quand elle l'aperçut, son visage rougit comme une rose moussue ; elle-même ne savait pas pourquoi. Le roi dit : « Chère enfant, j'ai donné mon royaume, à présent que puis-je t'offrir ? — Elle n'a besoin de rien, dit la vieille, je lui fais cadeau des larmes qu'elle a versées à cause de vous, ce ne sont que perles, plus belles que celles qu'on trouve au fond de la mer, et plus précieuses que votre royaume tout entier. Et en récompense de ses services, je lui donne ma chaumière. » Quand elle eut dit ces mots, elle disparut à leurs yeux. On entendit un léger craquement dans les cloisons et quand ils tournè-rent la tête, ils virent que la chaumière s'était transformée en un palais superbe, une table

royale était dressée et des laquais s'affairaient de
tous côtés.

L'histoire continue, mais ma grand-mère, qui
me l'a racontée, avait un peu perdu la mémoire,
elle avait oublié le reste. Toutefois, je crois que la
belle princesse a épousé le comte, qu'ils sont
restés ensemble dans le château, et qu'ils y ont
vécu en toute félicité aussi longtemps que Dieu
l'a voulu. Quant à savoir si les oies blanches
comme neige que l'on gardait autour de la
maison étaient autant de jeunes demoiselles (il
n'y a pas de quoi s'en formaliser) que la vieille
avait prises chez elle, et si elles ont maintenant
leur forme humaine et si elles sont restées comme
servantes auprès de la jeune reine, je n'en sais
trop rien, mais je le suppose. Une chose est
certaine, c'est que la vieille n'était pas une
sorcière, comme les gens le croyaient, mais une
sage-femme pleine de bonnes intentions. C'est
probablement d'elle que, dès sa naissance, la
princesse tenait le don de pleurer des perles en
guise de larmes. Ces choses-là n'arrivent plus de
nos jours, sans cela les pauvres gens auraient tôt
fait de s'enrichir.

La vraie fiancée

Il était une fois une fille qui était jeune et belle, mais elle avait perdu sa mère de bonne heure, et sa belle-mère lui faisait subir les pires crève-cœur. Quand elle lui donnait une tâche, si lourde qu'elle fût, elle s'y mettait sans se laisser rebuter et l'accomplissait dans la mesure de ses forces. Mais elle ne parvenait pas à adoucir le cœur de la méchante femme qui était toujours mécontente, jamais elle n'en faisait assez. Plus elle était laborieuse, plus elle lui donnait de travail, et elle ne pensait qu'au moyen de lui imposer des tâches de plus en plus lourdes pour lui bien empoisonner la vie.

Un jour elle lui dit : « Voici douze livres de plumes à ébarber, si tu n'as pas fini ce soir, tu seras rouée de coups. Crois-tu pouvoir fainéanter toute la journée ? » La pauvre fille se mit au travail mais les larmes coulaient sur ses joues, car elle voyait bien qu'elle ne pourrait jamais finir sa tâche en un jour. Quand elle avait un petit tas de plumes devant elle et qu'elle soupirait ou que, dans sa crainte, elle joignait les mains, les plumes se dispersaient et il lui fallait de nouveau les trier et tout recommencer. Alors, une fois, elle mit les coudes sur la table et, enfouissant son visage dans ses mains, elle s'écria : « N'y aura-t-il donc personne sur la terre du bon Dieu pour avoir pitié de moi ? » Au même moment elle entendit une voix douce qui lui disait : « Console-toi, mon enfant, je suis venue à ton aide. » La jeune fille leva les yeux et vit une vieille femme debout à côté d'elle. Elle la prit affectueusement par la main en lui disant : « Confie-moi seulement ton chagrin. » Elle parlait avec tant de bonté que la jeune fille lui raconta sa triste vie, et qu'elle était accablée par des tâches de plus en plus lourdes dont elle ne viendrait jamais à bout. « Si je n'ai pas fini ce soir ces plumes, ma marâtre me battra, elle m'en a menacée et je sais qu'elle tient parole. » Ses larmes recommencèrent à couler, mais la bonne vieille lui dit : « Sois sans crainte, mon enfant, repose-toi, pendant ce temps je ferai ton travail. » La jeune fille s'étendit sur son lit et ne tarda pas à s'endormir. La vieille s'installa à la table et les plumes s'envolaient de leurs tuyaux, qu'elle touchait à peine de ses mains desséchées. Les douze livres furent bientôt ébarbées. Quand la jeune fille se réveilla, de grands tas blancs comme neige étaient empilés les uns sur les autres et tout dans la pièce était soigneusement rangé, mais la vieille avait disparu. La jeune fille remercia Dieu et resta tranquille jusqu'au soir. Alors la marâtre entra et fut stupéfaite de voir le travail achevé. « Vois-tu, souillon, lui dit-elle, ce qu'on peut faire quand on est diligent. Tu n'aurais pas pu te mettre à autre chose ? Mais non, tu restes là à te croiser les bras. » En sortant, elle dit : « Cette créature peut faire plus que de manger mon pain, il faut que je lui donne une tâche plus difficile. »

Le lendemain, elle appela la jeune fille en disant : « Voici une cuiller avec quoi tu vas me vider le grand étang qui est auprès du jardin. Et si ce soir tu n'en as pas vu le bout, tu sais ce qui t'attend. » La jeune fille prit la cuiller et vit qu'elle était percée, et même sans cela, elle n'aurait jamais pu vider l'étang avec. Elle se mit tout de suite à l'ouvrage, s'agenouilla près de l'eau, où tombèrent ses larmes, et commença de puiser. Mais la bonne vieille réapparut et en apprenant la cause de son chagrin, elle lui dit : « Sois tranquille, mon enfant, va te coucher dans le buisson et dors, je verrai bien à faire ton travail. » Quand la vieille fut seule, elle se contenta de toucher l'étang : l'eau s'éleva en l'air comme une vapeur et se confondit avec les nuages. Peu à peu l'étang se vida et quand, au coucher du soleil, la jeune fille se réveilla et accourut, elle ne vit plus que les poissons qui frétillaient dans la vase. Elle alla trouver sa marâtre et lui montra le travail accompli. « Tu devrais avoir fini depuis longtemps », dit-elle, blême de rage, mais elle inventa autre chose.

Le matin du troisième jour, elle dit à la jeune fille : « Construis-moi un beau château là-bas dans la plaine, et ce soir tâche de l'avoir fini. » La jeune fille fut épouvantée et dit : « Comment pourrais-je accomplir une si grande tâche ? — Pas de réplique, répondit la marâtre, si tu peux vider un étang avec une cuiller percée, tu peux aussi bien construire un château. Je veux m'y installer dès ce soir, et s'il y manque quelque chose, fût-ce le moindre objet à la cuisine ou à la cave, tu sais ce qui t'attend. » Elle poussa la jeune fille dehors et, quand elle arriva dans la vallée, elle vit les blocs de rochers entassés les uns sur les autres ; en réunissant toutes ses forces elle n'eût pas pu remuer le plus petit. Elle s'assit et se mit à pleurer, cependant elle espérait l'aide de la bonne vieille. De fait, elle ne se fit pas attendre longtemps et vint la consoler : « Va donc te coucher à l'ombre et dors, je verrai bien à te construire le château ; si cela te fait plaisir, tu pourras l'habiter toi-même. » Une fois la jeune fille partie, la vieille toucha les pierres grises. Aussitôt elles se mirent à bouger, se rapprochant et se dressant, comme si des géants avaient bâti les murs : l'édifice s'éleva là-dessus et ce fut comme si d'innombrables mains invisibles travaillaient à poser les pierres. Le sol grondait, de grandes colonnes s'élevaient d'elles-mêmes et se rangeaient les unes à côté des autres. Les tuiles se

posaient sur le toit et, dès midi, la grande
girouette tournait sur le sommet du toit comme
une demoiselle d'or au vêtement flottant. L'intérieur du château fut terminé dans l'après-midi.
Comment la vieille s'y prit-elle, je n'en sais rien,
mais les murs des chambres étaient tapissés de
soie et velours, il y avait partout des chaises aux
broderies de toutes couleurs, des fauteuils riche-
ment ornés devant des tables de marbre, des
lustres de cristal qui tombaient du plafond et se
miraient sur le sol poli ; des perroquets verts
étaient perchés dans des cages d'or, ainsi que des
oiseaux des îles qui chantaient délicieusement ;
c'était partout une splendeur, comme si un roi
devait emménager. Le soleil allait se coucher
quand la jeune fille se réveilla, et reçut l'éclat de
mille lumières. Elle s'approcha d'un pas vif et
entra par la porte ouverte. L'escalier était tendu
de drap rouge et la rampe dorée garnie d'ar-
bustes en fleurs. Devant la magnificence des
chambres, elle resta comme pétrifiée. Qui sait
combien de temps elle serait restée ainsi si elle ne
s'était rappelé sa belle-mère. « Ah, se dit-elle à
elle-même, si enfin elle voulait être satisfaite et
cesser de me tourmenter. » La jeune fille alla la
trouver et lui montra que le château était fini.
« J'emménage à l'instant », dit-elle en se levant
de son siège. En entrant dans le château, elle dut
mettre sa main devant ses yeux tant l'éclat était
aveuglant. « Vois-tu, dit-elle à la jeune fille,
comme tu as fait cela facilement, j'aurais dû te

donner quelque chose de plus difficile. » Elle alla
dans toutes les pièces et fureta dans tous les coins
pour voir si quelque chose manquait ou était
défectueux, mais elle ne put rien trouver. « A
présent, nous allons descendre, dit-elle en jetant
un mauvais regard à la jeune fille, il faut encore
inspecter la cave et la cuisine, et si tu as oublié
quelque chose, tu n'échapperas pas au châti-
ment. »

Mais le feu brûlait dans l'âtre, les mets cui-
saient dans les marmites, la pelle et les pincettes
étaient à leur place, et les casseroles de cuivre
brillant étaient accrochées au mur. Rien ne
manquait, pas même le seau à charbon et le seau
à eau. « Où est l'entrée de la cave ? s'écria-t-elle,
si elle n'est pas abondamment pourvue de ton-
neaux de vin, il t'en cuira. » Elle souleva elle-
même la trappe et descendit l'escalier, mais elle
avait à peine fait deux pas que la lourde trappe,
qui n'était qu'entrebâillée, retomba sur elle. La
jeune fille entendit un cri, elle ouvrit vite la porte
pour venir à son secours, mais elle avait été
précipitée en bas et elle la trouva morte sur le
plancher.

Dès lors le splendide château appartint entièrement à la jeune fille. Les premiers temps, elle
ne parvenait pas à s'habituer à son bonheur, de
somptueux habits étaient pendus dans les
armoires, les coffres étaient remplis d'or et
d'argent, ou encore de perles et de pierres
précieuses, elle n'avait point de désir qui ne fût

exaucé. Bientôt sa réputation de beauté et de richesse se répandit dans le monde entier. Tous les jours des prétendants se présentaient, mais aucun ne lui plaisait. Enfin elle eut la visite d'un fils de roi qui sut toucher son cœur et elle se fiança avec lui. Dans le parc du château, il y avait un tilleul vert ; un jour qu'ils étaient assis dessous en toute intimité, il lui dit : « Je vais rentrer chez moi pour demander à mon père son consentement à notre mariage ; je t'en prie, attends-moi sous ce tilleul, dans quelques heures je serai de retour. » La jeune fille le baisa sur la joue gauche en disant : « Sois-moi fidèle et que personne d'autre ne t'embrasse sur cette joue. J'attendrai ton retour sous le tilleul. »

La jeune fille resta sous le tilleul jusqu'au coucher du soleil, mais il ne revint pas. Elle resta à l'attendre trois jours du matin au soir, mais en vain. Le quatrième jour, comme il ne revenait toujours pas, elle se dit : « Sûrement il lui est arrivé quelque chose, je vais partir à sa recherche et ne reviendrai pas que je ne l'aie retrouvé. » Elle empaqueta trois de ses plus belles robes, une brodée d'étoiles brillantes, la deuxième de lunes d'argent, la troisième de soleils d'or, puis ayant mis une poignée de pierres précieuses dans son mouchoir, elle s'en alla. Elle demanda partout des nouvelles de son fiancé, mais personne ne l'avait vu, personne ne savait rien de lui. Elle erra à l'aventure de par le monde, mais elle ne le trouva pas. Enfin, elle se plaça comme bergère

chez un paysan et cacha ses vêtements et ses
pierres précieuses sous une pierre.

Dès lors, elle vécut en bergère ; elle gardait son
troupeau, toute triste et pleine de désir pour son
bien-aimé. Elle avait un petit veau qui s'était
habitué à elle et mangeait dans sa main, et quand
elle disait :

Petit veau, petit veau, mets un genou à terre,
N'oublie jamais ta bergère
Comme le prince oublia naguère
La fiancée sous le tilleul vert.

le petit veau s'agenouillait et elle le couvrait de
caresses.

Elle avait vécu plusieurs années dans la solitude et le chagrin quand le bruit se répandit que
la fille du roi allait célébrer ses noces. Le chemin
pour aller à la ville passait devant le village que
la jeune fille habitait et un jour qu'elle menait
paître son troupeau, elle vit le fiancé qui s'en
venait sur la route. Il allait fièrement à cheval et
ne la regarda pas, mais elle, en le voyant,
reconnut son bien-aimé. « Ah, se dit-elle, je
croyais qu'il m'était resté fidèle, mais il m'a
oubliée. »

Le lendemain, il revint par le même chemin.
Quand il fut près d'elle, elle dit à son petit veau :

Petit veau, petit veau, mets un genou à terre,
N'oublie jamais ta bergère

Comme le prince oublia naguère
La fiancée sous le tilleul vert.

En entendant sa voix, il regarda vers elle et
retint son cheval. Il regarda la bergère en face,
puis mit la main devant ses yeux comme s'il
cherchait à se rappeler quelque chose, mais il
repartit bien vite et ne tarda pas à disparaître.
« Ah, se dit-elle, il ne me reconnaît pas », et sa
tristesse ne fit que grandir.

Peu après, il y eut à la cour du roi une grande
fête qui devait durer trois jours, et tout le pays
avait été invité. « Maintenant, je vais tenter ma
dernière chance », pensa la jeune fille, et le soir
venu, elle alla à la pierre sous laquelle elle avait
caché ses trésors. Elle sortit la robe aux soleils
d'or, s'en revêtit et se para avec les pierres
précieuses. Elle dénoua ses cheveux, qui étaient
dissimulés sous un mouchoir, et ils tombèrent en
longues boucles autour d'elle. Elle se rendit à la
ville et grâce à l'obscurité, personne ne la reconnut. Quand elle entra dans la salle brillamment
éclairée, tous reculèrent, saisis d'admiration,
mais personne ne savait qui elle était. Le prince
alla à sa rencontre, mais il ne la reconnut pas. Il
la conduisit au bal et il était si ravi de sa beauté
qu'il ne pensait plus du tout à l'autre fiancée. A
la fin de la fête, elle disparut dans la foule et se
hâta de rentrer avant l'aube au village où elle
remit sa robe de bergère.

Le lendemain soir, elle alla chercher la robe

aux lunes d'argent et posa une demi-lune de diamant dans ses cheveux. Quand elle se montra à la fête, tous les regards se tournèrent vers elle, mais le prince alla l'accueillir et tout empli d'amour, il ne dansa qu'avec elle, sans jeter un regard aux autres. Avant son départ, elle dut lui promettre de revenir le dernier soir de la fête.

Quand elle apparut pour la troisième fois, elle portait la robe brodée d'étoiles qui scintillait à chacun de ses pas, et son collier et sa ceinture étaient des étoiles de diamants. Le prince l'attendait depuis longtemps et il se précipita vers elle : « Dis-moi, qui es-tu ? demanda-t-il, il me semble te connaître depuis longtemps. — Sais-tu ce que j'ai fait quand tu m'as quittée ? » Elle s'approcha de lui et le baisa sur la joue gauche : à l'instant les écailles lui tombèrent des yeux et il reconnut sa vraie fiancée. « Viens, lui dit-il, je ne resterai pas ici plus longtemps. » Puis il lui prit la main et la conduisit à son carrosse. Les chevaux coururent jusqu'au château merveilleux comme si on les avait attelés au vent. De loin, on voyait briller ses fenêtres illuminées. Quand ils passèrent devant le tilleul, il grouillait d'innombrables vers luisants ; il secoua ses branches et leur envoya sa senteur. Sur la rampe de l'escalier les fleurs étaient écloses, de la chambre s'échappait le chant des oiseaux des îles, tandis que toute la cour était réunie dans la salle, autour du prêtre prêt à unir le prince et la vraie fiancée.

L'ondine de l'étang

Il était une fois un meunier qui menait joyeuse
vie avec sa femme. Ils avaient de l'argent et du
bien, et leurs richesses s'accroissaient d'année en
année. Mais le malheur vient du jour au lendemain : de même que leur richesse s'était accrue,
de même elle fondit d'année en année, et, pour
finir, c'est tout juste si le meunier put considérer
comme sien le moulin où il habitait. Il était rongé
de chagrin, et quand il se couchait après le
travail de la journée, il ne trouvait pas le repos,
mais se retournait tout tracassé dans son lit. Un
matin, il se leva avant l'aube et alla prendre l'air,
pensant que cela le soulagerait un peu. Comme il
marchait sur la chaussée, le premier rayon de
soleil se montra et il entendit un léger bruit dans
l'étang. Il se retourna et aperçut une belle femme
qui sortait lentement de l'eau. Ses longs cheveux,
qu'elle avait mis sur ses épaules de ses mains
délicates, tombaient des deux côtés et couvraient
son corps blanc. Il voyait bien que c'était l'on-

dine de l'étang, et de peur, il ne savait s'il devait
prendre la fuite ou rester immobile. Mais l'ondine fit entendre sa voix suave, l'appela par son
nom et lui demanda pourquoi il était si triste.
Tout d'abord le meunier resta muet ; mais quand
il l'entendit lui parler sur un ton si amical, il
reprit courage et lui conta qu'autrefois il avait
vécu dans le bonheur et l'aisance, mais que
maintenant il était si pauvre qu'il ne savait plus
que faire. « Rassure-toi, dit l'ondine, je te rendrai plus riche et plus heureux que tu ne l'as
jamais été, promets-moi seulement que tu me
donneras ce qui vient de naître dans ta maison. »
« Qu'est-ce que cela peut être, pensa le meunier,
sinon un jeune chien ou un jeune chat ? » et il lui
accorda ce qu'elle lui demandait. L'ondine
redescendit dans l'eau et le meunier rentra en
hâte au moulin, rassuré et plein de courage. Il
n'était pas encore arrivé que la servante sortit de
la maison en lui criant de se réjouir, car sa femme
venait de mettre au monde un petit garçon. Le
meunier était comme frappé de la foudre : il
voyait bien que l'ondine perfide l'avait su et qu'il
avait été trompé. La tête basse, il s'approcha du
lit de sa femme, et quand elle lui demanda :
« Pourquoi ne te réjouis-tu pas de ce beau
garçon ? », il lui raconta ce qui s'était passé, et
quelle sorte de promesse il avait faite à l'ondine.
« A quoi me sert le bonheur et la richesse, ajouta-
t-il, si je dois perdre mon enfant ? Mais que

faire ? » Même les parents qui étaient venus le féliciter ne surent que dire.

Cependant, le bonheur revenait dans la maison du meunier. Tout ce qu'il entreprenait réussissait, c'était comme si les caisses et les coffres se remplissaient d'eux-mêmes, comme si l'argent se multipliait dans l'armoire en une nuit. En peu de temps, sa richesse fut plus grande que jamais auparavant. Mais il ne pouvait en concevoir une joie sans mélange : la promesse qu'il avait faite à l'ondine tourmentait son cœur. Chaque fois qu'il passait devant l'étang, il craignait de la voir surgir pour lui réclamer sa dette. Il ne laissait pas l'enfant s'approcher de l'eau : « Prends garde, lui disait-il, si tu touches l'eau, une main viendra te prendre et t'attirera au fond. » Cependant, comme les années passaient et que l'ondine ne se montrait toujours pas, le meunier commença à se rassurer.

Le garçon devint un jeune homme et il entra en apprentissage chez un chasseur. Quand il eut terminé son apprentissage et fut devenu un chasseur accompli, le seigneur du village le prit à son service. Au village, il y avait une jeune fille, jolie et dévouée, qui plut au chasseur, et quand son maître s'en aperçut, il lui donna une petite maison, les deux jeunes gens célébrèrent leurs noces, vécurent paisibles et heureux et s'aimèrent de tout leur cœur.

Un jour, le chasseur poursuivit un chevreuil. Quand, au sortir de la forêt, l'animal fit un

détour en rase campagne, il se mit à sa poursuite
et l'abattit finalement d'un coup. Il ne remarqua
pas qu'il se trouvait au voisinage de l'étang
dangereux, et, après avoir vidé la bête, il alla à
l'eau pour laver ses mains tachées de sang. Mais
à peine les y eut-il plongées que l'ondine surgit,
le prit en riant entre ses bras humides et l'entraîna si vite au fond que les ondes se refermèrent
sur lui.

Comme le soir tombait et que le chasseur ne
rentrait pas, sa femme fut prise de peur. Elle
sortit pour le chercher et comme il lui avait
souvent raconté qu'il devait se méfier des pièges
de l'ondine et ne pas se risquer dans le voisinage
de l'étang, elle devina ce qui s'était passé. Elle
courut à l'eau et quand elle eut trouvé sa
gibecière sur la rive, elle ne douta plus de son
malheur. Se lamentant et joignant les mains, elle
appela son bien-aimé par son nom, mais en
vain : elle courut de l'autre côté de l'étang et
recommença à l'appeler, accablant l'ondine de
dures paroles, mais elle ne reçut pas de réponse.
La surface de l'eau restait calme, seul le demi-
visage de la lune regardait vers elle sans bouger.

La pauvre femme ne quitta pas l'étang. Sans
trêve ni répit, elle en fit le tour d'un pas précipité,
tantôt en se taisant, tantôt en poussant un cri
déchirant, tantôt en gémissant d'une voix douce.
Enfin ses forces s'épuisèrent : elle s'affaissa sur
le sol et tomba dans un profond sommeil. Et
bientôt elle fit un rêve.

Elle montait pleine d'angoisse entre deux grands blocs de rochers, les épines et les ronces lui déchiraient les pieds, la pluie lui cinglait le visage et le vent mugissait dans ses longs cheveux. Parvenue au sommet un tout autre spectacle s'offrait à elle. Le ciel était bleu, l'air léger, le sol descendait en pente douce, et sur une prairie verte parsemée de fleurs de toutes couleurs se dressait une hutte bien propre. Elle allait dans cette direction et ouvrait la porte ; il y avait là une vieille à cheveux blancs qui lui faisait un signe amical. A cet instant, la pauvre femme se réveilla. Le jour était déjà levé, et elle résolut de suivre aussitôt les indications du rêve. Elle gravit péniblement la montagne et tout se trouva comme elle l'avait vu dans la nuit. La vieille l'accueillit aimablement et lui montra une chaise, où elle la fit asseoir. « Il doit t'être arrivé malheur, dit-elle, pour que tu cherches refuge dans ma hutte solitaire. » La femme en larmes lui raconta ce qui lui était arrivé : « Rassure-toi, lui dit la vieille, je vais te venir en aide : voici un peigne d'or. Attends que la pleine lune monte dans le ciel, puis va à l'étang, assieds-toi sur la rive et démêle avec ce peigne tes longs cheveux noirs. Mais quand tu auras fini, pose le peigne près du bord, et tu verras ce qui va se passer. »

La femme rentra chez elle, mais le temps lui parut long jusqu'à l'apparition de la pleine lune. Enfin, le disque lumineux apparut dans le ciel : alors elle se dirigea vers l'étang, s'assit sur le

bord et peigna ses longs cheveux noirs avec le
peigne d'or, et quand elle eut fini, elle le posa sur
le bord de l'eau. Aussitôt, l'abîme bouillonna,
une vague se souleva, roula sur la rive et emporta
le peigne. En un rien de temps, autant qu'il en
fallait au peigne pour toucher le fond, la surface
de l'eau se fendit et la tête du chasseur surgit. Il
ne parla pas, mais regarda sa femme avec des
yeux tristes. Au même instant, une seconde
vague déferla en mugissant et recouvrit la tête de
l'homme. Tout avait disparu, l'étang était aussi
tranquille qu'auparavant et seul s'y reflétait le
visage de la pleine lune.

Désolée, la femme rentra, mais elle vit en rêve
la hutte de la vieille. Le lendemain, elle se remit
en route et alla conter ses peines à la sage-
femme. La vieille lui donna une flûte d'or en lui
disant : « Attends de nouveau la pleine lune,
puis prends cette flûte, assieds-toi sur la rive et
joue une belle mélodie, et quand tu auras fini,
pose la flûte sur le sable ; tu verras ce qui va se
passer. »

La femme fit ce que la vieille avait dit. A peine
eut-elle posé la flûte sur le sable que l'abîme
bouillonna : une vague se souleva, s'approcha et
emporta la flûte. Peu après, l'eau se partagea et
ce ne fut plus seulement la tête, mais la moitié du
corps de l'homme qui apparut. Il tendit les bras
vers elle, plein de désir, mais une seconde vague
déferla, le recouvrit et l'emporta au fond.

« Ah, dit la malheureuse, à quoi me sert de

voir mon bien-aimé si je dois toujours le perdre? » Le chagrin emplit de nouveau son cœur,
mais un rêve la conduisit pour la troisième fois
dans la maison de la vieille. Elle se mit en route,
la vieille lui donna un rouet d'or et la consola en
lui disant : « Tout n'est pas encore accompli,
attends que la pleine lune se montre, puis prends
ce rouet, assieds-toi sur la rive et file toute la
bobine ; quand tu auras fini, pose le rouet près de
l'eau et tu verras ce qui va se passer. »

La femme obéit scrupuleusement à tout. Dès
que la pleine lune se montra, elle porta le rouet
d'or sur la rive et se mit à filer avec diligence,
jusqu'à ce qu'elle n'eût plus de fil et que la
bobine fût remplie. Mais à peine eût-elle posé le
rouet sur le bord que l'abîme bouillonna encore
plus fort que les autres fois, une vague puissante
s'élança et emporta le rouet. Aussitôt la tête et
tout le corps de l'homme surgirent dans un jet
d'eau. Vite il sauta sur la rive, prit sa femme
dans ses bras et s'enfuit. Mais ils n'avaient pas
fait beaucoup de chemin que l'étang tout entier
se soulevait dans un grondement effroyable et
inondait la vaste campagne avec une force dévas-
tatrice. Les fugitifs se voyaient déjà perdus :
alors la femme dans son angoisse appela la vieille
à l'aide, et à l'instant ils furent changés : elle en
grenouille, lui en crapaud. Le flot qui les avait
atteints ne put pas les tuer, mais il les sépara l'un
de l'autre et les emporta très loin.

Quand l'eau se fut retirée et qu'ils eurent de

nouveau le sol sec sous les pieds, ils reprirent leur
forme humaine. Mais chacun d'eux ignorait où
était l'autre ; ils se trouvaient parmi des hommes
étrangers qui ne connaissaient pas leur patrie. De
hautes montagnes et des vallées profondes les
séparaient. Pour subvenir à leurs besoins, ils
durent garder les moutons. Des années durant ils
menèrent paître leur troupeau par les prés et les
champs, et ils étaient emplis de tristesse et de
nostalgie.

Un jour que le printemps avait de nouveau
jailli de la terre, ils menèrent tous deux paître
leur troupeau, et le hasard voulut qu'ils allassent
à la rencontre l'un de l'autre. Ayant aperçu un
troupeau sur une pente lointaine, il mena ses
brebis dans cette direction. Ils se rencontrèrent
dans une vallée, mais ils ne se reconnurent pas,
cependant ils furent heureux de n'être plus aussi
seuls. Dès lors, ils menèrent leurs troupeaux
paître ensemble tous les jours, et ils se sentirent
consolés. Un soir que la pleine lune paraissait au
ciel et que les brebis étaient couchées, le berger
tira une flûte de son sac et joua une chanson qui
était belle, mais triste. Quand il eut fini, il vit la
bergère pleurer amèrement. « Pourquoi pleures-
tu ? demanda-t-il. — Ah, répondit-elle, c'était
aussi la pleine lune la dernière fois que j'ai joué
cette chanson sur ma flûte et que la tête de mon
bien-aimé a surgi de l'eau. » Il la regarda, et ce
fut comme si un voile lui tombait des yeux ; il
reconnut sa femme bien-aimée ; et quand elle

regarda son visage éclairé par la lune, elle le reconnut aussi, ils s'étreignirent et s'embrassèrent et point n'est besoin de demander s'ils furent heureux.

Le tambour

Un soir, un jeune tambour, qui marchait tout seul dans la campagne, arriva au bord d'un lac : là, il vit posées sur la rive trois petites pièces de lin blanc. « Quelle toile fine », dit-il en en mettant une dans sa poche. Il rentra chez lui et, cessant de penser à sa trouvaille, il se coucha. Comme il allait s'endormir, il eut l'impression que quelqu'un l'appelait par son nom. Il tendit l'oreille et perçut une voix douce qui lui disait : « Tambour, tambour, éveille-toi. » Comme il faisait nuit noire, il ne pouvait voir personne, mais il lui sembla qu'une forme flottait de-ci de-là devant son lit. « Que veux-tu ? demanda-t-il. — Rends-moi ma petite chemise que tu m'as prise hier soir au bord du lac. — Tu l'auras, dit le tambour, si tu me dis qui tu es. — Ah, répondit la voix, je suis la fille d'un roi puissant. mais je suis tombée au pouvoir d'une sorcière et je suis ensorcelée sur le Mont de Cristal. Chaque jour je dois me baigner dans le lac avec mes deux sœurs,

mais je ne peux pas repartir sans ma camisole.
Mes sœurs s'en sont allées, mais j'ai dû rester en
arrière. Je t'en prie, rends-moi ma camisole. —
Tranquillise-toi, pauvre enfant, dit le tambour,
je te la rendrai bien volontiers. » Il la sortit de sa
poche et la lui tendit dans l'obscurité. Elle s'en
saisit en hâte et voulut s'en aller. « Attends un
instant, dit-il. Je puis peut-être te venir en aide.
— Tu ne peux me venir en aide qu'en montant
sur le Mont de Cristal pour m'arracher au
pouvoir de la sorcière. Mais tu n'iras pas jusqu'au Mont de Cristal, et quand même tu serais
bien près d'y arriver, tu ne pourrais pas le gravir
— Ce que je veux je le peux, dit le tambour, j'ai
pitié de toi et je ne crains rien. Mais je ne connais
pas le chemin qui mène au Mont de Cristal. — Le
chemin passe par la grande forêt où habitent les
ogres, dit-elle, il ne m'est pas permis de t'en dire
plus. » Là-dessus il l'entendit partir dans un
bruit d'ailes.

Dès le lever du jour, le tambour se prépara à
partir, ceignit son tambour et, intrépide, se
dirigea tout droit vers la forêt. Quand il eut
marché un moment sans avoir vu de géant, il
pensa : « Il faut que je réveille ces grands
dormeurs », il mit son tambour en place et fit
entendre un tel roulement que les oiseaux s'envolèrent des arbres en poussant des cris. Sans
attendre, un géant qui avait dormi dans l'herbe
se dressa de toute sa taille, et il était aussi grand
qu'un sapin. « Maudite créature, dit-il, pourquoi

viens-tu battre du tambour ici et me réveiller au
moment où je dors le mieux ? — Je bats du
tambour, dit-il, pour montrer le chemin aux
milliers de gens qui viennent derrière moi. — Et
que viennent-ils faire dans ma forêt ? demanda le
géant. — Ils veulent te régler ton compte et
débarrasser la forêt du monstre que tu es. — Ho,
ho, dit le géant, mais je vous écraserai comme des
fourmis. — Crois-tu donc pouvoir quelque chose
contre eux ? dit le tambour, quand tu te baisseras
pour en saisir un, il s'échappera d'un bond et se
cachera, mais quand tu te coucheras pour dormir, ils sortiront de tous les fourrés et grimperont
sur toi. Chacun d'eux a un marteau d'acier
pendu à sa ceinture, avec cela ils te fracasseront
le crâne. » Le géant se renfrogna et pensa : « Si
je m'occupe de cette perfide engeance, cela
pourrait bien tourner mal pour moi. J'étouffe les
loups et les ours, mais je ne peux pas me protéger
contre ces vers de terre. » « Écoute, gringalet,
dit-il, retire-toi, je te promets qu'à l'avenir je te
laisserai en paix ainsi que tes compagnons, et si
tu as encore quelque chose à souhaiter, dis-le-
moi, je suis prêt à te faire plaisir. — Tu as de
grandes jambes, dit le tambour, et tu cours plus
vite que moi ; porte-moi jusqu'au Mont de Cristal, je donnerai aux miens le signal de la retraite
et ils te laisseront tranquille pour cette fois. —
Viens, vermisseau, dit le géant, juche-toi sur mon
épaule, je te conduirai où tu veux. » Le géant le
souleva et une fois en haut, le tambour se mit à

jouer tout son content. Le géant pensait : « Ce
sera le signal qu'il donne aux autres pour la
retraite. » Au bout d'un moment, un deuxième
géant apparut sur le chemin, il prit le tambour au
premier et le mit dans sa boutonnière. Le tambour saisit le bouton, qui était grand comme une
assiette, et s'y cramponna tout en promenant
joyeusement ses regards autour de lui. Alors ils
en trouvèrent un troisième, qui le retira de la
boutonnière et le mit sur le bord de son chapeau ;
là, le tambour se mit à marcher de long en large
et regarda au-dessus des arbres et apercevant
une montagne dans l'azur lointain, il pensa :
« C'est certainement le Mont de Cristal », et
c'était cela. Le géant n'eut d'ailleurs plus que
quelques pas à faire et ils se trouvèrent au pied
d'une montagne, où le géant le déposa. Le
tambour exigea d'être porté au sommet de la
montagne, mais le géant hocha la tête, grommela
quelque chose dans sa barbe et retourna dans la
forêt.

A présent le pauvre tambour se trouvait
devant la montagne, qui était aussi haute que si
l'on empilait trois montagnes l'une sur l'autre, et
ne savait comment faire pour la gravir. Il
commença à grimper, mais en vain, il glissait
toujours et retombait. « Si j'étais un oiseau »,
pensa-t-il, mais à quoi bon les souhaits, il ne lui
poussait pas d'ailes. Tandis qu'il était là à ne
savoir comment se tirer d'affaire, il aperçut non
loin de lui deux hommes qui se querellaient

âprement. Il alla à eux et vit qu'ils n'étaient pas d'accord au sujet d'une selle qui était par terre devant eux et que chacun d'eux voulait prendre. « Vous êtes fous, dit-il, de vous quereller pour une selle, alors que vous n'avez même pas de cheval. — La selle en vaut la peine, répondit l'un des deux hommes, quiconque est assis dessus et souhaite d'être transporté quelque part, et quand ce serait au bout du monde, y arrive à l'instant même où il prononce le souhait. Elle nous appartient en commun, c'est mon tour de monter dessus, mais l'autre veut m'en empêcher. — J'aurai tôt fait de régler le différend », dit le tambour, il alla à quelque distance et planta un bâton blanc en terre. Puis il revint et dit : « Maintenant courez vers le but, le premier arrivé aura la selle. » Ils prirent tous les deux leur élan, mais ils s'étaient à peine éloignés de quelques pas que le tambour se hissait sur la selle, souhaitait d'être transporté sur le Mont de Cristal et avant qu'on ait eu le temps de se retourner, il y était en effet. Au sommet de la montagne, il y avait une plaine où se dressait une vieille maison de pierre et devant la maison il y avait un grand étang, mais derrière s'étendait une forêt sombre. Il ne vit ni bêtes ni hommes, tout était silencieux, seul le vent frémissait dans les arbres, et les nuages passaient tout près de sa tête. Il s'approcha de la porte et frappa. Au troisième coup, une vieille au visage brun et aux yeux rouges ouvrit la porte ; elle avait des

lunettes sur son long nez et le regardait d'un œil
perçant, puis elle lui demanda ce qu'il désirait :
« La permission d'entrer, le vivre et le couvert,
répondit le tambour. — Tu l'auras, dit la vieille,
si tu veux pour cela accomplir trois travaux. —
Pourquoi pas ? répondit-il, je ne recule pas
devant l'ouvrage, si pénible qu'il soit. » La vieille
le fit entrer, lui donna à manger et le soir un bon
lit. Au matin, quand il eut dormi tout son soûl, la
vieille retira un dé de son doigt desséché et le lui
tendit en disant : « Maintenant va au travail, et
avec ce dé, vide-moi l'étang qui est devant la
maison ; mais il faut que tu aies fini avant la nuit,
et que tous les poissons soient triés et rangés
selon leur grosseur et leur espèce. — Étrange
travail, dit le tambour, cependant il alla à l'étang
et commença à tirer de l'eau. Il en tira tout le
matin ; mais quel résultat peut-on obtenir avec
un dé devant une grande quantité d'eau, et
quand on y mettrait mille ans ? A midi, il pensa :
« Tout cela est inutile, que je travaille ou non,
cela revient au même », il s'arrêta donc et s'assit.
Alors une jeune fille sortit de la maison, posa
devant lui une corbeille avec de la nourriture et
lui dit : « Comme te voilà triste, qu'as-tu ? » Il la
regarda et vit qu'elle était merveilleusement
belle. « Ah, dit-il, je ne peux pas accomplir ce
premier travail, qu'en sera-t-il des autres ? Je
suis parti chercher une princesse qui doit habiter
ici, mais je ne l'ai pas trouvée, je vais continuer
mon chemin. — Reste, dit la jeune fille, je vais te

tirer d'embarras. Tu es fatigué, pose ta tête sur
mes genoux et dors. Quand tu te réveilleras,
l'ouvrage sera fait. » Le tambour ne se le fit pas
dire deux fois. Dès qu'il eut fermé les paupières,
elle tourna le chaton d'une bague enchantée et
dit : « Eaux montez, poissons sortez. » Aussitôt
l'eau s'éleva comme une vapeur blanche et
s'éloigna avec les autres nuages, tandis que les
poissons claquaient, sautaient sur la rive et se
rangeaient les uns à côté des autres, selon leur
grosseur et leur espèce. Quand le tambour
s'éveilla, il vit avec étonnement que tout était
fait. Mais la jeune fille lui dit : « Parmi les
poissons, il y en a un qui n'est pas rangé avec ses
pareils, mais tout à fait à part. Ce soir, quand la
vieille viendra constater que tout ce qu'elle a
demandé est accompli, elle demandera : « Que
signifie ce poisson à part ? » Alors tu lui jetteras
le poisson au visage en disant : « Il t'est destiné,
vieille sorcière. » Le soir, la vieille vint, et quand
elle eut posé la question, il lui jeta le poisson au
visage. Elle feignit de n'avoir rien remarqué et se
tut, mais elle lui lança un regard mauvais. Le
lendemain, elle dit : « Hier tu as eu la tâche trop
facile, il faut que je te donne un travail plus dur.
Aujourd'hui tu vas abattre toute la forêt, fendre
le bois en bûches et le corder, et ce soir tout devra
être fini. » Elle lui donna un cognée, un billot et
deux coins. Mais la cognée était de plomb, le
billot et les coins de fer-blanc. Quand il donna le
premier coup, la cognée se tordit, et le billot et les

coins s'écrasèrent. Il ne savait comment se tirer de là, la jeune fille vint de nouveau lui apporter son repas et le consola : « Pose ta tête sur mes genoux, dit-elle, et dors : quand tu te réveilleras, le travail sera fait. » Elle tourna le chaton de sa bague magique, et à l'instant toute la forêt s'effondra avec un craquement, le bois se fendit de lui-même et se rangea en autant de cordes ; c'était comme si l'ouvrage était fait par des géants invisibles. Quand il se réveilla, la jeune fille dit : « Vois-tu, le bois est cordé et rangé ; il ne reste qu'une seule branche ; mais quand la vieille viendra ce soir te demander ce que signifie cette branche, tu lui en donneras un coup en disant : « Elle est pour toi, vieille sorcière. » La vieille vint. « Tu vois, dit-elle, comme le travail était facile, mais pour qui cette branche est-elle restée là ? — Pour toi, sorcière », dit-il en lui en donnant un coup. Mais elle fit comme si elle ne sentait rien, éclata d'un rire sarcastique et dit : « Demain matin de bonne heure, tu mettras tout ce bois en un tas, tu l'allumeras et tu le feras brûler entièrement. » Il se leva dès l'aube et se mit à rassembler le bois. Mais comment un seul homme pourrait-il mettre toute une forêt en tas ? L'ouvrage n'avançait pas. Cependant la jeune fille ne l'abandonna pas dans la détresse : à midi elle lui apporta son repas et quand il eut mangé, il posa sa tête sur ses genoux et s'endormit. A son réveil, tout le tas de bois brûlait en une flamme immense qui dardait ses langues jusqu'au ciel.

« Écoute-moi, dit-elle, quand la sorcière viendra, elle te donnera toutes sortes de tâches : fais sans crainte ce qu'elle te demande, de la sorte elle sera sans pouvoir sur toi ; mais si tu as peur, tu seras saisi et consumé par le feu. En dernier lieu, quand tu auras tout fait, empoigne-la à deux mains et jette-la au milieu du brasier. » La jeune fille s'en fut et la vieille vint en tapinois. « Brr, j'ai froid, dit-elle, mais en voilà un feu, il brûle et réchauffe mes vieux os, ça me fait du bien. Mais je vois là une bûche qui ne veut pas prendre, va me la chercher. Quand tu l'auras fait, tu seras libre d'aller où tu veux. Allons, entre bravement dedans. » Le tambour n'hésita pas, il sauta au milieu des flammes, mais elles ne lui firent rien, elles ne purent même pas lui roussir les cheveux. Il emporta la bûche et la posa devant lui, mais à peine le bois eut-il touché le sol qu'il se métamorphosa, et la belle jeune fille qui l'avait secouru dans la détresse apparut à ses yeux, et à ses vêtements de soie qui brillaient comme de l'or, il vit bien que c'était la princesse. Cependant la vieille rit d'un rire venimeux en disant : « Tu crois qu'elle est à toi, mais tu ne l'as pas encore. » Elle se préparait à se jeter sur la jeune fille pour l'emmener quand il la saisit à deux mains, la souleva en l'air et la jeta dans la gueule des flammes, qui l'engloutirent comme si elles se réjouissaient de dévorer une sorcière.

Après cela la princesse regarda le tambour, et comme elle vit que c'était un beau jeune homme

et qu'elle n'oubliait pas qu'il avait risqué sa vie
pour la délivrer, elle lui tendit la main en disant :
« Tu as tout risqué pour moi, de mon côté je ferai
tout pour toi. Si tu me jures fidélité, tu seras un
jour mon époux. Ce ne seront pas les richesses
qui nous manqueront, nous aurons assez avec ce
que la sorcière a amassé ici. » Elle le conduisit à
la maison, il y avait là des caisses et des armoires
pleines de trésors. Ils laissèrent l'or et l'argent, et
ne prirent que les pierres précieuses. Elle ne
voulut pas rester plus longtemps sur le Mont de
Cristal ; alors il dit : « Assieds-toi sur ma selle,
de cette façon nous descendrons en volant à la
manière des oiseaux. — Cette vieille selle ne me
plaît pas, dit-elle, je n'ai qu'à tourner le chaton
de ma bague magique et nous serons à la maison.
— Soit, dit le tambour, en ce cas demande que
nous soyons transportés devant la porte de la
ville. » Ils y furent en un clin d'œil ; mais le
tambour dit : « Je veux d'abord aller chez mes
parents pour leur donner de mes nouvelles,
attends-moi dans ce champ, je serai bientôt de
retour. — Ah, dit-elle, je t'en prie, fais attention,
en arrivant n'embrasse pas tes parents sur la joue
droite, autrement tu oublieras tout et je resterai
seule, abandonnée dans ce champ. — Comment
t'oublierais-je ? » dit-il, et il lui donna sa parole
d'être bientôt de retour. Quand il entra dans la
maison paternelle, personne ne devina qui il était
tant il avait changé, car les trois jours qu'il avait
passés sur le Mont de Cristal avaient été trois

longues années. Alors il se fit connaître et ses parents lui sautèrent au cou de joie, et il était si ému en son cœur qu'il les embrassa sur les deux joues. oubliant les recommandations de la jeune fille. Or, quand il les eut baisés sur la joue droite, tout souvenir de la princesse disparut. Il vida ses poches et posa sur la table des poignées entières des plus grosses pierres précieuses. Les parents ne savaient que faire de toute cette richesse. Alors le père fit construire un splendide palais, entouré de jardins, de prés et de bois, comme pour y loger un prince. Et quand ce fut fini la mère dit : « Je t'ai choisi une jeune fille, dans trois jours la noce aura lieu. » Le fils consentit à tout ce que ses parents voulaient.

La pauvre jeune fille était restée longtemps aux portes de la ville à attendre le retour du jeune homme. Quand le soir tomba, elle se dit : « Sûrement, il a embrassé ses parents sur la joue droite et m'a oubliée. » Le cœur empli de tristesse, elle souhaita d'être transportée dans une hutte isolée au milieu des bois et ne voulut pas retourner à la cour de son père. Chaque soir elle allait à la ville et passait devant sa maison : il la voyait quelquefois, mais sans la reconnaître. Enfin elle entendit les gens dire : « Demain on célébrera ses noces. » Alors elle se dit : « Je vais essayer de regagner son cœur. » Au premier jour des noces, elle tourna le chaton de sa bague magique en disant : « Une robe aussi brillante que le soleil. » Et aussitôt la robe fut devant elle, aussi brillante que si elle n'avait été tissée que de rayons de soleil. Quand tous les invités furent réunis, elle entra dans la salle. Tout le monde s'extasia sur sa belle robe, surtout la mariée, et comme les belles robes étaient son plus grand plaisir, elle alla vers l'inconnue pour lui demander si elle consentait à la lui vendre. « Pas pour de l'argent, répondit-elle, mais je consens à la donner si je peux passer la première nuit à la porte de la chambre où dormira le fiancé. » Ne pouvant réprimer son désir, la fiancée accepta, mais elle versa un narcotique dans le vin que le jeune homme prenait à son coucher, si bien qu'il tomba dans un profond sommeil. Quand le silence régna partout, la princesse s'accroupit devant la porte de la chambre à coucher, l'ouvrit un peu et s'écria :

Tambour, tambour, écoute-moi,
M'as-tu donc tout à fait oubliée?
n'étais-tu pas près de moi sur le Mont de
    Cristal?
N'ai-je pas protégé ta vie contre la sorcière?
Ne m'as-tu pas juré fidélité?
Tambour, tambour, écoute-moi.

Mais tout fut inutile, le tambour ne se réveilla pas et quand le jour se leva, la princesse dut partir sans avoir rien obtenu.

Le deuxième soir, elle tourna le chaton de sa bague en disant : « Une robe aussi argentée que

la lune. » Et quand elle parut à la fête vêtue de la
robe qui était aussi légère que la clarté de la lune,
elle excita de nouveau le désir de la fiancée, et
elle lui accorda la robe en échange de la permission de passer également la deuxième nuit devant
la porte de la chambre à coucher. Alors elle
s'écria dans le silence nocturne :

Tambour, tambour, écoute-moi,
M'as-tu donc tout à fait oubliée?
N'étais-tu pas près de moi sur le Mont de
    Cristal?
N'ai-je pas protégé ta vie contre la sorcière?
Ne m'as-tu pas juré fidélité?
Tambour, tambour, écoute-moi.

Mais rien ne put réveiller le tambour engourdi
par le narcotique. Le matin, elle revint tristement
dans sa hutte. Mais les gens de la maison avaient
entendu les plaintes de la jeune fille inconnue et
le racontant au jeune fiancé, ils lui dirent aussi
qu'il n'avait rien pu entendre parce qu'on avait
mis un narcotique dans son vin. Le troisième
soir, la princesse tourna le chaton de sa bague en
disant : « Une robe aussi scintillante que les
étoiles. » Et quand elle se montra à la fête ainsi
vêtue, la fiancée fut toute hors d'elle à cause de la
magnificence de la robe, qui dépassait toutes les
autres, et dit : « Il faut que je l'aie et je l'aurai. »
La jeune fille la donna, comme les autres, en

échange de la permission de passer la nuit devant la porte du fiancé. Mais le fiancé ne but pas le vin qu'on lui servit avant son coucher, il le vida derrière le lit. Et quand tout fut silencieux dans la maison, il entendit une voix douce qui l'appelait :

Tambour, tambour, écoute-moi,
M'as-tu donc tout à fait oubliée ?
N'étais-tu pas près de moi sur le Mont de
   Cristal ?
N'ai-je pas protégé ta vie contre la sorcière ?
Ne m'as-tu pas juré fidélité ?
Tambour, tambour, écoute-moi.

Soudain la mémoire lui revint. « Ah, s'écrit-il, comment ai-je pu être si infidèle ? Mais la faute en est au baiser que j'ai donné à mes parents sur la joue droite dans la joie de mon cœur, il m'a engourdi. » Il se leva d'un bond, prit la princesse par la main et la conduisit auprès du lit de ses parents. « Voici ma vraie fiancée, dit-il, si j'épousais l'autre je commettrais une grande injustice. » Quand les parents apprirent comment tout s'était passé, ils donnèrent leur consentement. Alors on ralluma les lustres dans la salle, on envoya chercher timbales et trompettes, on invita les parents et les amis à revenir, et la vraie noce fut célébrée en grande liesse. La première fiancée reçut les belles robes en dédommagement et s'en contenta.

La boule de cristal

Il était une fois une magicienne dont les trois fils s'aimaient fraternellement ; mais elle n'avait pas confiance en eux et croyait qu'ils voulaient lui ravir son pouvoir. Elle changea l'aîné en aigle, il habitait sur un pic rocheux et on le voyait parfois monter et descendre dans le ciel en décrivant de grands cercles. Le deuxième fut changé en baleine, il vivait dans les profondeurs de la mer et l'on ne voyait de lui que le jet d'eau puissant qu'il lançait parfois en l'air. Craignant d'être changé lui aussi en bête féroce, en ours ou en loup, le troisième fils prit secrètement la fuite. Or, il avait entendu dire qu'au château du soleil d'or il y avait une princesse enchantée qui attendait sa délivrance : mais chacun devait pour cela risquer sa vie, vingt-trois jeunes gens avaient déjà péri d'une mort lamentable, et il ne restait plus qu'un essai à faire, après quoi personne n'aurait plus le droit de se présenter. Et comme son cœur était sans crainte, il résolut de se rendre au château du soleil d'or. Il avait longtemps déjà erré à l'aventure sans pouvoir le trouver quand il s'engagea dans une grande forêt dont il ne parvint pas à découvrir l'issue. Soudain il aperçut au loin deux géants qui lui faisaient signe de la main et lui dirent quand il les eut rejoints : « Nous nous querellons à propos d'un chapeau, pour savoir à qui il doit appartenir, et comme nous sommes aussi forts l'un que l'autre, aucun de nous ne peut l'emporter ; les petits hommes étant plus malins que nous, nous te demandons de trancher la querelle. — Pourquoi vous quereller au sujet d'un vieux chapeau ? demanda le jeune homme. — Tu ne sais pas quelles vertus il a : c'est un chapeau magique, celui qui le met peut faire le souhait d'être transporté où il veut, et à l'instant il y est. — Donnez-moi le chapeau, dit le jeune homme, je vais m'éloigner un peu et quand je vous appellerai, faites une course, celui qui m'aura rejoint le premier aura le chapeau. » Il se coiffa du chapeau et s'en alla, mais comme il pensait à la princesse, il oublia les géants et continua son chemin. Tout à coup, il s'écria en soupirant du fond du cœur : « Ah, que ne suis-je au château du soleil d'or ! » Et à peine les mots furent-ils sortis de ses lèvres qu'il se trouva sur une haute montagne, devant la porte du château.

Il entra et traversant toutes les pièces, il trouva la princesse dans la dernière chambre. Mais quelle ne fut pas sa frayeur en la voyant : elle avait un visage couleur de cendre et tout ridé, des

yeux troubles et des cheveux rouges. « Êtes-vous
la princesse dont tout le monde vante la beauté ?
demanda-t-il. — Ah, répondit-elle, ce n'est point
là ma vraie figure, les yeux des hommes ne
peuvent me voir que sous cet aspect hideux, mais
afin que tu saches quelle est mon apparence,
regarde dans ce miroir, il ne se laisse pas
tromper, il te montrera mon image telle qu'elle
est en réalité. » Elle lui tendit le miroir et il y
contempla l'image de la plus belle jeune fille du
monde, et il vit des larmes de tristesse lui rouler
sur les joues. Alors il dit : « Comment peut-on te
délivrer ? Je ne crains aucun danger. » Elle dit :
« Il faut te procurer la boule de cristal et la tenir
devant le magicien pour briser son pouvoir, alors
je reprendrai ma vraie forme. Ah, ajouta-t-elle,
plus d'un a déjà trouvé la mort à cause de cela, et
toi, tendron, tu me fais pitié de t'exposer à de si
grands dangers. — Rien ne me retiendra, dit-il,
mais dis-moi ce que je dois faire. — Tu sauras
tout, dit la princesse ; en descendant la montagne
sur laquelle se trouve le château, tu verras en
bas, près d'une source, un aurochs sauvage
auquel tu devras livrer combat. Et si tu réussis à
le tuer, il sortira de son corps un oiseau de feu qui
porte dans son ventre un œuf incandescent,
lequel contient la boule de cristal en guise de
jaune. Mais il ne laissera pas tomber l'œuf qu'il
n'y soit forcé ; et s'il tombe par terre, il s'enflam-
mera et brûlera tout alentour, et l'œuf lui-même

fondra et avec lui la boule de cristal, et toute ta peine aura été en vain. »

Le jeune homme descendit à la source, où il trouva l'aurochs haletant qui l'accueillit par des beuglements. Après une longue lutte, il lui enfonça son épée dans le corps et il s'affaissa. Aussitôt il en sortit un oiseau de feu qui voulut s'envoler, mais l'aigle, le frère du jeune homme qui s'en venait en fendant les nuages, fondit sur lui, le chassa vers la mer et le perça de son bec de telle sorte que dans sa détresse, il laissa tomber l'œuf. Or il ne tomba pas à la mer, mais sur une cabane de pêcheur qui se trouvait sur la rive et qui se mit tout de suite à fumer, comme si elle allait être la proie des flammes. Alors des vagues hautes comme des maisons se soulevèrent, inondèrent la cabane et vinrent à bout du feu. C'était l'autre frère, la baleine, qui était venu à la nage et avait fait jaillir l'eau. Quand l'incendie fut éteint, le jeune homme chercha l'œuf et par bonheur il le trouva : il n'avait pas encore fondu, mais la coquille avait été fendillée par suite du brusque refroidissement, de sorte qu'il put sortir la boule de cristal sans l'endommager.

Quand le jeune homme alla trouver le sorcier pour lui présenter la boule, celui-ci lui dit : « Mon pouvoir est brisé, et à partir de maintenant, tu es le roi du château du soleil d'or. Grâce à cela tu peux aussi rendre à tes frères leur forme humaine. » Alors le jeune homme courut retrouver la princesse et quand il entra dans sa chambre, elle y était dans toute la splendeur de sa beauté, et pleins de joie ils échangèrent leurs alliances.

Demoiselle Maleen

Il était une fois un roi dont le fils avait demandé en mariage la fille d'un roi puissant, elle s'appelait demoiselle Maleen et était merveilleusement belle. Comme son père l'avait promise à un autre, elle lui fut refusée. Cependant ils s'aimaient tant tous les deux qu'ils ne voulurent pas renoncer l'un à l'autre, et demoiselle Maleen dit à son père : « Je ne peux et ne veux pas prendre d'autre époux. » Son père entra alors dans une grande colère et fit bâtir une tour sombre où n'entrait ni la lune ni le soleil. Quand elle fut finie, il dit : « Tu resteras là pendant sept ans, puis je viendrai voir si ton arrogance est brisée. » On porta dans la tour des provisions de boisson et de nourriture pour sept ans, puis on l'y mena avec sa camériste et elle y fut murée, en sorte qu'elle se trouva séparée du ciel et de la terre. Elles restèrent ainsi dans l'obscurité, sans savoir quand le jour se levait ou quand la nuit tombait. Souvent le prince faisait le tour de sa

prison et criait son nom, mais les épaisses
murailles ne laissaient passer aucun son. Que
pouvaient-elles faire d'autre que de gémir et se
plaindre ? Cependant le temps s'écoulait, et en
voyant diminuer leurs provisions, elles s'aperçurent que les sept ans étaient bientôt révolus. Elles
pensaient que le moment de leur délivrance était
venu, mais on n'entendait aucun coup de marteau, aucune pierre de muraille ne bougeait :
c'était comme si son père les avait oubliées.
Comme elles n'avaient plus de nourriture que
pour peu de temps et qu'elles prévoyaient une
mort lamentable, demoiselle Maleen dit : « Il
nous faut tenter notre dernière chance et essayer
de percer le mur. » Elle prit le couteau à pain et
se mit à creuser le mortier d'une pierre, et quand
elle était fatiguée, sa cameriste la relayait. Après
avoir travaillé longtemps, elles parvinrent à
retirer une pierre puis une deuxième, puis une
troisième, et au bout de trois jours le premier
rayon de lumière perça leur obscurité, et finalement l'ouverture fut assez grande pour qu'elles
pussent regarder dehors. Le ciel était bleu et un
vent frais leur soufflait au visage : mais tout
alentour avait un aspect désolé : le château de
son père était en ruine, aussi loin qu'on pût voir
la ville et les villages étaient brûlés, les champs
dévastés à la ronde : on n'apercevait âme qui
vive. Quand le trou fut assez grand pour qu'elles
pussent s'y glisser, la cameriste sauta la première, puis ce fut le tour de demoiselle Maleen.

Mais vers quoi pouvaient-elles se tourner ? Les ennemis avaient dévasté tout le royaume, chassé le roi, tué tous les habitants. Elles quittèrent le pays pour en chercher un autre, elles ne trouvèrent de toit nulle part, et pas un être humain pour leur donner un morceau de pain, et leur détresse était si grande qu'elles durent apaiser leur faim sur un buisson d'orties. Quand, après avoir marché longtemps, elles arrivèrent dans un autre pays, elles offrirent partout leurs services ; mais où qu'elles allassent frapper, on les renvoyait et personne n'avait pitié d'elles. Enfin elles arrivèrent à une grande ville et elles se rendirent à la cour du roi. Mais là aussi on leur dit de passer leur chemin, jusqu'à ce qu'enfin le cuisinier leur permît de rester comme souillons à la cuisine.

Or, le fils du roi dans le royaume duquel elles se trouvaient était justement le fiancé de demoiselle Maleen. Son père lui avait destiné une autre fiancée, qui était aussi laide de visage que méchante de cœur. La date des noces était fixée et la fiancée était déjà là : mais à cause de sa grande laideur elle ne se montrait à personne et s'enfermait dans sa chambre, en sorte que demoiselle Maleen dut lui porter ses repas de la cuisine. Quand vint le jour d'aller avec son fiancé à l'église, elle eut honte de sa laideur et craignit d'être la risée des gens, si elle se montrait dans la rue. Alors elle dit à demoiselle Maleen : « Un grand bonheur t'attend ; je me suis foulé le

pied et je pourrai difficilement marcher dans la
rue ; mets ma robe nuptiale et prends ma place ;
il ne peut pas t'arriver de plus grand honneur. »
Mais demoiselle Maleen refusa en disant : « Je ne
veux pas d'un honneur qui ne m'est pas dû. » Ce
fut aussi en vain qu'elle lui offrit de l'argent.
Enfin elle lui dit, furieuse : « Si tu ne m'obéis
pas, tu le paieras de ta vie. Je n'ai qu'un mot à
dire pour que ta tête roule à tes pieds. » Alors il
lui fallut obéir et mettre les habits somptueux et
les bijoux de la fiancée. Quand elle entra dans la
salle royale, tous s'extasièrent sur sa grande
beauté et le roi dit à son fils : « Voici la fiancée
que je t'ai choisie et que tu dois mener à
l'église. » Le fiancé, surpris, pensa : « Elle ressemble à ma demoiselle Maleen et je pourrais
croire que c'est elle, si elle n'était depuis longtemps enfermée dans la tour, ou même morte. »
Il la prit par la main et la conduisit à l'église. Sur
le bord du chemin il y avait un buisson d'orties ;
alors elle dit :

> *Buisson d'orties,*
> *Si petit,*
> *Que fais-tu ici ?*
> *Souviens-toi du temps*
> *Où je t'ai mangé*
> *Ni cuit*
> *Ni salé.*

« Que dis-tu là ? demanda le prince. — Rien,
répondit-elle, je pensais seulement à demoiselle
Maleen. » Il s'étonna qu'elle la connût, mais il ne
dit rien. En arrivant au chemin du cimetière, elle
dit :

> *Petit chemin, point ne te brise,*
> *Je ne suis pas la vraie promise.*

« Que dis-tu là ? demanda le prince. — Rien,
répondit-elle, je pensais seulement à demoiselle
Maleen. — Connais-tu demoiselle Maleen ? —
Non, répondit-elle, comment la connaîtrais-je,
mais j'ai entendu parler d'elle. » En arrivant à la
porte de l'église, elle dit encore :

> *Petite porte, point ne te brise.*
> *Je ne suis pas la vraie promise.*

« Que dis-tu là ? demanda-t-il. — Ah, dit-elle
je n'ai fait que penser à demoiselle Maleen. »
Alors il sortit un joyau de prix, puis il le lui mit
autour du cou et ferma les agrafes. Après quoi ils
entrèrent dans l'église, ou le prêtre joignit leurs
mains devant l'autel et les maria. Il la reconduis-
it, mais en chemin elle ne dit pas un mot. Une
fois rentrée au château royal, elle courut à la
chambre de la fiancée, ôta les habits somptueux
et les bijoux, remit son sarrau gris et ne garda au
cou que le joyau dont le fiancé lui avait fait
présent.

Quand la nuit vint et que la fiancée dut être

conduite à la chambre du prince, elle laissa tomber son voile sur son visage afin qu'il ne découvrît pas la supercherie. Sitôt les gens partis, il lui dit : « Que disais-tu donc au buisson d'orties qui se trouvait sur le chemin ? — Quel buisson d'orties ? dit-elle, je ne parle pas aux buissons d'orties. — Si tu ne l'as pas fait, tu n'es pas la vraie fiancée », dit-il. Alors elle se ressaisit et dit :

> *Je vais demander à ma servante*
> *Qui garde mes pensées pour moi.*

Elle sortit et malmena demoiselle Maleen : « Souillon, qu'as-tu dit au buisson d'orties ? — J'ai dit seulement :

> *Buisson d'orties.*
> *Si petit.*
> *Que fais-tu ici ?*
> *Souviens-toi du temps*
> *Ou je t'ai mangé*
> *Ni cuit*
> *Ni salé.* »

La fiancée retourna en hâte dans la chambre et dit : « Maintenant je me rappelle ce que j'ai dit au buisson d'orties », et elle répéta ce qu'on venait de lui dire. « Mais qu'as-tu dit au chemin du cimetière quand nous sommes passés devant ? demanda le prince — Au chemin du cimetière ?

répondit-elle, je ne parle pas aux chemins de
cimetière. — En ce cas tu n'es pas non plus la
vraie fiancée. » Elle dit derechef :

Je vais demander à ma servante
Qui garde mes pensées pour moi.

Elle sortit en courant et malmena demoiselle
Maleen : « Souillon, qu'as-tu dit au chemin du
cimetière ? — J'ai dit seulement :

Petit chemin, point ne te brise,
Je ne suis pas la vraie promise.

— Cela te coûtera la vie », s'écria la fiancée,
mais elle courut à la chambre et dit : « Maintenant je me rappelle ce que j'ai dit au chemin du
cimetière », et elle répéta les mots. « Mais qu'as-
tu dit à la porte de l'église ? — A la porte de
l'église ? répondit-elle, je ne parle pas aux portes
d'église. — En ce cas, tu n'es pas non plus la
vraie fiancée. » Elle sortit et malmena demoiselle
Maleen : « Souillon, qu'as-tu dit à la porte de
l'église ? — J'ai dit seulement :

Petite porte, point ne te brise,
Je ne suis pas la vraie promise.

— Tu le paieras de ta tête », s'écria la fiancée
dans une grande colère, mais elle retourna à la
chambre et dit : « Maintenant je me rappelle ce

que j'ai dit à la porte de l'église », et elle répéta
les mots. « Mais où as-tu mis le joyau que je t'ai
donné à la porte de l'église ? — Quel joyau ?
demanda-t-elle, tu ne m'as donné aucun joyau.
— Je te l'ai mis au cou et je l'ai agrafé moi-
même : si tu ne sais pas cela, tu n'es pas la vraie
fiancée. » Il lui ôta son voile et en voyant sa
laideur inouïe, il recula de frayeur et dit :
« Comment es-tu ici ? Qui es-tu ? — Je suis la
fiancée à qui tu es engagé, mais comme je
craignais d'être la risée des gens si je me montrais
dehors, j'ai ordonné à la souillon de mettre mes
vêtements et d'aller à ma place à l'église. — Où
est cette jeune fille ? dit-il, je veux la voir, va la
chercher. » Elle sortit et dit aux laquais que la
souillon était une friponne, qu'il fallait la faire
descendre et lui trancher la tête. Les laquais la
saisirent et voulurent l'entraîner, mais elle
appela au secours en criant si fort que le prince
entendit sa voix, sortit en hâte de sa chambre et
ordonna de la relâcher immédiatement. On
apporta des flambeaux et alors il vit à son cou le
bijou qu'il lui avait donné à la porte de l'église.
« Tu es la vraie fiancée, dit-il, celle qui m'a
accompagné à l'église : viens avec moi dans ma
chambre. » Quand ils furent seuls, il lui dit :
« En chemin tu as nommé la demoiselle Maleen,
qui était ma fiancée ; si je croyais cela possible, je
m'imaginerais la voir devant moi : tu lui ressem-
bles en tout. » Elle répondit : « Je suis la demoiselle Maleen, celle qui a été enfermée pendant

sept ans dans le noir à cause de toi, qui a souffert la faim et la soif et a vécu tout ce temps dans la détresse et la pauvreté ; mais aujourd'hui le soleil luit de nouveau pour moi. J'ai été unie à toi à l'église et je suis ton épouse légitime. » Alors ils s'embrassèrent et furent heureux le restant de leurs jours. En représailles, la fausse fiancée eut la tête tranchée.

La tour où demoiselle Maleen avait été enfermée est restée longtemps debout, et quand les enfants passaient devant, ils chantaient :

Tra la la gloria,
Qui est dans cette tour-là ?
Une fille de roi,
Je ne la vois pas,
Le mur ne veut pas céder,
La pierre ne veut pas crouler,
Jeannot donne-moi la main
Et passons notre chemin.

La clé d'or

Par un jour d'hiver, la terre étant couverte d'une épaisse couche de neige, un pauvre garçon dut sortir pour aller chercher du bois en traîneau. Quand il eut ramassé le bois et chargé le traîneau, il était tellement gelé qu'il ne voulut pas rentrer chez lui tout de suite, mais faire du feu pour se réchauffer un peu d'abord. Il balaya la neige, et tout en raclant ainsi le sol, il trouva une petite clé d'or. Croyant que là où était la clé, il devait y avoir aussi la serrure, il creusa la terre et trouva une cassette de fer. Pourvu que la clé aille ! pensa-t-il, la cassette contient sûrement des choses précieuses. Il chercha, mais ne vit pas le moindre trou de serrure ; enfin il en découvrit un, mais si petit que c'est tout juste si on le voyait. Il essaya la clé, elle allait parfaitement. Puis il la tourna une fois dans la serrure, et

maintenant il nous faut attendre qu'il ait fini
d'ouvrir et soulevé le couvercle, nous saurons
alors quelles choses merveilleuses étaient conte-
nues dans la cassette.

Dossier

CHRONOLOGIE

1785 Naissance le 4 janvier à Hanau (Hesse) de Jacob Grimm ; son père, un juriste, issu d'une vieille famille de prédicateurs réformés, a élevé une famille de cinq fils et une fille. De très bonne heure c'est à son frère Wilhelm que Jacob s'attache particulièrement ; un autre frère, Ludwig, sera peintre, dessinateur et graveur.

1791 Le père s'installe comme bailli à Steinau (Hesse) et y fait venir sa famille. Il confie Jacob et Wilhelm à un précepteur sévère.

1796 *10 janvier :* mort du père à peine âgé de quarante-cinq ans. La famille connaît de graves difficultés financières ; la sœur aînée du père pourvoit à l'éducation des enfants.

1798 Études secondaires au lycée de Cassel, où sa tante Zimmer s'occupe de lui.

1802 Jacob quitte le lycée avec les félicitations de ses professeurs. Il se rend à l'université de Marbourg, pour commencer des études juridiques. Il suit les

cours de Carl Friedrich von Savigny, le jeune et déjà
célèbre professeur de droit dont il sera l'un des plus
brillants élèves : première initiation au droit historique. D'autres impulsions décisives viendront du
poète Clemens Brentano, futur beau-frère de
Savigny.

1805 *Janvier.* Savigny le fait venir à Paris pour l'aider dans
ses travaux à la Bibliothèque nationale sur l'histoire
du droit romain au Moyen Age. « Ce que j'ai appris
de Savigny dépassait largement les services que je
pouvais lui rendre [1]. »
Fin *septembre :* retour à Cassel où sa mère s'était
installée entre-temps.

1806 Il trouve un emploi au Secrétariat à la guerre, en
janvier. Fin 1806, après l'occupation française, il
donne sa démission.

1807 « J'ai ici [à Cassel] deux amis très chers [...] nommés
Grimm », écrit Brentano. « Je viens de les retrouver,
après deux années d'études laborieuses et consé-
quentes, si savants, si riches en notes, expériences et
vues nombreuses sur toute la poésie romantique, que
je suis, vu leur modestie, presque effrayé par le trésor
qu'ils possèdent [2]. »
Début de l'amitié avec Arnim.

1808 *Mai :* mort de la mère. Jacob devient préposé à la
bibliothèque privée du roi Jérôme, au château de la
Wilhelmshöhe près de Cassel.

1809 Il devient auditeur au Conseil d'État, profession qui

1. Notice autobiographique, rédigée en 1831.
2. Lettre de Brentano à Arnim du 19 octobre 1807. Brentano
venait de s'installer à Cassel après son second mariage.

lui laisse beaucoup de loisirs. Il perd cette place après la bataille de Leipzig.

1811 Lettre à Arnim, dans laquelle Jacob expose ses idées sur la « poésie naturelle » et la « poésie littéraire » [1].

1813 Le 28 décembre, Jacob commence une carrière diplomatique comme secrétaire de légation au service du prince électeur de la Hesse. C'est dans cette fonction qu'il suit les troupes de Blücher jusqu'à Paris.

1814 D'octobre à juin 1815, il prend part au Congrès de Vienne. Il y rencontre Frédéric Schlegel.
Juillet : il adresse à Görres, pour le *Mercure rhénan,* un article sur le dialecte, les coutumes et le caractère des habitants d'Alsace.

1815 De septembre à décembre, autre séjour à Paris en vue de récupérer des manuscrits volés à la bibliothèque de Cassel. Désireux de rester auprès de son frère Wilhelm, il refuse une chaire de professeur à Bonn. En décembre il démissionne de son poste de secrétaire de légation.

1816 Il obtient un emploi à la bibliothèque de Cassel. Années studieuses et tranquilles.

1829 Il est nommé professeur à l'université de Goettingue et bibliothécaire de cette ville. Wilhelm y devient bibliothécaire adjoint. Profondément attachés à leur pays natal, la Hesse, Jacob et Wilhelm se sentiront toujours étrangers à Goettingue, comme plus tard à Berlin.

1830 Premier cours sur « Les antiquités du droit allemand ». Discours de réception sur le « mal du

---

1. Lettre du 20 mai 1811.

pays », « De desiderio patriae ». Amitié avec l'historien libéral Gervinus (1805-1871).

1832 Il est élu membre de l'Académie des sciences de Berlin.

1837 Sept professeurs de l'université de Goettingue parmi lesquels Jacob, son frère Wilhelm et Gervinus signent une protestation contre le viol de la Constitution par le roi de Hanovre ; ils sont renvoyés et Jacob doit quitter Goettingue dans un délai de trois jours.
Décembre : il s'installe à Cassel chez son frère cadet, le peintre Ludwig, où Wilhelm le rejoint en 1838.

1838 Jacob et Wilhelm travaillent au *Dictionnaire allemand* à Cassel.

1841 Les frères Grimm sont appelés à l'Université de Berlin et vivront désormais dans cette ville.

1842 Voyage en Italie.

1844 *Automne :* voyage en Scandinavie.

1846 et 1847 Il préside à deux reprises le congrès des germanistes à Francfort-sur-le-Main et à Lübeck.

1848 Devient membre du Parlement de Francfort.

1859 Mort de Wilhelm Grimm, le 16 décembre, à Berlin.

1863 Mort de Jacob Grimm, le 20 septembre, à Berlin.

WILHELM GRIMM

1786 *24 février :* naissance de Wilhelm Grimm à Hannau. Elevé avec son frère, il partagea son sort pendant de nombreuses années. Dès son plus jeune âge, il se révèle de constitution fragile.

1803 *Printemps :* entrée à l'université de Marbourg, un an après son frère. Il étudiera également le droit avec Savigny, mais se révèle un esprit plus littéraire que Jacob. Il se prend d'enthousiasme pour Tieck et Jean-Paul.

1806 *Mai :* il passe avec succès ses examens. Malade, les années suivantes, il ne cherche pas encore d'emploi.

1807 Il fournit à Arnim et Brentano des matériaux pour leur recueil de poésies populaires, *Le Cor enchanté de l'enfant.*

1808 Il commence à traduire les *Vieux poèmes danois* (qui paraîtront seulement en 1811, à cause des événements politiques, chez Zimmer à Heidelberg, l'éditeur d'Arnim et de Brentano, à qui ils sont dédiés).

1809 *Avril :* voyage à Halle pour rendre visite au compositeur Reichardt; il loge chez le naturaliste Steffens. *Septembre :* sur le chemin du retour il passe deux mois à Berlin, chez son ami Arnim, en compagnie de Brentano. *Décembre :* visite chez Goethe, à Weimar.

1810 Retour à Cassel.

1812 Publication, à Noël, du premier volume des *Contes.*

1814 Au début de l'année, il devient secrétaire à la bibliothèque de Cassel.

1815 *Automne :* Voyage dans les pays rhénans avec Savigny. Visite chez Görres, à Coblence. *Septembre :* il admire la collection de peinture des Boisserée à Heidelberg. Publication du deuxième volume des *Contes.*

1819 Son frère étant pris par ses travaux sur la grammaire allemande, il s'occupe seul des éditions ultérieures des *Contes.*

1825 *15 mai :* mariage avec Dorothea Wild, une amie
d'enfance. « Je n'ai jamais cessé d'être reconnaissant
à Dieu pour le bonheur et la félicité de ce mariage [1]. »
Le père de Dorothea, originaire d'une famille patri-
cienne de Berne, s'était fixé comme pharmacien à
Cassel. Il avait de la fortune et possédait plusieurs
domaines dans les environs de Cassel. Dans les
jardins de son père, Dorothea a raconté à Wilhelm de
nombreux contes qui figurent aujourd'hui dans les
Contes de l'enfance et du foyer des frères Grimm.
Wilhelm sera souvent alerté par la santé fragile de sa
femme.

1826 *Avril :* naissance de son premier enfant, Jacob, qui
meurt en décembre.

1828 *Janvier :* naissance de son deuxième fils, Hermann,
qui sera plus tard le biographe de son père et
épousera en 1859 Gisela von Arnim, une fille
d'Achim et de Bettina.

1829 *Décembre :* bibliothécaire adjoint à Goettingue.

1830 Naissance d'un fils.

1831 Rédige son autobiographie.
Mars : devient professeur à l'université de Goet-
tingue.
Cours sur le *Nibelungenlied*.
Pendant l'hiver 1831-32, il est atteint d'une grave
pneumonie.

1832 Naissance d'une fille.

1834 Cure à Wiesbaden.

1837 Il est comme son frère renvoyé de l'université.

1838 *Octobre :* à Cassel, jusqu'en mars 1841.

---

1. Notice autobiographique (1831).

1839 Avec Bettina, il édite les œuvres posthumes d'Arnim.

1841 *Mars :* il s'installe à Berlin en même temps que son frère Jacob. Il est élu membre de l'Académie des sciences.
   Mai : cours inaugural à l'université. Fréquente Schelling et l'historien Ranke.

1845 Il reçoit pendant l'hiver 1845-46 la visite de Hans Christian Andersen.

1859 Wilhelm meurt à Berlin le 16 décembre.

PRINCIPAUX OUVRAGES PUBLIÉS PAR JACOB GRIMM

1819 *Grammaire allemande* (2ᵉ, 3ᵉ et 4ᵉ volumes, respectivement en 1826, 1831 et 1837).

1828 *Les Antiquités du Droit allemand.*

1834 Éditions de *Reinhart Fuchs.*

1835 *Mythologie allemande* (augmentée dans l'édition posthume de 1875-1878).

1848 *Histoire de la langue allemande.*

1852 Première livraison du *Dictionnaire allemand* (1ᵉʳ, 2ᵉ et 3ᵉ volumes, respectivement en 1854, 1860 et 1862).

PRINCIPAUX OUVRAGES PUBLIÉS
PAR WILHELM GRIMM

1811 *Poèmes héroïques danois.*

1829 *L'Épopée allemande.*

PRINCIPAUX OUVRAGES PUBLIÉS EN COMMUN

1812 *Contes de l'enfance et du foyer.*
    L'édition de 1812 est dédiée à « Madame Élisabeth
    d'Arnim pour son petit Johannes Freimund ».
    (Johannes Freimund, le fils aîné de Bettina von
    Arnim, est né en 1812.)
    Un deuxième tome est publié en 1815. L'édition est
    remaniée et augmentée en 1819, puis en 1822
    Septième édition en 1857 ; c'est la dernière qui ait
    paru du vivant des frères Grimm.
    Les deux poèmes allemands les plus anciens.

1815 Édition du *Pauvre Henri* de Hartmann von Aue.
    Chants de l'Edda.

1816-1818 *Légendes allemandes.*

1821 *Les runes allemandes.*

1826 *Contes irlandais.*

ERIKA TUNNER.

NOTICE

Pour la postérité, l'essentiel de l'œuvre commune des frères Grimm se résume à ces *Contes de l'enfance et du foyer* qui les ont rendus célèbres dans le monde entier. De 1782 à 1786, déjà, Johann Karl August Musaeus (1735-1770) avait publié des *Contes populaires allemands* qui lui avaient valu un certain succès. Marchant sur ses traces, les frères Grimm lui reprochèrent plus tard d'avoir déformé la tradition en introduisant dans ses récits des additions de son cru et des notes à caractère ironique. L'attitude des Grimm en face de l'énorme masse de documents qu'ils ont collectée est en principe celle de la fidélité ; comme l'a fort bien défini Wilhelm Scherer, « Le style de ces contes est le style du récit populaire et naïf en prose, observé avec soin par de savants philologues, manié avec goût par de vrais artistes, transmis aux enfants et parents allemands par des hommes naïfs [1]. » C'est l'union de toutes ces qualités qui valut aux Grimm de faire une œuvre unique en son genre. Les sources des frères Grimm sont orales et écrites. Ils ont recueilli les récits de la « vieille Marie », une servante « au grand cœur » dans la

---

1. Cité par Ernest Tonnelat, dans sa thèse *Les Contes des frères Grimm* (1912).

maison des Wild, et dont les plus beaux contes figurent dans
le premier volume de 1812. Une autre source d'une
importance capitale fut Dorothea Viehnamm, surnommée
« la Viehmännin », originaire d'un petit village des environs
de Cassel. Excellente narratrice, douée d'une mémoire
prodigieuse, elle a fourni la plupart des contes publiés dans
le deuxième volume de 1815. D'autres contes proviennent
des sœurs Hassenpflug, de Cassel, amies de « Dortchen », la
femme de Wilhelm Grimm. Les frères Grimm mettent
également en mouvement tout un groupe de correspon-
dants. Beaucoup de contes leur parviennent ainsi de la
famille Haxthausen de Westphalie et de Jenny von Droste-
Hülshoff, la sœur de la célèbre poétesse. Achim von Arnim
leur cède deux contes en dialecte poméranien du peintre
Philipp Otto Runge.

Le principe de fidélité semble avoir varié selon les
éditions successives ; celles-ci ont été étudiées en détail par
le germaniste français Ernest Tonnelat dont nous résume-
rons ici brièvement les conclusions. En 1812, les auteurs
rapportent le conte tel qu'ils l'ont entendu, en en conservant
tous les détails. La deuxième édition de 1819 ne contient
plus que des contes du patrimoine national, ceux-là mêmes
qui ont encore cours en Allemagne à l'époque ; c'est ainsi
que *Le chat botté* et *Barbe-bleue*, éléments étrangers, sont
écartés ; l'intention patriotique des Grimm est ici manifeste.
De plus, par désir de retrouver la forme primitive (ou du
moins celle qu'ils supposent telle), les auteurs combinent les
différentes versions qu'ils possèdent. Pour ce qui est du
style — c'est surtout le travail de Wilhelm Grimm —, cette
édition introduit en abondance le discours direct, substitue
au terme banal une expression imagée (exemple :
« curieux » devient « dressant les oreilles »), ajoute des
idiomatismes, améliore l'agencement logique des épisodes
entre eux, multiplie les répétitions de tournures identiques

au sein d'une même histoire. En même temps, le conte est épuré de tous les passages qui pourraient en interdire la lecture aux enfants (ainsi disparaissent des allusions à d'inexplicables grossesses). Dans la troisième édition, celle de 1822, Jacob adjoint des notes savantes qui représentent sa contribution à la germanistique romantique, tandis que les modifications apportées par Wilhelm concernent encore le style. Tonnelat a énuméré ces modifications : additions en vue de donner à l'ensemble un meilleur développement logique, introduction de réflexions morales à l'usage des enfants, de propos attribués au conteur ou à l'auditeur, de proverbes et de sentences, d'allitérations, d'assonances et d'onomatopées, de pléonasmes, précision dans le choix du vocabulaire spécialisé (termes de métiers), amplification des monologues et des dialogues. La fidélité n'est donc pas ici un principe absolument rigoureux ; ce que les Grimm entendent par là, c'est, pour citer l'ouvrage de Tonnelat, « non pas l'exactitude du mot à mot, mais la minutieuse notation de tous les détails traditionnels, dans la forme la plus approchée de celle que les gens du peuple emploient quand ils font un récit, c'est-à-dire une langue très simple dans ses constructions syntaxiques, abondante en images et en comparaisons, concrète et expressive, mêlée de proverbes, de sentences, d'interjections, d'onomatopées ».

Beaucoup des contes rassemblés par les Grimm sont empruntés à des sources françaises, aux récits du xive siècle, aux fabliaux du xvie siècle et à la littérature baroque. Si leur contenu nous semble souvent si familier, c'est en vertu de leur banalité même, ainsi que nous en avertit la préface de l'édition de 1812 : « La plupart des situations sont si simples que beaucoup d'entre nous les auront rencontrées dans la vie. » N'apparaissent-ils pas d'ailleurs comme les variations infinies d'une même trame, les développements différenciés d'un même noyau primitif ? C'est l'histoire des parents qui n'ont plus de pain, de la marâtre qui veut se débarrasser de ses enfants, de la rivalité de deux frères, de l'homme humble au cœur pur qui réalise des prodiges et accède au bonheur. Le monde qui nous est décrit est peuplé des mêmes inévitables personnages : roi, prince, serviteur fidèle, artisans, et surtout ces êtres proches de la nature et de ses mystères que sont pêcheurs, meuniers, charbonniers et bergers. Le nœud de leur petit drame se résume au même manichéisme rudimentaire de l'opposition du Bien et du Mal, du blanc et du noir, qu'incarnent l'hostilité des frères ou les deux catégories d'animaux, les bienfaisants et les cruels. Pour finir, la Lumière triomphera toujours des Ténèbres, les méchants seront toujours châtiés par les bons et le monde de l'Amour rachètera la triste condition de l'homme sur terre. Mais, que l'origine des contes soit païenne ou chrétienne, jamais l'intention moralisante ne domine ni ne veut imposer un enseignement : le conte en laisse le soin au dynamisme interne de sa poésie. On a beaucoup épilogué sur la cruauté de ces histoires ; à cela, les frères Grimm répondaient : « Je crois qu'on peut, en s'en remettant à Dieu, laisser tous les enfants lire d'un bout à l'autre notre livre et les abandonner à eux-mêmes [1]. »

A la différence du conte français, infiniment plus littéraire, le *Märchen* allemand se présente sans fard, dépourvu d'ornements et d'enjolivures, et ses allusions érotiques ont été revues et corrigées par l'esprit protestant. Notre traditionnelle fée de lumière n'est bien souvent ici qu'une vieille femme à laquelle ne s'attache aucun prestige, si ce n'est celui d'être sage-femme (et femme sage), celle qui assiste à la naissance et incarne humainement le destin. Sans doute cette simplicité du conte allemand tient-elle aussi à la façon

1. Cité par Ernest Tonnelat, d'après R. Steig, *Arnim et J. et W. Grimm*.

dont les Grimm ont procédé. Reprenant la distinction de Herder entre poésie de la nature et poésie de l'art (alors qu'Arnim ne voyait entre elles aucune différence qualitative), Jacob Grimm a voulu transcrire aussi fidèlement que possible ce qu'il soupçonnait être la poésie communautaire, laisser parler l'âme du peuple sans lui superposer la note individualiste de la poésie littéraire. Ce rapport des Grimm avec le passé, avec l'antiquité nationale, revêt à leurs yeux un caractère sacré ; ils ont dans leur travail le sentiment de pénétrer dans un sanctuaire, d'autant que pour eux les peuples primitifs entretiennent une plus grande proximité avec le divin (le médecin, psychologue et philosophe Carus interprète semblablement l'avènement de la conscience individuelle comme une rupture). « Les hommes du passé furent plus grands, plus purs et plus saints que nous ; le reflet de l'origine divine était encore en eux, sur eux, un peu comme des corps lumineux et purs continuent à briller un instant lorsqu'on les plonge brusquement de l'éblouissante clarté solaire dans la plus profonde obscurité... La poésie ancienne est innocente et ne sait rien ; elle ne veut pas enseigner. En outre : elle est, comme la langue du passé, tout à fait simple... Je vois donc dans la poésie savante de l'apprêt et dans la poésie naturelle de la spontanéité ; dans celle-là, une chambrette immaculée ; dans celle-ci, un pays tout entier [1]. » L'excellent styliste qu'était Wilhelm Grimm a su réinventer, pour imiter le parler des gens du peuple, une langue vivante, enjouée, mais limpide, en épurant malgré lui les traditions orales et en leur conférant une grâce et une naïveté qu'elles ne possédaient pas toujours.

Cependant il ne faut pas oublier que nous ne devons pas seulement des recueils de contes aux frères Grimm, bien au contraire : par sa *Grammaire allemande*, Jacob Grimm doit

---

1. Lettre de Jacob à Arnim du 20 mai 1811.

être considéré comme le fondateur de la philologie allemande et l'un des plus grands érudits de son époque. La
monumentale entreprise du *Dictionnaire allemand* n'a pu
être menée à fin par les deux frères qui ont dû s'arrêter à la
lettre F. Ce n'est qu'en 1960 que cet ouvrage fut terminé,
grâce à la collaboration de plusieurs générations de germanistes allemands.

JEAN-CLAUDE SCHNEIDER.

LIVRE DEUXIÈME

DOSSIER

COLLECTION FOLIO

2450. Guy Rachet	*Les 12 travaux d'Hercule.*
2451. Reiser	*La famille Oboulot en va- cances.*
2452. Gonzalo Torrente Bal- lester	*L'île des jacinthes coupées.*
2453. Jacques Tournier	*Jeanne de Luynes, comtesse de Verue.*
2454. Mikhaïl Boulgakov	*Le roman de monsieur de Mo- lière.*
2455. Jacques Almira	*Le bal de la guerre.*
2456. René Depestre	*Éros dans un train chinois.*
2457. Réjean Ducharme	*Le nez qui voque.*
2458. Jack Kerouac	*Satori à Paris.*
2459. Pierre Mac Orlan	*Le camp Domineau.*
2460. Naguib Mahfouz	*Miramar.*
2461. Patrick Mosconi	*Louise Brooks est morte.*
2462. Arto Paasilinna	*Le lièvre de Vatanen.*
2463. Philippe Sollers	*La Fête à Venise.*
2464. Donald E. Westlake	*Pierre qui brûle.*
2465. Saint Augustin	*Confessions.*
2466. Christian Bobin	*Une petite robe de fête.*
2467. Robin Cook	*Le soleil qui s'éteint.*
2468. Roald Dahl	*L'homme au parapluie et au- tres nouvelles.*
2469. Marguerite Duras	*La douleur.*
2470. Michel Foucault	*Herculine Barbin dite Alexina B.*
2471. Carlos Fuentes	*Christophe et son œuf.*
2472. J.M.G. Le Clézio	*Onitsha.*
2473. Lao She	*Gens de Pékin.*
2474. David McNeil	*Lettres à Mademoiselle Blu- menfeld.*
2475. Gilbert Sinoué	*L'Égyptienne.*
2476. John Updike	*Rabbit est riche.*
2477. Émile Zola	*Le Docteur Pascal.*
2478. Boileau Narcejac	*…Et mon tout est un homme.*
2479. Nina Bouraoui	*La voyeuse interdite.*
2480. William Faulkner	*Requiem pour une nonne.*

Impression S.E.P.C. à Saint-Amand (Cher),
le 28 juillet 1993.
Dépôt légal : juillet 1993.
1ᵉʳ dépôt légal dans la collection : septembre 1976.
Numéro d'imprimeur : 1669.
ISBN 2-07-036840-8./Imprimé en France.